李碧华 著

胭脂扣
生死桥

李碧华作品集

长篇小说

广东省出版集团
花城出版社
中国·广州

合同号 19－2002－019 号

本书简体字版经香港天地图书有限公司授权出版，非经书面同意，不得以任何形式复制、转载。

本书仅限中国大陆地区发行、销售。

图书在版编目（CIP）数据

胭脂扣　生死桥

李碧华著.

－广州：花城出版社，2001.4（2007.4 重印）

（李碧华作品集）

ISBN 978－7－5360－3503－4

Ⅰ．李…　　Ⅱ．胭…　　Ⅲ．①文学－作品综合集－中国－当代②长篇小说－作品集－中国－当代　Ⅳ．I217.2

责任编辑：钟洁玲
技术编辑：赵　琪
平面设计：苏家杰

出版发行	花城出版社
	（广州市环市东路水荫路 11 号）
经　　销	全国新华书店
印　　刷	佛山市浩文彩色印刷有限公司
	（南海区狮山科技工业园 A 区）
开　　本	850×1168 毫米　32 开
印　　张	15.25　　1 插页
字　　数	350,000 字
版　　次	2001 年 5 月第 1 版
	2006 年 7 月第 2 版　2007 年 4 月第 7 次印刷
印　　数	35001－43000 册
定　　价	29.00 元

如发现印装质量问题，请直接与印刷厂联系调换。

37604658　37602819

网站：http://www.fcph.com.cn

目 录

胭脂扣

"先生——"

我的目光自报纸上三十名所谓"佳丽"的色相往上移，见到一名廿一二岁之女子。

她全部秀发以啫喱膏腊向后方，直直的，万分贴服。额前洒下零仃几根刘海，像直刺到眼睛去。真时髦。还穿一件浅粉红色宽身旗袍，小鸡翼袖，领口袖口襟上捆了紫跟桃红双捆条。因见不到她的脚，不知穿什么鞋。

一时间，以为是香港小姐候选人跑到这里来绕场一周。——但不是的，像她这般，才不肯去报名呢。俗是有点俗，惟天生丽质。

我呆了半晌，不晓得作答。

"先生，"她先笑一下，嗫嚅："我想登一段广告。"

"好。登什么?"

我把分类广告细则相告：

"大字四个，小字三十一个。每天收费二十元。三天起码，上期收费。如果字数超过一段，那就照两段计……"

"有多大?"

我指给她看。

"呀，那么小。怕他看不到。我要登大一点的。"

"是寻人吗？"

她有点踌躇："是。等了很久，不见他来。"

"小姐，如果是登寻人启事，那要贵得多了。按方寸计算，本报收九十元一方寸。"

"九十元？才一寸？"

"是呀，一般的启事，如道歉、声明、寻人或者抽奖结果，都如此。你要找谁呢？"

"——我不知道他是否在这里？不知道他换了什么名字？是否记得我？"真奇怪。我兴致奇高。一半因为她的美貌，一半因为她的焦虑。

"究竟你要找谁？"

"一个男人。"

"是丈夫吗？"

"——"她一怔，才答："是。"

"这样的，如果寻夫，因涉及法律性，或者需要看一看证书。"

她眼睛闪过一丝悲哀，但仿佛只是为她几根长刘海所刺，她眨一眨，只好这样说："先生，我没有证书。他——是好朋友。寻找一个好朋友不必证明文件吧？"

我把纸笔拿出来，笑：

"那倒不必。你的启事内容如何？"

她皱眉："我们之间，有一个暗号。请你写'十二少：老地方等你。如花'字样。"

"十二少是他代号？如今仍有间谍？"我失笑：

"如花小姐，请问贵姓。"

"我没有姓。"

"别开玩笑。"

袁永定:"究竟你要找谁?"
如花:"一个男人。"

"我从小被卖予倚红楼三家，根本不知本身姓什么。而且客人绝对不问我们'贵姓'，为怕同姓，诸多避忌。即使温心老契……"

我有点懊恼，什么"倚红"、什么"三家"、"客人"、"温心老契"……谁知她搞什么鬼？广告部一些同事都跑到楼上看香港小姐准决赛去，要不是与这如花小姐周旋，我也收工，就在电视机旁等我女友采访后来电，相约宵夜去。

如今净与我玩耍，讲些我听不懂的话，还未成交一单生意。——且她又不是自由身，早有"好朋友"，我无心恋战。

"请出示姓名、住址、电话、身份证。"

"我没有住址、电话，也没有身份证。"她怯怯地望着我："先生，我甚至没有钱。不过我来的时候，有一个预感——"

我打量她。眉宇之间，不是不带风情。不过因为焦虑，暂时不使出来。也许马上要使出来了。老实说，我们这间好歹是中型报馆，不打算接受一些暧昧的征友广告："住客妇女，晚七至十，保君称心"之类。难道——

如花说："我来的时候，迷迷糊糊，毫无头绪。我只强烈地感觉到，第一个遇上的人，是可以帮我忙的。"

旁边有同事小何，刚上完厕所，见一个客人跟我讲这样的话，便插嘴："是呀。他最可靠，最有安全感——不过他已有了……"

"滚远点！"我赶小何。

但我不愿再同这女子纠缠下去。

"如果登这启事，要依正手续，登三方寸，二百七十元。"她很忧愁。

"好了好了，当是自己人登，顶多打个七五折。"

"但是，我没有你们所使用的钱。"

如花:"我便是当年倚红楼红牌阿姑……"

"——？你是大陆来的吧？"

"不，我是香港人。"

我开始沉不住气。这样的一个女子，恃了几分姿色，莫不是吃了迷幻药，四处勾引男人，聊以自娱？

"真对不起。我们收工了。"

我冷淡地收拾桌上一切。关灯、赶客。

她不甘心地又站了一会。终于怏怏地，怏怏地走了。退隐于黑夜中。

我无心目送。

小何问："干什么的？"

"撞鬼！"我没好气地答。

"永定，你真不够浪漫。难怪凌楚娟对你不好。"

"小何，你少嚼舌。"我洋洋自得："刚才你不是认同我最可靠，最有安全感吗？阿楚光看中我这点，一生受用不尽。"

"阿楚像泥鳅，你能捉得住？"

我懒得作答。

——其实，我是无法作答。这是我的心事。不过男人大丈夫，自己的难处自己当。

我，袁永定，就像我的名字一般，够定。但对一切增加情趣的浪漫玩艺，并不娴熟。一是一，二是二。这对应付骄傲忙碌的阿楚，并不足够。

我女友，凌楚娟，完全不像她的名字一般，于她身上，找不出半点楚楚可人，娟娟秀气之类的表现。楚，是"横施夏楚"；娟，是"苛捐杂税"。

总之，我捉她不住。今晚，又是她搏杀的良机，她在娱乐版任职记者，最近一个月，为港姐新闻奔走。

我收工后跑上楼上采访部看电视。三十名港姐依次展览。

燕瘦环肥。

答问时，其中一个说她最不喜欢别人称她为"马骝干"或"肥猪"。

我交加双臂，百无聊赖，说："别人只称你做'相扑手'。"

男同事都笑作一团。一个跑突发的回来，拿菲林去冲，一边瞄瞄电视："哗，胸部那么小，西煎荷包蛋加红豆！"

有女记者用笔搠他，他夹着尾巴逃掉。选美就是这么一回事，直至选出十五名入围小姐。电话响了，原来是找我："永定，我今晚不同你宵夜，我们接到线报，落选小姐相约到某酒店咖啡馆爆内幕，我要追。你不用等。自生自灭。"

我落寞地步下斜坡。

有些夜晚，阿楚等我收工，或我等她收工，我俩漫步，到下面的大笪地宵夜去。——但更多的夜晚，我自己走。遇上女明星割脉、男明星撬人墙脚、导演遇袭……之类突发新闻，她扔下我，发挥无穷活力去追索。她与她的工作恋爱。

影视新闻，层出不穷，怎似广告部，无风无浪。

走着走着，忽觉尾后有人蹑手蹑足相随。我以为是我那顽皮的女友，出其不意转身。

方转身，杳无人迹，只好再回头，谁知突见如花。

在静夜中，如花立在我跟前。

她默默地跟我数条街巷，干什么？我误会自己真有点吸引力。但不，莫非她要打劫？也不，以她纤纤弱质，而且还学人赶时髦，穿一件宽身旗袍。别说跑，连走几步路也要将将就就。

"先生，"她下定了决心："我一定要找到他，我一定要知道他的下落。"

她见我不回话，又再道：

"我只申请来七天。先生，你就同情我吧。难道你不肯？"

"你要我怎样帮你？"

"我说不上。"她为难："但你一定会帮到我。——或者，麻烦你带一带路。我完全认不得路了。一切都改变了。"

我心里想，寻亲不遇，只因香港近年变迁太大了，翻天覆地，移山填海，五年换一换风景，也难怪认不得路。

且她只申请得七天，找不到那男人，自是万分失望。

好，我便帮这小女子一个忙：

"你要上哪儿去？"

"石塘咀。"

"哦，我也是住在石塘咀哩。"

"吓？"她惊喜："那么巧？我真找对人了。"

"带你到电车站。"

一路上，她离我三步之遥。间中发觉她向我含蓄地端详，十分安心。

我们报馆在上环，往下走是海边，灯火辉煌的平民夜总会。想起我的宵夜。

"你饿不饿？"

"——不，不很饿。"她含糊地答。

"我很饿。"我说："你也吃一点吧。"

"我不饿。"

我叫了烧鹅濑粉，一碟猪红萝卜。问她要什么，她坚持不要，宁死不屈。不吃便不吃。何必怕成那样？好像我要毒死她。

她坐在那儿等我吃完，付帐。

然后我俩穿过一些小摊子。她好奇地到处浏览，不怕人潮

　　十二少陈振邦，在石塘咀，倚红楼，蒙
一位花运正红、颠倒众生的名妓痴心永许，
生死相缠。

挤拥，不怕人撞到她。蓦地，她停下来。

是一个地摊，张悬些陈旧泛黄布条，写着掌相算命测字等字样。摊档主人是个六七十岁的老人，抽着烟斗，抽得久了，连手指都化为烟斗般焦黄黯哑。

她坐在小凳子上，瞧我一下。

"好的，你问吧，我帮你付钱好了。"

她感激一笑。顺手自一堆小字条卷中抽了一卷，递予老人。

摊开一看，是个"暗"字。她见字，一阵失意。

我也为她难过。

老人问："想测什么？"

她说："寻人。"

"是吉兆呢。"他说。我俩一齐望向他。

如花眼睛一亮。

她殷切俯身向前，洗耳恭听。

满怀热望。

她期望找到这个男人。是谁呢？如此得蒙爱恋。念及我那阿楚，触景伤情。

老人清清喉咙，悠悠地说道：

"这个'暗'字，字面显示，日内有音，近日可以找到了。"

"他在此？"如花急着问。

"是，"老人用粉笔在一个小黑板上写着字："这是一个日，那又是一个日，日加日，阳火盛，在人间。"

如花不知是兴奋，抑或惊愕，呆住了。她喃喃：

"他竟比我快？"

老人见顾客满腔心事，基于职业本能，知道可以再加游说：

"小姐，不如替你看看掌相吧，我很灵的，大笪地出了名活神仙。让我替你算一算。你找的是谁呀？让我看看姻缘线——"

她伸出手来。

"呀，手很冷呢。"

老人把火水灯移向如花的手。反覆地看。反覆地看。良久。

"真奇怪。"他眉头紧锁："你没有生命线？"

我失笑。江湖术士，老眼昏花，如何谋生？我想叫如花离去。她固执地坐着。

"小姐，你属什么？"

她迟疑地："属犬。"

然后不安定地望我一眼。哦，属犬，原来与我同年，一九五八年出生。不过横看竖看，她一点不显老，她看上去顶多廿一、二。即使她作复古装扮，带点俗艳……女人的样貌与年龄，总是令人费解的。

她仍以闪烁眼神望我。

我很明白。所有女人都不大愿意公开她们的真实年龄，何况我只是一个初相识的陌路人？她还在那儿算命呢，我何必多事，侧闻她的命运？到底漠不相关。

于是我识相地走远几步。

四周有大光灯亮着，各式小摊子，各式人群，灯下影影绰绰，众面目模糊，又似群魔乱舞。热气氤氲。

歌声充斥于此小小的繁华地域：

似半醒加半醉，

像幻觉似现实里……

只听得老人在算：

"属犬，就是戊戌年，一九五八年。"

"不，"如花答："是庚戌年……"

我听不清楚他俩对话，因为歌声如浪潮，把我笼罩：

情难定散聚，

爱或者唏嘘，

仿佛都已默许。

能共对于这一刻，

却像流星般闪过，

你是谁？我是谁？

也是泪……

隔了一会，我猜想他已批算完毕，便回去找她。

——但，如花不见了！

那测字摊的老人，目瞪口呆，双眼直勾勾地向着如花坐过的小凳子。

我问："阿伯，那小姐呢？"

他看也不看我。

一言不发，仓皇地收拾工具。粉笔、小黑板、测字纸卷、掌相挂图……他把一切急急塞在一只藤箱中。苍白着脸，头也不回地逃走。

转瞬人去楼空貌。

我怔在原地，不知所措。

谁知老人替她看掌相，算出她是什么命？现两相惊逃，把

　　十二少买醉塘西，眷恋如花。他与
一般客人迥异之处，便是时有高招。

我扔在一个方寸地，钱又不用付，忙也不必帮。呼之则来，挥之则去？真可恶，未试过如此：冠盖满京华，斯人独憔悴。
——别再让我见到她，否则一定没好脸色。

我去坐电车。

电车没有来。也许它快要被淘汰了，故敷衍地怅惘地苟活着。人们记得电车悠悠的好处吗？人们有时间记得吗？

电车站附近是一些报摊，卖当日的拍拖报，两三份一组的，十分贬值。报摊往上走，便是"鸡窦"（妓女窝），总有两三个迟暮私娼，涂上了口红，穿唐装短衫裤在等客，她们完全不避耳目，从容地抽烟，有时买路过的猪肠粉吃，蘸上瘀血一般颜色的海鲜酱，是甜酱。数十年如一日。有些什么男人会来光顾？好像跟母亲造爱一样，有乱伦的丑恶。

正等着。如花竟又来了。

我气她不告而别，掉过头去。

她默默地在我身后，紧抿着小嘴。委屈地陪我等车。

电车踽踽驶来，我上车。如花一足还未踏上，车就开了。我扶她一把，待她安定。如今生活节奏快，竟连电车也不照顾妇孺？出乎意料之外。

上到楼上，除了车尾一双情侣，没其他乘客。他俩尽情爱抚，接吻，除了真正交合之外，无恶不作。

"小姐——"

"叫我如花吧。对不起，刚才我走开了一阵。你别要生我的气呀！"

"没关系啦，反正萍水相逢。难道生气伤身不成。"我是男人，毫无小器之权利。

"你要在哪儿下车？"

"就在屈地街。填海区那边。"

"填海区？"

"是——"她顾左右言他："附近不是有太平戏院吗？"

"哦，太平。早拆了。现在是个地盘。隔壁起了一个大大的商场。"

见她迷惑，便问：

"大概你很久没到过那区吧？"

"很久了。"

"在我小时候，太平戏院一天到晚放映陈宝珠的戏。我记得有一出戏叫做《玉女心》，如果储齐七张票尾字咭，可以换她一张巨型亲笔签名相的。我帮我姊姊换过。"

"谁是陈宝珠？"

"你未看过她的戏吗？"

"没有。我在太平戏院看的不是这些。"

哼，在扮年轻呢。难道我不洞悉？只要讲出什么明星的名字便可以推测对方是什么年代的人。但她分明在假装：我看的不是这些……以示比我后期出生。我只觉好笑。这女人，自以为聪明。其实我早知她的生肖。

"那你看的是什么戏？"

"更早一点的。"

我愕然，那么我错估了。更早一点？于是我开玩笑地数："《三司会审杀姑案》？《神眼东官认太子》？《十年割肉养金龙》？《一张白纸告亲夫》？《沉香太子毒龙潭救母》？《清官斩节妇》？《节妇斩清夫》？"再数下去，我仅余的记忆都榨干了。

"不不。我看的是大戏。太平戏院开演名班，我们一群姊妹于大堂中座。共占十张贵妃床，每张床四个座位，票价最高十二元。"她开始得意地叙述，完全没有留神我的反应。

她继续："那时演《背解红罗》、《牡丹亭》、《陈世美》……"

在她缅怀之际，我脸色渐变，指尖发冷。

"你是——什么人？"

她蓦地住嘴，垂眼不语。

"你是人吗？"

她幽幽望向窗外。夜风吹拂着，鬓发丝毫不乱。初见面时，我第一眼瞥到的，是她的秀发，以啫喱膏悉数贴向后方，万分贴服——看真点，啊，不是啫喱膏，也许是刨花胶。她那直直的头发，额前洒下几根刘海，哪里是最时髦的发型？根本是过时。还有一身宽旗袍，还有，她叫如花。还有，她完全不属于今日的香港。我甚至敢打赌她不知道何谓一九九七。赔率是一赔九十九。

我恐怖地瞪着她，等她回话。

她不答。

她不知自那儿取出胭脂，轻匀粉脸，又沾了一点花露水。一时之间，我闻到廿多年来未曾闻过的香味。

我往后一看，那对情侣早已欲仙欲死，忘却人间何世，正思量好不好惊动鸳鸯，以壮胆色。如花已楚楚低吟：

"去的时候，我二十二岁。等了很久，不见他来，按捺不住，上来一看，原来已经五十年。"

"——如花，"我艰辛地发言："请你放过我。"

"咦？"她轻啐："我又不是找你。"

"你放过我吧！"

我忽联想起吸取壮男血液以保青春的艳鬼："——我俩血型又不同。"话刚出口，但觉自己语无伦次，我摇摇欲坠地立起来，企图摆脱这"物体"。

"我下车了。"

"到了吗？在屈地街下车，中间一条水坑。四间大寨：四大天王。我便是当年倚红楼红牌阿姑——"她凄凄地，竟笑起来。

老天，还没到屈地街呢。只是在一个俗名叫"咸鱼栏"的区域。电车又行得慢，直到地老天荒，也未到达目的地。我急如热锅上蚂蚁，唯一的愿望是离开这电车。

"如花，我什么也不晓得。我是一个升斗小市民，对一切历史陌生。当年会考，我的历史是 H。"

"什么是会考？"

"那是一群读了五年中学的年轻人，一齐考一个试，以纸笔作战争取佳绩。"

"不会考可以吗？"

"可以。但不参加会考，不知做什么好。结果大伙还是孜孜地读书考试。考得不好，女孩可报名参选香港小姐，另寻出路。但男孩比较困难。"

"啊，那真麻烦！"她竟表示同情："我们那时没什么选择，反而认命。女人，命好的，一生跟一个男人；命不好，便跟很多个男人。"

我看看眼前塘西花国的阿姑，温柔乡中，零沽色笑——当然，结婚是批发，当娟是零沽。

我也有点同情她。

"你会考不好，怎么找工作？"

"谁说我会考不好？"我不能忍受："我只是历史不好。其他都不错。"

为免她看不起，我侃侃而谈：

"会考之后，我读了两年预科，然后在大专修工商管理，现任报馆广告部副主任——"

后来我但觉自己无聊极了，那么市侩，且在一只鬼面前陈述学历与职位，只是为免她看不起。说到底，我不是好汉。我痛恨自己。

奇怪，我渐渐不再恐惧，寒意消减。代之是好奇："你那十二少，是怎样的人？"

"十二少——"她心底微荡，未语先笑："他是南北行三间中药海味铺的少东。眉目英挺，细致温文……"

"所以你与他一见钟情？"她又一笑。开始卖弄她的欷客手段："你帮我的忙，我自把一切都告诉你。"

女人便是这样，你推拒，她进逼；到你有了相当兴趣，她便吊起来卖。

"你不会害我？"

"我为什么要害你？"

"为什么拣我？"

"你已经知道这样多了，不拣你拣谁？"

这女鬼缠上我了！真苦。只见一面便缠上。那男人，什么十二少，看来更苦命。

"——我有心相帮，若力有不逮，毫无结果，是否保证没有手尾？"

"一定有结果。刚才测字，不是说他在人间，日内有音讯吗？"

见她那么坚持信念，比一般教友信奉上帝还要虔诚，我不便多言，信者得救。

我换一个话题：

"十二少真有那么多兄弟姊妹的吗？"

"才不！"她道："他排行第二。不过当时塘西花客，为了表示自己系出名门，一家热闹团聚，人口众多，所以总爱加添'十'字。他原姓陈。"

"叫什么名字？"

"振邦。"

哦，在石塘咀，倚红楼，蒙一位花运正红、颠倒众生的名妓痴心永许，生死相缠，所以他得以"振邦"？嘿嘿。我不屑地撇撇嘴。不过是一个嫖客！如花未免是痴情种，一往情深。

"我被卖落寨，原是琵琶仔，摆房身价奇高，及后台脚旺，还清债项，回复自己身。恃是红牌，等闲客人发花笺，不愿应纸。"

有一晚……

我专注地聆听一些只在电影上才会出现的故事情节。

"那晚有阔客七少，挥笺相召。这七少，曾是我毛巾老契——"

"什么是毛巾老契？"

"王孙公子花天酒地，以钱买面。阿姑在应纸到酒楼陪客时，出示一方洒了花露水的杂色毛巾给他抹面，以示与酒楼的白色小毛巾有所不同而已。"

原来阔客捻花，竟以得到区区一两条毛巾来显示威风，与众不同。为了这毛巾，想他也要付出不菲代价。风月场中，妓女巧立名目，大刀阔斧；大户引颈待斩，挥金如土，难怪如花洋洋自得。

"就是那晚，座中遇得十二少。也许是缘份，也许是冤孽，总之，我挂号后，他对我目不转睛，而言笑间，我也被他吸引。本来为了摆架子，不便逗留太久，流连片刻便要借口赶下一场。"

"但你一直坐下去？"

"不，我还是走了。——不过，埋席时又赶来一次。散席后，邀约七少返寨打水围。十二少没有来。我暗示他，三天之后，他来找我……"

就在如花诉说她春风骀荡，酒不醉人的往事时，电车已缓缓驶至石塘咀。

"糟，要过站了。"

我马上带如花下电车。这一回，我让她先行，免得司机看不见，她还未落定便又开了车。

时夜已深，回首一看，石塘咀早已面目全非，她如何找得"老地方"？真烦恼。她站在那里，一脸惶惑。此情可待成追忆，只是当时已惘然。

如何安置这只迷路的女鬼？

"你到了吧？"

"我在哪里？"她几乎要哭出声来："这真是石塘咀吗？"

她开始认路：

"水坑呢？我附近的大寨呢？怎么不见了欢得、咏乐？还有，富丽堂皇的金陵酒家？广州酒家呢？……连陶园打八音的锣鼓乐声也听不到了——"她就像歧路亡羊。

"日后十二少如何会我？"

还念念不忘她要寻找的人。

"我怎么办？"

忽然之间，她仓皇失措地向我求助。

我如何得知怎么办？我如何有能力叫一切已改变的环境回复旧观？我甚至不可以重过已逝去的昨天，何况，这中间是五十多年？我同她一样低能软弱，手足无措。人或者鬼，都敌不过岁月。啊，岁月是一些什么东西？

"这样吧——"我迟疑了一下："你暂时来我家住一宵再

说。"

她点点头。

我以为她会推辞：不好意思啦，萍水相逢啦，孤男寡女啦，两不方便啦……一般女子总有诸如此类的顾忌。但如花，我竟忘记她是一个妓女。她见的世面比我多呢。以上的顾忌，反而是我的专利。

我并没有看不起她。

我在那儿提心吊胆，担心她夜里爬上我的床来诱我欢好——真滑稽，在半分钟之内，我想到的只是这一点。

"你不介意吧?"我还是要问一问。终于我带她回家。途中经过金陵阁。以前这是金陵戏院，如今建了住宅，楼下有电子游戏中心。附近有间古老的照相馆，橱窗上残存一张团体相，摄于一九五八年。我也是五八年的。——我比如花年轻得多了!

虽然我俩生肖相同，但屈指算来，她比我大四十八岁。四十八年，是很多人的一生了。如果如花一直苟活，便是一个龙钟老妇，皮肤皱摺，眼神黯黄。如果她轮回再世，也是个——四十几岁，既不是中年，又不是老年，真是尴尬年龄。而她绮年玉貌地在我身畔，只不过因为她的痴心执拗，她要"执了之手，与子偕老"。即使这男人投胎重新做人，她也要找到他吧。

"先生，我忘了问一件事。你家，方便吗? ——你是否已有妻子?"

哦，这真是个令我不好意思的问题。我连与女友之间关系，也因对方之勤奋上进，而岌岌可危。

"我未婚，"急忙转个话题岔开去: "你不要叫我先生了。我是袁永定。"

"永定少。"如花如此称呼。

真叫我受宠若惊，我阻止她：

"我们不作兴什么少、什么少地相称。你还是唤我永定。我名字不好吗?"

"好，有一种地老天荒的感觉。简直不像人的名字。像一块石头，或者桥，或者坟墓。"

"不。请别说下去。到我家了。"我迟早会成为石头、桥，或者坟墓，何必要她诸多提醒? 真受不了。

我拣一些充满活人气息的状况告诉她：我家在四楼，一梯两户。对户住的是我姊姊与姊夫。单位是四百尺，各自月供二千多元。如无意外，他日我结婚生子，也长住于此。在香港，任何一个凡俗的市民，毕生宏愿是置业成家安居，然后老死。就像我姊姊，她是一个津校教师，教了十年。她的丈夫，是坐在她对面位的同事。天天相对，一起议论着学生，蹉跎数载，只得也议论嫁娶。

我招呼她进屋。招呼她坐。然后我又坐下来。

二人相对，不知该从何说起。

她侧身靠坐沙发上，姿态优美。渐渐我才发觉，她并没有正视对方的习惯，因着职业本能，她永远斜泛眼波，即使是面对我这种毫无应付女人良方的石头。

做什么好呢?

我只得搜寻出一些水果，橙和苹果，切开盛于碟上，请她吃。

"我知你不吃热的。但水果比较冷。真的冷，我在雪柜中取出来，非常适合你。"

她吃苹果。

"够冷吗?"我殷勤相问。

她"吃"完了。苹果尚留在桌面，分毫未损。

如花："女人，命好的，一生跟一个男人；命不好的，便跟很多个男人。"

"有一次，十二少来我房间打水围，"如花见水果思往事："寮口嫂送上一盘生果，都是橙啦苹果啦，我叫她通通搬走。"

那十二少一定丈八金刚摸不着头脑。

如花说："我且骂道：十二少是什么人？搬次货出来？十二少肯，我也不肯。来些应时佳果。于是送上的是桂味荔枝、金山提子……"

你看，一个女人要收买男人的心，是多么的轻易，稍为用点心思便成。十二少一定逃不出如花这纤纤玉手之掌心。

我一瞥桌上的水果，啊，这是"次货"呢，真汗颜。不过，回心一想，我讨好一只鬼干么？我又不作长线投资。而且，这种女人很可怕。她不爱你犹自可，不幸她爱上你，你别想逃出生天。化身为苍蝇，她也变作捕蝇草来侍候你。即使重新做人，她的阴魂不肯放过。

对了，她为什么孜孜于寻找一个男人？

莫非是"复仇"？

她爱他，他不爱她，于是她非要把他揪出来不可？

但我没有习惯揭人阴私，也不大好管闲事。如是我那八婆姊姊，她一定热情如火地交换意见——虽然她的爱情是如此的贫乏、枯燥，与一个男同事相对日久，面面相觑，一生。

不过但凡女子，嫁了的，总是瞧不起未嫁的。因为一个男人要了她，莫不因而抖起来。对其他单身女郎布施同情。

我那姊夫，三十几岁，当着校务主任，这微末的权，供他永远享用。有时，他也对我这王老五布施同情。

窗外，是一间酒楼，酒楼因有人嫁娶，张悬了花牌。电灯泡如珠环翠绕，叫一个紫红缤纷的花牌更是燦烂，上面写着"陈李联婚"字样。陈和李，都是最普通的姓氏，过着普通人的生活，办普通人的喜事。

如花凭于窗前。

我只好也凭在窗前。隔她一个窗口位，没敢接近。

"这是联婚花牌，"我在作应景对白："你们那时候嫁娶，也有这样的花牌吧?"

"我不知道，"如花道："我没嫁娶经验。"

真要命，哪壶不开提哪壶。

"但，我曾经拥有一个花牌。"

十二少买醉塘西，眷恋如花。他与一般客人迥异之处，便是时有高招。一夕执寨厅，十二少送了如花一个生花扎作的对联花牌，联云："如梦如幻月，若即若离花"。

我在五十年后，听得这样的一招。也直感如花心荡神驰。这二人不啻高手过招。我竟然要藉一个女鬼来启示"如何攫取少女芳心"!

以本人的 IQ，无论如何想不出这一招。我连送情人咭予女友，写错一划，也用涂改液涂去重写。我甚至不晓得随意所至，我一切平铺直叙。像小广告，算准字数交易。

难怪。难怪我如梦如幻，难怪阿楚若即若离。想不到如花那毕生萦念的花牌，是我的讽刺。

如花不知我内心苦恼，又断续地低诉她与她温心老契之旖旎风光。诸如人客返寨打水围，如果她已卸装，只穿亵衣，也会马上披回"饮衫"出迎，这是她倚红楼鸨母三家的教导，以示身为河下人，亦有大方礼仪——不过，如果返寨的是十二少，她就不拘这礼仪了。她这样说，无非绕了一大圈来展示鹣鲽情浓。她就是吃定了我是个好听众。一点也不提防避忌。

当然，如果我说出去，谁肯相信? 必一口咬定我是看书看回来的。

往下说，自然也包括十二少绵密的花笺，以至情书。后来还送上各式礼物：芽兰带、绣花鞋、襟头香珠、胭脂匣子、珠宝玉石……只差没送来西人百货公司新近运到的名贵铜床。

送予妓女一张铜床？最大方的恩客也不会这样做。

谁知如花说，后来，他真的送了。十二少父母在堂，大户人家，虽是家财百万，但他尚未敢洞穿"夹万"底，作火山孝子，不过尽力筹措了二百多元不菲之数，购买了来路货大铜床，送至如花香巢。日后经常返寨享用他的"赠品"。这红牌阿姑以全副心神，投放于一人身上，其他恩客，但觉不是味儿。为此，花运日淡，台脚冷落，终无悔意。二人携手看大戏、操曲子……

我不相信这种爱情故事。我不信。——它从没发生过在我四周任何一人身上。

正想答话——电话铃声蓦地响了。

在听着古老的情爱时，忽然响来电话铃声，叫人心头一凛。仿佛一下子还回不过来现实中。

我拿起听筒，是阿楚那连珠密炮的声音：

"哗，真刺激，我追车追至喜来登。那些落选港姐跟我们行家捉迷藏……"

"你回家了？"

"没有，我在尖沙咀。她们爆内幕，说甲拍上级马屁；乙放生电；丙自我宣传；丁是核突状王……"

这些女孩子，输了也说一大箩筐，幸好不让她们赢，否则口水淹死三万人。输就输了，谁叫自己技不如人，人人去搏见报搏出名，你不搏，表示守规则？选美又不颁发操行奖。所以我没兴趣。但如果没有这些花边，阿楚与她的行家便无事可做，非得有点风波不可。

"你快回家，现在几点了？赶快跑回沙田写稿去。"——我

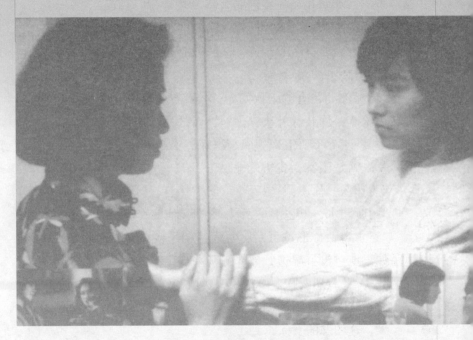

阿楚转向如花："你怎样能令我相信你是只五十年前的鬼?"

其实怕她跑来我这里写稿。以前没问题。今晚万万不能。

"我不回去。太夜了。我现在过来。"

她喜欢来就来，走就走。但，今晚，我一瞥如花。她基于女性敏感，一定明白自己的处境。也许她习惯地成为生张熟魏的第三者，"老举众人妻，人客水流柴"。惟本人袁永定，操行纪录一向甲等，如今千年道行一朝丧，阿楚本来便泼辣，上来一看……你叫我如何洗刷罪名？

"——你不要来。"

"为什么？"

"我要睡了。"

"你睡你的，有哪一次妨碍你？我赶完娱乐版，还要砌两篇特稿给八卦周刊赚外快。你别挡人财路。"

"早就叫你不要上来，回家写好了。"

——阿楚不答。我仿见她眼珠一转。

"为什么？你说！"她喝令。

"厕所漏水，地毡湿透了。"我期艾地解释。

"袁永定，你形迹可疑，不懂得创作借口。——我非来不可。如果地毡没有湿透，你喝厕所水给我看！"

"——我有朋友在。"

轰然巨响，是阿楚掷电话。

天，这凶恶的女人杀到了。

我怎么办？

如花十分安详。"不要紧，我给她解释。"

"你未见过这恐怖分子。有一次她在的士高拍到某男明星与新欢共舞的照片。男明星企图用武力拆菲林，她力保，几乎同男人打架——她是打不赢也要打的那种人。"

"你怕吗？"

我怕吗？真的，我怕什么？如花只是过客。解释一下，会有什么事情发生？

"永定，"她又开始她的风情："你放心，应付此等场面我有经验。"啊，我怎的忘却她见过的世面！

"而且，我有事求你，不会叫你难下台。也许，借助你女朋友的力量，帮我找到。你看，我可是去找另外一个男人的。"

是的，并不是我。

一阵空白。我计算时间，不住看表。阿楚现今在地铁、的士，现今下车，到了我家门。我在趑趄期间，无意地发现进屋多时，我未曾放松过，未换拖鞋，甚至钮扣也没有解开，在自己的家，也端正拘谨。面临一个两美相遇的局面。

嘿嘿嘿，我干笑起来。顺手抄起桌上的苹果便吃。谁知是如花"吃"过的"遗骸"。吓得我！

门铃一响，像一把中人要害的利剑。

门铃只响了一下，我已飞扑去开门。

门一打开，我们三口六面相对，图穷而匕现。

阿楚，这个短发的冲动女子，她有一双褐色的眼珠。她用她自以为聪明的眼睛把如花自顶至踵扫一遍。交加双臂望向我。

"阿楚，我给你介绍。这是如花。"

二人颔首。

我拉女友坐下来。她又用她自以为聪明的眼睛把桌上的水果和我那整齐衣冠扫一遍。十分熟落地，若有所示地把她的工作袋随便一扔，然后脱了鞋，盘坐于沙发上，等我发言。

她真是一个小霸王。

"如花——她不是人。"

阿楚窃笑一下。她一定在想：不是人，是狐狸精？

于是我动用大量的力气把这故事复述，从未曾一口气讲那么多话，那么无稽，与我形象不相符。阿楚一边听，安静地听，一边打量我，不知是奇怪本人忽地口若悬河，还是奇怪我竟为"新欢"编派一个这样的开脱。

"她说什么你信什么？"

是，为什么呢？我毫无疑问地相信一个陌生女子的话。且把她带至此，登堂入室。——何以我全盘相信？

也许，这因为我老实，我不大欺骗，所以没提防人家欺骗我。而阿楚，对了，她时常说大大小小的谎，因此培养了怀疑态度。每一事每一物都怀疑背后另有意思，案中有案。

她转向如花：

"你怎样能令我相信你是只五十年前的鬼？"

如花用心地想，低头看她的手指，手指轻轻地在椅上打着小圈圈，那么轻，但心事重重。我的眼睛离不开她的手指。

"呀，有了！你跟我来。"

"去哪儿？"

阿楚不是不胆怯的。她声都颤了。

如花立起来，向某房间一指，她走前几步，发觉是我的房，但觉不妥，又跑到厕所中去。她示意阿楚尾随入内。

厕所门关上了。

我不知道这两个女人在里头干什么。鬼用什么方法证明她是鬼？我在厅中，想出了二十三种方法，其实最简单，便是变一个脸给她看。——不过，她的鬼脸会不会狰狞？

二人进去良久，声沉影寂。

我忍不住，想去敲门，或刺探一下。回心一想，男子汉，不应偷偷摸摸，所以强行装出大方之状，心中疑惑绞成一团一团。

门依呀一响，二人出来了。

我想开口询问，二人相视一笑。

"你如今相信了吧？"

"唔。"阿楚点头。

"请你也帮我的忙。"

阿楚故意不看我的焦急相，坐定，示意我也坐下来，好生商量大计。

"你们——"我好奇至沸点。

"永定，"她截住我的话："如花的身世我们知得不够多。"

"谁说的？"

"你晕浪，问得不好。"她瞪我一眼。

我马上住嘴。不知因为她说我"晕浪"，抑或"问得不好"。总之住了嘴。心虚得很。

"现在由我访问！"她权威地开始了："如花，何以你们二人如胶似漆，十二少竟不娶你？他可有妻子？"

啊，对了，我竟没有深究这爱情故事背面的遗憾。遗憾之一，由阿楚发问：有情人终不成眷属？

十二少虽与如花痴迷恋慕，但他本人，却非"自由身"，因为陈翁在南北行经营中药海味，与同业程翁是患难之交，生活安泰之后，二者指腹为婚。十二少振邦早已有了未婚妻，芳名淑贤。

"我并没有作正室夫人的美梦，我只求埋街食井水，屈居为妾，有什么相干？名份而已。不过——"

如花的惆怅，便是封建时代的家长，自视清白人家，祖宗三代，有纳妾之风，无容青楼妓女入宫之例，所以坚决反对，而且严禁二人相会。

这是我们在粤语长片中时常见到的情节，永远不可能大团圆。到了后来，那妓女多数要与男主角分手，然后男主角忧郁地娶了表妹。——也许他很快便忘了旧情，当作春梦一场。"地老天荒"？过得三五年，他娇妻为他开枝散叶，儿女绕室，渐渐修心养性，发展业务，年事日高，含饴弄孙，又一生了。谁记得当年青楼邂逅的薄命红颜？

"你与他分手了？"阿楚追问。

"不，我死心不息。"如花忆述："一天，鼓起勇气，穿着朴素衣裳，十足住家人模样，不施脂粉，不苟言笑，亲自求见陈翁。"

"他赶你走？"

"他与我谈了一会。直至我恳切求情，请准成婚，陈老太拿出掘头扫把——"

"以后呢？"

"后来，他偶尔做了一单亏本生意，因为迷信'邪花入宅'，带来衰运，永远把我视作眼中钉。"

"那十二少，难道毫无表示吗？"阿楚愤愤不平："你为他付出这样多，他袖手旁观？你要他干什么？不如索性……"

如花脸上一片光辉："他，为我离家出走！"

"哦，算他吧！他住到你家？"

"不是家，是'寨'。"轮到我发一言了。

阿楚白我一眼。不服。

"是呀，一间寨通常三层。地下神厅之后，二三楼都是房间，我因是红牌，个人可占一间，其他台脚普通的阿姑，则两三人同居一房。"如花答。

"他住到你寨里，方便吗？"

"他没住下来，根本没这规矩。他另租房子，就在中环摆花街。"

　　一间寨通常三层。地下神厅之后，二三楼都是房间，红牌阿姑个人可占一间。台脚普通的阿姑，则两三人同居一房。

"那你洗尽铅华，同他相宿相栖去？"

"没有。"

"二人难道不肯捱穷？"

"不是不肯，是不敢。"

三人默然。多么一针见血。捱穷不难，只要肯。但你敢不敢？二人形容枯槁，三餐不继，相对泣血，终于贫贱夫妻百事哀，脾气日坏，身体日差，变成怨偶。一点点意见便闹得鸡犬不宁，各以毒辣言语去伤害对方的自尊。于是大家在后悔：我为什么为你而放弃锦衣玉食娇妻爱子？我又为什么为你而虚耗芳华谢绝一切恩客？

当你明知事情会演变至此，你就不敢。如花虽温十二少，但她"猜、饮、唱、靓"，条件齐全，慕名而来的客人，还是有的。某些恩客，刻意不追究如花的故事。如花的故事，延续着。

"十二少靠吃软饭为生？"

阿楚的访问，真是直率。而且问题咄咄逼人。眼看如花面色一变，但她一定用更多的答话来解释。于是访问者奸计得逞。

凌楚娟小姐，我心底佩服：你真不愧娱乐版名记。

自她坐下来开始，问题滚滚而来。我真汗颜，我是人家讲什么我便听什么；她呢，人家讲得少一点，她便旁敲侧击盘问下去。

果然，如花不堪受辱。

"他没有靠我养。他有骨气，不高兴这样。"

"但，一个纨绔子弟，未历江湖风险，又没有钱创业兴家，这样离开父荫跑了出来，他总不能餐餐吃爱情。"

"他去学戏。"

"有佬倌收他吗?"我想到就说。

"怎么没有?"如花为情郎颜面而辩。

"不不,请勿误会。"阿楚打圆场:"他的意思,是当年的佬倌架子很大,拜师不易。绝对没有低估十二少。"

"而且,"阿楚乘机再狡猾:"我跑娱乐圈就知道,访问老一辈的伶人时,都说他们当年追随开山师父,等于是工人侍婢。"

见如花气平了,阿楚得意地朝我撇撇嘴。

不过,即使如花为十二少的骨气辩护得不遗余力,到底,我们还是了解:都是如花的说项。

在十二少仍是失匙夹万之际,他与如花已是太平戏院常客,看戏操曲,纯是玩票遣怀。人生如戏,谁知有一天,他要靠如花在酒家开一个厅,找人介绍大佬倌华叔,央请收十二少为徒,投身戏班。

华叔见十二少眉清目朗,风流倜傥,身段修长秀俊,有起码的台缘。要知登台演戏,最重要是第一眼。

——当然,在爱情游戏中,最重要的,也就是第一眼。

"为了十二少的前途,我对华叔苦苦恳求,直至他勉为其难,答允了。拜师之日,我代他封了'贽仪'美金一百元。"

"那是多少钱?"阿楚问。

"约港币四百元。"

"你如何有这许多钱?"

"找个瘟生,斩之。"

"十二少知道吗?"

"他不必表示'知道'。"

真伟大。我想,如果有个女人如此对待本人,我穷毕生精力去呵护她也来不及。但这样的钱,如何用得安心?

虽然华叔看名妓面上，徒弟常务如倒水洗脸、装饭拨扇、抹桌执床、倒痰盂……等工作，不必十二少操劳。但贱役虽减，屈辱仍在，新扎师兄要挣扎一席位，也是不容易的。

"十二少有没有红起来？"

"不知道。"

"不知道？什么意思？"我忙问。红就是红，不红就是不红。三十年代的佬倌，一切立竿见影，不比今日的明星，三年才拍一部戏，年年荣登"十大明星"宝座。她们只在"登台"时最红。

但我真是一根肠子直通到底。阿楚以手肘撞我一下。

这是如花心上人，她会答"他红不起来"这种话吗？

女人通常讲"不知道"，真是巧妙的应对，永远不露破绽。

自此，十二少心情长久欠佳，但觉无一如意事。不容于家，不容于寨，又不容于社会。为了与一个痴心女子相爱，他付出的代价不云不大。

"有时，他以冷酷的面孔相向，"如花泫然："甚至借题吵骂，我都甘心承受。他在无故发脾气之后，十分懊悔，就拥着我痛哭，哭过了，我对镜轻匀脂粉，离开摆花街，便到石塘咀。"

她无限依依："有时关上门，在门外稍驻，也听到他的嚎哭。"

我眼前仿见一架长班车（私家手车），载着千娇百媚，滴粉搓酥的倚红楼名妓，招摇过市。她又上班去了。阿姑的长班车，座位之后竖了一支杂色鸡毛扫，绚缦色彩相映，车上又装置铜铃，行车时叮诹作响。

这侧身款款而坐，斜靠座位，尽态极妍的女子，眼波顾盼间，许有未干泪痕。问世间情是何物……

我们都不懂得爱情。有时，世人且以为这是一种"风俗"。

我和阿楚，在问了一大堆问题之后，也无从整理。一时间又想不起再问什么。这都是一些细碎、温柔的生活片段，既非家国大事，又非花边新闻。

我们都忘记了前因后果。前因后果都在红尘里。甚至，我竟忘记了她为什么上来一趟。

还是阿楚心水清：

"你们以后的日子怎样？你为什么要寻找他？你比他早死？抑他比你早死？"

"我们一齐死。"

"啊——"阿楚叫起来。

我按住她的手：

"不过是殉情。你嚷嚷什么？"

"永定，何谓'不过'是殉情？叫你殉情你敢不敢？"

"那就要视乎环境而定了。"

"你敢不敢？"她逼问。

"也要视乎原因。"

"即是不敢啦。"阿楚抓到我的痛脚。

——但殉情，你不要说，这是一宗很艰辛而无稽的勾当。只合该在小说中出现。现代人有什么不可以解决呢？

"不敢就不敢。"我老实地答。

虽然说敢，反悔了又不必坐牢，起码骗得女友开心。但我真蠢！在那当儿，连简单的甜言蜜语也不会说。我真蠢。

阿楚不满意了："永定，你是我见过的最粗心大意的男人了。你看看人家如花和十二少！"

"看看我们有什么好？"如花怨。

——不久，十二少壮气蒿莱，心灰意冷，深染烟霞癖。

当时鸦片由政府公卖，谓之"公烟"，一般塘西花客，都喜欢抽大烟，六分庄的鸦片一盅，代价九毫。一般阔少抽大烟，不过消闲遣怀，他们又抽得起。落魄的十二少，却借吞云吐雾来忘忧。

如花无从劝止，自己也陪着抽上一两口。

渐渐，日夕一灯相对，忘却闲愁，一切世俗苦楚抛诸脑后，这反而是最纯净而恩爱的辰光了。一灯闪烁，灯光下星星点点的乱梦，好像永恒。

十二少说："但愿鸦片永远抽不完。"

只是第二天，一旦清醒，二人又为此而痛哭失声。长此下去，如何过得一生？

一生？

前路茫茫。烟花地怎能永踞？红不起来的戏子何以为生？彩凤随鸦，彩凤不是彩凤，但鸦真是鸦。

楚馆秦楼，莺梭织柳，不过是飘渺绮梦。只落得信誓荒唐，存殁参商。

前无去路，后有追兵。真是，如何过得一生？

但觉生无可恋。二人把心一横，决定寻死。

"你们如何死法？"

"吞鸦片。"

"吞鸦片可以死吗？鸦片不是令人活得快乐一点的东西吗？"阿楚怀疑。

"鸦片也是令人死得快乐一点的东西。"如花说："它是翳腻馨香的麻醉剂。"

"你俩真伟大。"阿楚无限艳羡。

"不是伟大，只是走投无路。"

"二人都吞下鸦片？"

　　如花："我摆房身价奇高，及后台脚旺，还清债项，回复自己身。恃是红牌，等闲客人发花笺，不愿应纸。"

"是。"如花强调。

"怎样吞?"

"像吃豆沙一样。"

"十二少先吞,还是你先吞?"

"一起吞。"

"谁吞得多?"

"为什么你这样问?"如花又被激怒了:"我都不怀疑,何以你怀疑?"

阿楚噤声。

我只好跑出来试试发挥缓和的力量:

"——结果是,你先行一步。在黄泉等他,不见他来,对不对?"

"等了很久,不见他来。"

"或者失散了?"阿楚又回复活泼。

"没理由失散。我在黄泉路上,苦苦守候。"

"或者一时失觉,碰不上。连鬼也要讲缘份吧?硬是碰不上,也没奈何。"我说。

"所以我上来找他,假如他再世为人,我一定要找到他,叫他等一等,我马上再来。"

"他怎么可能认得你呢?他已经是另一个人了。"

"不,"如花胸有成竹:"去的时候,我俩为怕他日重认有困难,便许下一个暗号。"

"什么暗号?"

"三八七七。"

"这是什么意思?"

"因为我们寻死那天,是三月八日晚上七时七分。我们相约,今生不能如意,来生一定续缘,又怕大家样子变更或记忆模糊，不易相认，所以定个暗号，是唯一的默契和线索。"

"呀，三八——"阿楚忽省得一事。

"什么？"如花急问。

"三月八日是一个节日。"我告诉她："妇女节。"

如花皱眉："我没听过，这是外国的节日吧？纪念什么的？"

一切只是巧合。一个妓女，怎晓得庆祝妇女节？何况还是为情而死，才廿二岁的妓女。妇解？开玩笑。

三八七七，三八七七。

我和阿楚在猜这个谜。

三月八日早已过去。七月七日还没有来。

要凭这几个数字作为线索，于五六百万人中把十二少找出来？

"只有一个最简单的方法，"我没好气地说："在每一个男人跟前念：三八七七。如果他有反应——"

"永定，你再开玩笑我们不让你参加！"阿楚这坏女孩，竟想把我踢出局？这事谁惹上身的？岂有此理。

不过我们也在动脑筋。我们都是这都市中有点小聪明的人吧，何以忽然间那么笨？

三八七七，也许是地址，也许是车牌，也许是年月日，也许是突如其来的灵感，小小的蛛丝马迹，一切水落石出。——我不断地敲打额角，企图敲出一点灵感。

我没有灵感，我只有奇怪的信念：一定找到他！

在这苦恼的当儿，惟有随缘吧，焦急都没有用。折腾了一夜，真疲倦。我又不是鬼，只有鬼，在夜里方才精神奕奕。

终于我们决定分头找资料，明天星期日，我到大会堂去。

"那我先走了。"如花识趣地，委婉地抽身而退。

"你到哪儿去?"我急问。

"到处逛逛。"

"别走了,你认不得路,很危险。"

阿楚见我竟如此关怀,抬眼望着我。

"不要紧,"如花说:"我认得怎样来你家,请放心。"

末了她还说:"也许,于路上遇到一个男人,陌路相逢,他便是十二少,就不必麻烦你。——如果遇不上,明晚会再来。"

"喂,你没有身份证——"话还未了,她在我们眼前,冉冉隐去。我怅然若失。她到哪儿去了?我答应帮忙,一定会帮到底,明晚别不出现才好。

如花,她是多么的晓得观察眉头眼额,一切不言而喻,心思细密。她是不希望横亘于我与女友之间,引起不必要误会。所以她游离浪荡去了。她是一只多么可怜的鬼,我们竟不能令她安定度过一宵?她的前生,已经在征歌买醉烟花场所,无立锥之地,如今,连锥也无。我很歉疚。

"喂,"阿楚拍我一下:"你呆想什么?"

"没什么。"我怎能告诉她,我挂念如花?我忽地记起一直没机会发问的事:"刚才你们跑到厕所去干吗?"

"啊——"阿楚卖关子:"她给我证明她是鬼呀。她不证明,我怎肯相信。"

"如何证明?"

"不告诉你。"她转身坐下来。

"说呀。"我追问。

阿楚不理睬我,她摊开原稿纸,掏出笔记簿,里面有些如符如咒的速记,作开始写稿状:"你别吵着我赶稿,我要赶三篇特稿。"

算了，我不跟她拉锯，说就说，不说就不说，难道要我牵衣顿足千求百请吗？于是不打算蘑菇下去。见我收手，阿楚又来勾引：

"你不要知道吗？好吧，告诉你：她让我看她的内衣。我从未见过女人肯用那种劳什子胸围，五花大绑一般，说是三十年代？简直是清朝遗物！"

说完我俩笑起来……

大会堂的图书馆有一种怪味，不知是书香，抑或地腊，抑或防虫剂。嗅着，总有朝代兴亡的感觉。

红底黑字的联语是"闻得书香心自悦，深于画理品能高"——不知如何，我记得十二少送予如花的花牌："如梦如幻月，若即若离花"。这真是道不同不相为谋的两副对联了，一个是宽天敞地，一个是斗室藏春。你要黄金屋，还是颜如玉？

我浏览一下，发觉没有我想找的资料，便跑到参考图书馆去。当我仍是莘莘学子之一时，我在此啃过不少一生都不会用得着的书本。何以那时我寒窗苦读，如今也不过如是？当年我怎么欠缺一个轰烈地恋爱的对象？——不过如果有了，我也不晓得"轰烈"，这两个字，于我甚是陌生。几乎要翻查字典，才会得解。

"小姐，我想找一些资料。"

"什么资料？"一个戴着砧板厚的眼镜的职员过来。

"所有香港娼妓史。特别是石塘咀的妓女，有没有她们的记载？"

那女人瞅我一眼：

"请等等。"

然后她跑到后面给我找书。

我见她对一个同事私语，又用嘴巴向我呶了一下。这个老姑婆，一定把我当作咸湿佬。真冤枉，本人一表人材……"对不起，"她淡淡地说，把几本书堆在柜台上："没什么娼妓专书。只有香港百年史，和这几本掌故。"

我只好道谢，捧到一个角落细看。我又不是那个专写不文集的黄霑，她凭什么以此不友善眼光追随？

我不看她，光看书。

翻查目录，掀到"石塘咀春色"。企图自字里行间窥到半点柔情，几分暗示。

香港从一八四一年开始辟为商埠，同时已有娼妓。一直流传，领取牌照，年纳税捐。大寨设于水坑口，细寨则在荷李活道一带。

大寨妓女分为："琵琶仔"、"半掩门"和"老举"……。我一直往下看，才知道于一九〇三年，政府下令把水坑口的妓寨封闭，悉数迁往刚刚填海的荒芜地区石塘咀。那时很多依附妓寨而营业的大酒楼，如杏花楼、宴琼林、潇湘馆、随园……等，大受影响，结束业务。

不过自一九一〇年开始，"塘西风月"也就名噪一时，在一九三五年之前，娼妓一直都是合法化的。花团锦簇，宴无虚席，真是"面对青山，地临绿水，厅分左右，菜列中西，人面桃花，歌乐升平"。及后禁娼……

——但文字的资料仅止于此。虚泛得很。

我还有缘得见几帧照片，说是最后一批红牌阿姑。有一位，原来也是"倚红楼"的，名唤花影红。——不过她比不上如花的美。而且又较丰满。真奇怪，何以不见如花的照片？

对了，原来如花早已不在了。

他们在一九三二年吞的鸦片。

我灵机一触，忙还书，又商借别的。

"小姐，"我斯文有礼地向她招呼，免生误会："对不起，我想再借旧报纸的微型菲林。"

"几年的？"

"一九三二年。"

"三二？"她找出一本册子来："没那么早。"

"最早的是几年？"

"最早也要一九三八年。"

唔，那年如花已经死了。

"麻烦你了，不大合用。"我转身想走。

——啊不，三八年？

"小姐小姐，"我兴奋得大声地唤："我要借三八年七月七日那卷！"

我之所以兴奋，便是想到，会不会在三八年七月七日的报纸上，刊了有关十二少的消息？那天可是他再世为人的出生日？可有一点线索供我追查下去？我只是区区一个广告部副主任，得以兼任侦探，造梦也想不到。一边想，一边笑。催促之声音也大起来。

"先生，在图书馆中请保持安静。"

她给我的印象分早已是"丙"，不，也许是"丁"。所以一见我表情有异，更防范森严。

"这卷微型菲林是《星岛日报》一九三八年下半年的，你自己找七月七日吧。"

她登记了我的姓名住址，身份证号码。在登记身份证号码时，一再复看，证实无讹。怕是一见势色不对，诸如我出言不逊，意图非礼，或公共场所露出不文之物，她们便马上去报警。——都是我自己不好，研究娼妓问题走火入魔了，样子也开始变得像急色的嫖客。我让那步步为营的女职员安装好菲林之后，便按辔察看，由七月开始，逐天逐天地看，这些在我出生二十年之前的民生国事。

——但，看到七月七日，我找不到任何资料。我只知道当年的卖座电影是《陈世美不认妻》。士多啤李（草莓）果汁卖一元五毫八仙一瓶。饮谷咕很时髦。副刊的文章是《青年如何读书报国》。又因战事已经爆发，香港也受波及，报上提到日军，都用一个"×"或空白格子代替，有些稿件的位置开了天窗，植上"被检查"字样。……已是乱世，谁有工夫顾盼儿女私情？

我很失望。花了半天的时间，毫无头绪，还遭受女人的白眼。如果那女人好看一点，也是无妨，但她又长得……算了，我对美女的标准，竟然在一夜之间提高不少呢。

当我自大会堂图书馆出来时，普天是烂漫阳光。

只有我，因为空手而回，甚是无聊。一如没上电芯的收音机、没入水银电池的计数机、没蜡烛的灯笼、没灯的灯塔、没灯塔的海。

脑中充斥着三八七七的旧报资料：陈世美不认妻、士多啤李果汁、读书报国、"×"侵华行动、"被检查"……

沿着电车路，信步行至中上环，那个站，是我与如花一同上车的站。

咦，往上行，不是南北行吗？如花偶尔提过，十二少当年是南北行三间中药海味铺的少东。于是移步上行，谁知，我也认不得路了。

这里有新厦，有银行，就是不见老店。在一间卖人参的高丽店子门外，老头给我遥指：

"这边不是南北行，往西行才是。文成西街，知道吗？南北行以前很有地位，知道吗？以前——"

没等他说完，我连连谢过。我怕他又给我惹来另一个故事，则我此生也必得在三十年代的风尘中打滚了。不，一宗还一宗。先解决如花的一宗。

这南北行一带，虽已破旧立新，面目全非，间中，还可见残存的老字号，木招牌，漆了金字，两旁簪花。店里高高悬着风扇，一边排了木桌，木桌上有算盘。整条街，弥漫着当归的香味，闻着闻着，魂魂魄魄都不知当归何处？

星期天，大部分都休息。一些不休息的店铺，稍稍张了半扇门，里头有不知岁数的老人在扇着摺扇，闲话家常。墙头有毛笔写了该店的货品名称：珠珀猴枣散、清花玉桂、金丝熊胆、老山琥珀、正龙涎香、箭炉麝香、公母犀角、金山牛黄、珍珠冰片……我完全不懂得是什么玩意。

"喂，你找谁？"突然的声音问。

我吓了一跳。

始知我在这木门外，已不自觉地怔了好一会。走过神来，连忙谦恭地向这三四十岁的中年人说：

"阿叔，你好，吃过饭了吗？"

"什么事？"

"——"我一时不知从何说起："你这儿是不是姓陈呀？"

"不是。"

"附近有没有那间店的东主姓陈？"

"问来干什么？"

干什么？我只见里面有年迈的伙计在挑拣花旗参，花旗参摊在斗箩上，他们分类分大小，好样的拣在另一个小窝篮中。

"——这样的，我祖父专营花旗参，以前在附近也有店铺。后来举家移民到——英国去。今次我回来，代他探访故旧，姓陈，叫什么振邦……"我的谎言也算及格吧。

"我不认识这个人。"他在思索："姓陈的？三十几号一列以前好像是姓陈的，不过后来转卖了给人。其他我不知道，我们后生一辈不知道这么陈年的旧事。"

不知道陈年旧事是对，但怎么还称自己为"后生一辈"？这年头，男男女女都不服老。

"谢谢。"

别过这"后生一辈"，便往三十几号进军，莫不是三十八号？沿途，也见有海味店在起货，门前挂了牌子，专售象牙、蚌壳、虾米、腰果、燕窝、鱼翅、鲍鱼、海参、冬菇，竟还有鸭毛。鸭毛有什么用？

然后我找到了。

正正对着我的是一个大木牌，写着地基工程公司。——对了，由三十号至四十二号 A，一列店铺早已拆卸，现今是颓垣败瓦一片。"风流总被雨打风吹去"。

于南北行逛了一会，不得要领。

小巷中有一档摊子，在卖一些食品，我走过去，见到一堆堆黏黏腻腻的东西，问得是"糯米糍"。这种糯米糍是湿的、扁的。里头的馅是花生、豆沙、芝麻。看来是一种甚为古老也许有五十年历史的食品。我每款买了三个，预备给阿楚和如花作点心——我也学做一个周到的男人。

回到家，才是下午。

我开了啤酒，放了些音乐，昏昏沉沉地，猜想十二少是一个怎么样的男人。那时西装并不盛行，不过以堂堂南北行少东的身份，一定衣履煌然，不穿西装的时候，或长衫或短打，细花丝发暗字软缎。走起路来，浮浮薄薄。他的重量，是祖上传下来的重量。譬如钱，譬如店，譬如一个指腹为婚的妻子。根本他就毋须为自己铺路。他只以全副精神，去追踪如花的眼睛。他追踪她的眼睛。她追踪他的眼睛……

昏昏沉沉中，我以为自己在塘西买醉。

门铃响了，在这个琥珀色的黄昏。啊，原来不过是我那住隔壁的热情过度的姊姊，捧来半个西瓜。

"喂，怎么星期天也在家？"

"我刚回来吧。"

"阿楚又不陪你？你真没用。"

"她挑了幻灯片给八卦周刊做封面，那是她的外快，要赶的。如今生意难做，大部份周刊连夜开工齐稿，空了十五个名字的位，等三两句侧写便付印。大家斗快出版。"

"我不关心那本周刊出得快。我只看不过你追女仔追得慢！"

真烦。好像上帝一样，永远与世人同在。虽是独立门户各自为政，我姊姊因我一日未娶，一日以监护人、佣人、南宫夫人自居，矢志不渝。——人人都有一个女人，为什么我的"女人"是姊姊？

我把那半个西瓜放进冰箱，度数调至最冷——因如花只吃冷品。还有午间买的糯米糍点心。这些都用作款客。奇怪，我也不觉得饿，只觉得夜晚来得太迟。

今晚，我们三人又可以商议到什么寻人计划？左忖右度，一点轻微的声音都叫我错觉是如花又冉冉出现了。

但没有。

我先吃了一个糯米糍，那原来是豆沙馅的。吃第一口没什么，刚想吞，忽地忆起他们吞鸦片自杀的一幕，食不下咽。半吞不吐时，门铃乍响。我只得骨碌一声吞下。

门开处，不见人。

"永定。"

如花斜坐沙发上唤我。

她来去原可自如，何必按铃？看来是为了一点礼仪。我对她的好感与日俱增——只不过第二日。

便也记得在《石塘咀春色》中记载的龟鸨训练阿姑的规矩。也许倚红楼三家自小灌输礼仪知识，她们都出落得大方、细致、言行检点、衣饰艳而不淫。她们不轻易暴露肉体，束胸的亵衣，像阿楚所说的"五花大绑"。据说除了仪表注意规矩外，也切忌贪饮贪食，更不容许不顾义气撬人墙脚。性情反叛顽劣一点的女孩，教而不善，龟鸨用一种"打猫不打人"的手段树立威信。打得一两次便驯服了。

原来他们对付不听话的妓女，是把一头小猫放入她的裤裆里，然后束紧裤脚，用鸡毛扫用力打猫不打人。猫儿痛苦，当下四处乱窜狂抓……

我定一定神，向如花招呼："你今天到哪儿去呀？"

"到处碰碰吧。"

"碰到什么？"

"到了一处地方，音乐声很吵，人山人海，很快乐地跳舞聊天和吃东西。那是一群黑人。"

"黑人？"

"是呀。肤色又黑，嘴唇又厚，说话叽叽呱呱的。一点都听不懂。"

——哦，那个地方是中环皇后像广场，那批"黑人"是宾妹。

"她们是菲律宾来的，全都是佣人。"

"哗，光是佣人就那么多？香港人，如今很富有的吧。"

"不，她们的工资很低的。"

"工资低也肯做？"

"肯，因为她们的国家穷。所以老远跑来香港煮饭带小孩洗衣服，赚了钱寄回去。"

"她们，没有别的方法可赚钱吗？"

"有，"我顺理成章地答："也有做妓女，游客趁游埠的时候也唤来过夜。这是她们比较容易的赚钱之道。"

"一叫便肯过夜？"

"是。难道你们不是？"话没说完，我深悔出言孟浪，我不应该那么直话直说，好像一拳打在人鼻子上。

因为我见如花带着受辱的神色，咬着下唇，思量用什么话来回答我，好使我对她的观感提升。每个人都有职业尊严。我的脸开始因失言而滚烫起来。

"——我们不是的。"如花说："大寨自有大寨的高窦处，虽然身为阿姑，却不是人人可以过夜，如果不喜欢，往往他千金散尽，也成不了入幕之宾。"

见如花正色，我也不敢胡言。基于一点好奇，腼腆地问：

"如果想——，那么要——，我是说，要经很多重'手续'吗？"

"当然啦，你以为是二四寨那么低级，可以干尸收殓，即时上床吗？"看，这个骄傲美丽的、曾经有男人肯为她死的红牌阿姑！

你别说，中国人最倔强的精神是"阶级观念"，简直永垂不朽。连塘西阿姑，也有阶级观念。大寨的，看不起半私明的，半私明的，又看不起大道西尾转出海傍炮寨的——一行咕喱（搬运工）排着长龙等着打炮，五分钟一个客。

地域上，石塘咀的看不起油麻地的。身份上，红的看不起半红的；半红的又看不起随便的；那些随便的，又看不起乞丐。

胭脂扣

如花也不过是一个女人吧。她的本质是中国人的本质，她有与众不同之处，只是因为她红了。"永定！"她以手在我眼前一挥。见我这样定睛望着她沉思，心底不无得意——说到底她也不过是一个女人吧。"让我告诉你一些'手续'好不好？"

"好好好。"我一叠连声答应。

于是她教会我叫老举的例行手续，由发花笺至出毛巾、执寨厅、打水围、屈房……以至留宿。多繁琐，就像我等考试：幼稚园入学试、小一派位试、学能测验试、中三淘汰试、会考、大学入学试……。我才不干。

——所谓执寨厅，设响局，六国大封相的锣鼓喧天，歌姬清韵悠扬。饮客拾级登楼，三层楼的寨口嫂必恭必敬地迎迓，高呼"永定少到！"然后全寨妓女燕瘦环肥，一一奉为君王。晚饭宵夜甜点烟酒打赏，还有什么"夹翅费"、"开果碟费"、"毛巾费"、"白水"之类贴士……连"床头金尽"四个字还未写完，我已壮士无颜。

想不到塘西妓女有此等架势。真是课外常识。老师是不肯教的。

阿楚在我俩谈得兴高采烈的时候才到。

因她迟来，如花不好把她讲过的从头说起，怕我问。我把西瓜、点心递予阿楚，她又不怎么想吃。见我俩言笑晏晏，脸色不好看。

如花对她说：

"我今天漫无目的到处走，环境一点也不熟，马路上很热闹。我们那时根本没什么车，都是走路，或者坐手拉车。我在来来回回时被车撞到五六次，真恐慌。"

"到了一九九七后，就不会那么恐慌了。"我只好这样说。

"一九九七？这是什么暗号？关不关我们三八七七的事？"

"你以为人人都学你拥有一个秘密号码？"阿楚没好气："那是我们的大限。"

"大限？"

"是呀，那时我们一起穿旗袍、走路、坐手拉车、抽鸦片、认命。理想无法实现，只得寄情于恋爱。一切倒退五十年。你那时来才好呢，比较适应。"

阿楚发了一轮牢骚，如花半句也不懂，她以为阿楚在嘲笑她的落后。

"如花，"我连忙解释："你不明白了。但凡不明白的，不问，没有损失。"

她果然不问了。我只联想到，当年是否也有一个男人，背负着道德重担传统桎梏，又不愿她苦恼，所以说："你不明白了。但凡不明白的，不问，没有损失。"然后她果然不问了。
——但遇三杯酒美，粗逢一朵花新，片时欢笑且相亲，明日阴晴未定。

在我无言之际，阿楚又把中心问题提出来："你到过哪儿？"她唯一的兴趣，只是当侦探。

"很多街道。譬如中环摆花街。当年十二少的居停已经拆了，变成一间快餐店，有很多人站在那里，十分匆忙地吃一些橙色酱汁和物件拌着白饭。"

"那是鲜茄洋葱烩猪扒饭。"

"哦，有这样的一种饭吗？听上去好像很丰富似的。"

如花还想形容那饭，阿楚抢着说："这是我们的民生。不过那饭，番茄不鲜，洋葱不嫩，猪扒不好吃。"

听得阿楚对一个饭盒的诋毁，我忽然记想某食家之言："苦瓜唔苦，辣椒不辣，男人唔咸，女人唔姣——最坏风水。"

想归想，不敢泄漏半分笑意。我正色而问如花：

"还去过哪些街道?"

她再数算:

"士丹利街三十八号,是一间摄影铺子;皇后大道中三八七号,没有七楼。皇后大道西的三八七号 A,是一座公厕呢。还有轩尼诗道三十八号,卖衣服的,根本没七十七楼那么高,还有……"

我们叫她明天再去碰,她环游港九不费力。

"永定,那广告照样刊吧。"阿楚说:"你当自己人收费,随你用什么方法开数。"

"用什么方法开数"? 还不是打最低的折头然后本人掏腰包,难道我会营私舞弊? 真是。

终于决定报章广告照刊,电台上的寻人广告也试一试。全都是:"十二少:老地方等你。如花"这样。

如果有些无聊臭男人跑到石塘咀故地调侃,讲不出三八七七的暗语,就是假冒。但,他们如何得知"老地方"? 想一想,好似千头万绪,又好似天衣无缝。其实是老鼠拉龟。只得分头进行。

"再想,还有没有其他途径?"我犹在热心地伤脑筋。

"呀!"想到了:"阿楚,你同我留意一下车牌的线索。"

"唔,"她应:"如果不太忙的话。"末了她瞥一瞥如花:"我走了。回家躺自己的床睡得好一点。"

如花款款而立,只得也一起走了。

我见如花要走,挽留道:"你还是暂时借住数天吧,那有什么关系? 你又没有家。"

她推辞。濒行,恳切地说:"如果找到了十二少,二人得以重逢,真是永远感激你们两位。"

阿楚不待我回答,便自对她说:

"放心好了。"

两个女人都离去。

我特别地感到不安。以前阿楚忙于工作，有时对我很冷淡。但她是一个可爱而古怪的女孩，居心叵测，她一旦对我好，叫我不敢怠慢。久而久之，助长了气焰，尾大不掉——连我招呼客人住几天，她也不表示殷勤。怎么可以这样？

计算时间，她已回到沙田去，我拨个电话，预备加以质问。非质问不可！

"那有如此不近情理？见人有难题，我怎不挺身而出？"

阿楚急接，还带着笑："你又不是肉弹明星，学什么挺身而出？"

"阿楚，别跟我耍。我是说正经的！"

她没趣："是她自己要到处碰碰，我又没赶她。嘿，我还是在百忙中抽空帮她找人呢。我们落力，她自己更要加倍。还剩六天时间那么少，分秒必争才是。"

来势汹汹地说了一番，稍顿："你怕她终于不必依靠你，自己找到十二少，你劳而无功？"

"我只是担心，她无亲无故，又满怀愁绪，有人劝慰总是好的。"

"永定，"阿楚倔了："她只是一只初相识的鬼。何以你对我不及对她好？"

"不是的——"我还想说下去。

对方并没有掷电话，只是卡一声，挂上了。

第二天，我与阿楚在上海小馆子吃中饭。她脸色寒寒的，她的俏皮毫无觅处。

我只得十分老土地先开口："有什么内幕贴士？十五名佳丽中谁最有机会？小何搞不搞外围投注？"

"我忙我的，你忙你的吧。"

"我还不知道该怎样忙呢？"

"布袋装锥子——乱出头！"

"你得讲道理，那晚是她找上我的，又不是我通街通巷接洽寻人生意。"

"你口才进步了。想必是阿姑的训练有方啦。"

"你想到哪里去了？"

她刚想发作，伙计端上油豆腐粉丝汤和春卷。她别过头不答。我死死地帮她舀了一点汤，粉丝缠结着，又顺溜跌下大汤碗里去，溅起了水珠。她狠狠用手背抹了抹面。好像这水珠之产生是我故意制造的。

她夹了一截春卷，倒了大量的醋。醋几乎要把春卷淹死了。

我心中也有气，一时不肯让步：

"她只是一只可怜的鬼罢了。"

半晌，阿楚才说：

"她不是鬼，她是鸡！"

"那又怎样？"

"——你别跟她搭上了才好。"

"我？怎么会？"我理直气壮地答。

"谁信？你还留过她两次。"

"我才不会！我从来没试过召妓，我顶多只到过鱼蛋档。"

"吓？"阿楚闻言直叫："你到过鱼蛋档？"

糟了，我怎能失言至此？我不愿继续这个话题，但霎时间转圜无术，怎么办怎么办？我的舌头打了个蝴蝶结，我恨自己窝囊到自动投诚自投罗网自食其果自掘坟墓！

"你说！你跑去鱼蛋档？"她暴喝着："你竟敢去打鱼蛋？"

李碧华作品集

"不不，是广告部一班同事闹哄哄地去的。"

"你可以不去呀。"

"他们逼我去见识一下。小何担任领队。你问他。"

"牛不饮水谁按得牛头低？"

"我没有'饮水'。"

阿楚又用她那褐色的眼珠逼视我，我只好再为她舀一碗汤。

她不喝汤。须臾，换过另一种腔调来套我的话："你且说说吧，鱼蛋档是怎样的?"

"那可是高级的鱼蛋档呀！"

"啐！鱼蛋就是鱼蛋，那分高低级?"说得明白，连阿楚也有点讪讪的。

她继续盘诘：

"里头是怎样的环境?"

"——，"我稍作整理才开口，情势危殆，必得小心应对："里头有神坛，是拜关帝的。"

"哦? 关帝多忙碌，各道上的人都拜他。"说着，她再问："里面呢?"

"——有鸳鸯卡座。"

"然后呢?"

"那卡座椅背和椅垫上有很多烟蒂残迹。也许是客人捺上去，也许部分也捺到鱼蛋妹身上了。那些卡座……。"

"我叫你素描写生吗? 我问你那些鱼蛋妹。"

"阿楚，"我努力为自己辩解：

"我只摸过她几下，而且很轻手。我只是见识见识吧。又不是去滚。难道连这些经历也不可以有吗? 男人都是这样啦。你看你好不好意思? 一点小事就凶残暴戾。"

“我知，我没有如花那么温柔体贴！”她负气地用这句话扔向我。

无端的又扯上了如花。无端的，阿楚烦躁了半天。她定是妒忌了。

真的，除了妒忌，还有什么原因可叫一个好强的女子烦躁？

但我一点也不飘飘然，没吃到羊肉一身膻。多冤枉。这边还帮不上忙，那边又添置不少麻烦。真是头大如斗。

我万不能大意失荆州。息事宁人：

“阿楚，你别用那种语气同我说话。”

“我不是‘说话’，”她气还没平：“我是‘吵架’！我不高兴你帮她不遗余力。”

“何必为一个只上来七天的女鬼吵架？”

“哼！‘妻不如妾，妾不如妓，妓不如偷，偷不如偷不到’。五千年来中国的男人莫不如此。你以前不那么轻佻，最近大不如前，想是近墨者黑。”

我才认得如花两天，就“近墨者黑”？这小女子真蛮不讲理，我气得说不出话来。口才一直拙劣，此刻招架无力，看起来更像走私。连五千年来男人的罪孽也关我的事？我袁永定要代他们背好色之徒的十字架？

她得理不饶人：“你别以为时代女性会像以前的女人一般忍让。如今男女平等。丈夫不如情夫，情夫不如舞男，舞男不如偷情，偷情不如——”她一时灵感未及，续不了句。

“你有完没完？”

“还没完。吵架是永远都吵不完的！”

“好好好，”我火起来：“你去偷情，我去召妓。今晚我非与如花成其好事不可，横竖你砌我生猪肉。”阿楚霍地站起来，

　　如花："虽然身为阿姑，却不是人人可以过夜，如果不喜欢，往往他千金散尽，也成不了入幕之宾。"

拎起工作袋，拂袖欲行。我也要走。

"你站住！"她喝。

又道："伙计，帐单交这色魔！"我当场名誉扫地。

但扫地的不止我的名誉。

她顺手再扫跌一个茶壶以及两个茶杯："破烂的都算在内！"

然后扬长而去。

结果账单递来，是八十七元七角正。我给伙计一百元，还不要找赎。——看，这不也是三八七七之数吗？我们的"三"角关系，弄致八十七元七角收场。

阿楚这凶悍的女子。怎么凶成这样，可以叫做"楚"。中国文字虽然美丽，也有失策之处，例如被误用，结果是讽刺。你看她那副尊容，古时代代父从军的女子，大概便是如此，否则怎与众彪形大汉周旋？——但我不是彪形大汉，我是知识分子，好，就算不是知识分子，起码我不是市井之徒，我可是她的男友！

哼！

别妄想我会娶她为妻。谁知她会不会给我来一副贞操带？

我越想越气，情绪低落。

回到广告部，又为公事而忙。

阿楚也为公事而忙。

下午她自外面回，经过门口广告部，像只僵尸般上二楼去，正眼也不看我一下。小何心水清，明白了。

"喂，"他上来："吵架了？"

"有什么稀奇？每个月都吵一次。"

"唏，那是生理上周期性情绪欠佳，没法控制的呀。"这混小子在为女性说项。

"不，这回是因为呷醋。"

小何以那天他阅报，乍见"邵音音要嫁到沙捞越去"的婚讯的表情来面对我："什么？"

我才不敢把如花的故事张扬，免得节外生枝。只含糊其辞：

"阿楚不高兴。其实那有什么？我只认得那女子两天。她托我代她寻人。"

"哦，"小何恍然大悟："那晚的女人。好呀。我听到她赞美你，认定你可以帮她的忙。"

"帮忙而已。"

小何自顾自评头品足：

"样子不错，有点老土。不过很有女人味。阿楚没有的，她全有了。永定，想不到你也有点桃花运。"

我不答。

"为什么你不去追？出轨一次半次，不要紧，回头还有阿楚，阿楚跑了，起码你浪漫过。谁说一生只能够爱一个人？"

"你不要推波助澜了。没有用。这女人不会喜欢我，她另有爱人。"

"你呢？"

"我不会。"

"不会，抑或不认？"

我不会、不认、不敢。这种曲折离奇的事件千万别发生在一个小市民的身上，负但不起。一个阿楚，已经摆不平。

还同我吵什么"妻不如妾，妾不如妓。妓不如偷，偷不如偷不到"……我们二人此时正隔着一道楼梯，咫尺天涯，老死不相往来。

咦？她骂我什么？——妻不如妾。用这样的话来骂我。在她的意识中……我真蠢！她是重视我的，原来我俩之间，感情足够至吵一场这样的架！

我或者她，一直都不发觉。

她当我是石头，我当她是泼妇。不是的不是的。

一刹间本人豁然开朗。还想向各同僚公开心得：客气忍让怎算真爱？肯吵架才算。

她是重视我的！禁不住略为阴险地笑。

登登登楼上跑下阿楚来。她不知要出发采访什么新闻去。见我竟在笑，更为生气。掉头便走。

"阿楚！"我叫她。

她听不到，出门去。

近日天气变幻无常，忽然下着一场急雨。阿楚才走得几步，雨大滴大滴地自高空洒下。我在门口望到她跑下斜坡去。她把挂在肩膊的相机，急急拥住，一边跑，一边塞进杂物澎湃的工作袋中，护得相机，护不得自己的身体。她竟那么宝贝她的工具。

转眼她的芳踪消失了，怕是截了计程车赶路去。

转眼雨势也稍弱了。这般没来由的雨，何时来何时去？好像是未曾有过。

第一次发觉，原来在风雨飘摇中，强悍的阿楚，也有三分楚楚可怜。

一个女子，住得那么远，因是居屋，无法不拣沙田。而她天天沙田——上环地往返，营营役役，又是跑娱乐新闻的，寸土必争寸阴是竞，一时怠慢，便被人盖过。每个月还要拿家用给父母呢。

我竟还惹她生气？

我护花无力，非好好向她道歉，良心不安。——如此一念，虽然她曾当众骂我"色魔"，叫我没脸，但我也原谅她了。顶多此后不光顾那上海馆子便是。

我俩的恩恩怨怨，终也化作一场急雨。

——但，这只是我一厢情愿。

距下班时间约十分钟，阿楚赶回来。

她不是一个人。

她托小何把菲林拿上去冲晒，然后，把身边那男子介绍我认识。小何向我扮个鬼脸，不忍卒睹。

"永定，这是安迪。你不是想问有关车牌的资料吗？你尽管问他。他是我的好朋友，一定帮我忙。"

说着，以感激目光投放于那安迪上。

靠得很近。

我安详地问："我想知道关于某一个车牌——"

他已煞有介事答："我们运输署发牌照，有时有特别的车牌，便储存公开拍卖，市民出价竞投，价高者得，你想投一个靓数字吗？"

"不，而是已知一个数字，想查查车主。"

"这却是警方交通组的事了。"

我见他把波交到警方手中去，也就算了。

"那么我尝试去交通组问一问吧。不过从何查起呢？三八七七，又不知字头……"我自己同自己说。不大理会他。

"你帮他想办法吧。"阿楚推他："永定也是帮人的，他倒极热心，怕人不高兴呢。"

"什么？三八七七？"

安迪说："好像有个这样的车牌，好像是，因为三八意头佳，明天将会拍卖。"

"真的？"我同他握手。

"阿楚，"我向她说："等会去吃晚饭？"她不答应。她与安迪离去。我大方地道别，还要装成有些数项要计算，很忙碌的样子。我怪自己，叫做阿定，便定成这样？五内翻腾，不为人知。回家途中，一路猜想：二人吃完饭，不知是否看电影去？看完电影，不知是否喝咖啡去……

懒得上街吃饭，到我姊姊处孏餐。席间，我小甥子顽皮，姊姊教训他。姊夫以苦水送饭：

"一天到晚都听得女人在吵。"

原来他俩的学校中，校长、训导、总务、事务、书记、工友，和大部份的老师都是女人。姊夫几经挣扎，方能自女人堆中争到一个小小的校务主任的位，多么委屈啊，你以为饰演贾宝玉吗？——唉，女人都是麻烦的动物！

我问姊夫：

"最近又有什么难题呀？升了主任已一当五年，虽在女人当家手中讨一口饭吃不容易，但是，你们是津校，人人都受政府俸禄而已，又不怕炒鱿鱼。"

"唉，"他说："最近有个副校长空位，我便递了信申请，谁知新同事中也有人递了信。"

"公平竞争嘛。"

"你不知道了。这新人在他校任体育组组长，因迁居请调本校。校长喜欢他不得了，年轻力壮，人又开朗，赢得上下人缘，看来比我有机会。真不知要如何整治他一镬才好。"

然后姊夫扒口饭。我看看他，三十几岁的光景，前途一目了然，活得不快乐，只因长江后浪推前浪。教育界，整治人以攀高位？看来小洞里也爬不出大蟹来。

"永定，你有什么建议？"

"建议？暗箭伤人多容易！说他不尽忠职守，说他课余女

　　艳鬼如花，上人间只作七日停留，却惹
得袁永定与女朋友心生芥蒂。

友多多，说他暗中兼七份补习，上课精神萎靡，说他对六年级
刚发育女生色迷迷……随你挑一个借口。"

"校长也许会信吧。"

"好的上级不听谗言。但我又不认得你们校长。"

姊夫在慎重唏嘘："这个世界真的要讲手法。"

"不是手法，是手段。"

姊姊收拾碗筷，听到末两个字：

"永定你教他什么手段？"

"没有。如果够手段，我不会自身难保。"我想，到我三十
岁的时候，也没差多少年了，那时上级主任犹未退位，我只得
守在副主任的位置上。而阿楚，又未必成为我妻。一个人为黍
稷稻粱而谋，为妻儿问题诸多苦恼，真没意思。

"真的呀，"我像在努力说服自己："是需要一些手段。否
则茫茫人海，怎会挑中了你？"

"你又发什么牢骚？"姊姊问。她又开始探讨我的内心世界
了。想起阿楚呷如花的醋，我呷那什么安迪的醋。情海，也不
过是如此的一回事。

"即如当年男人跑到塘西召妓吧，要引起红牌阿姑的注意，
青睐另加，你就要使点手段。"我熟能生巧：

"或者出示红底发揭；或者送个火油钻戒指；又或者在春
节期间为心爱的女人执寨厅，包足半个月，赏赐白水之外，打
通上下关卡，无往而不利……"

姊夫以一种奇异的表情望我，但本人浑然不觉，滔滔不
绝：

"如果不施银弹攻势，便去收买人心。卖弄文墨，娓娓谈
情，故意表示自己无心问鼎中原，只是恋爱，不但肯为她抛妻
弃子，甚或为她死——她必非你莫属了。"

姊姊姊夫二人根本没机会插嘴。

"事业是这样，爱情也是这样。甚至最简单的人际关系，谁说不是要花点心思？"

"永定，"姊姊觑得我一个空档："你说些什么？"

"我说些什么？"

"你以前都不是这样的。"她疑惑。姊姊把她的玉手伸来摸摸我前额。

"你说，姊夫与同事追逐一个高职，与嫖客争夺红牌妓女芳心，难道不是差不多的意义吗？摸我干么？你的手未洗净，有一阵鱼腥味。"我避开。

"永定你要死了，你那里懂得这么多召妓的心得？你与阿楚闹翻了，于灯红酒绿色情场所流连？啧啧，你怎么堕落成这样子？有疱疹的呀，一生都医不好的呀，你……"

我见势色不对，一塌胡涂，终逃窜回隔壁的家去。

我一边开锁，一边想：

哼，赶明儿若见那安迪乘虚而入，我一定要在阿楚面前力陈利害，叫她留意：安迪这人走路脚跟不到地，轻佻浮躁；说话时三白眼，又不望着对方，妄自尊大。且他也许女友多多，公余嗜看咸片，特别是大华戏院的。

以阿楚之聪明，她一定不会舍我而就一个毫无安全感的臭飞。

——当我这样想时，自己不禁为自己的卑鄙而脸热。为什么我竟会动用到"暗箭伤人"这招数？

难道本世纪没有单纯的恋慕，生死相许？难道爱情游戏中间必得有争战谋略，人喊马嘶之局面？

也许我遇不到。

也许我遇不到。

69

不消一刻，我便颓唐。认定自己失恋了。

我拨电话找阿楚。伯母说她还未回家。

"永定，"伯母对我十分亲热："明天来饮汤呀？"

天底下的女人，都爱煲汤给男人喝。年轻时为男友，年长时为丈夫，年老了，又得巴结未来爱婿。我支吾以对，看来她不知道我与她爱女吵了一场。

取过一份日报，见十五名佳丽会见记者的照片，旁边另有一些零拾对照，是记者偷拍自集训期间的。有的因长期睡眠不足，心神恍惚，患得患失，在偶一不慎时，流露无限的疲惫。她怎料得又上了镜？选美不是斗美丽与智慧，而是斗韧力。于艰苦逐鹿过程中，状态保持坚挺一点，赢面就大些。——恋爱，都是一样。

这晚，我决定不找阿楚。如花竟又没出现。我睡眠不足。心神恍惚，患得患失，无限疲惫。翌晨照镜，无所遁形。两女对我，始乱终弃。

睡得不好，反而早起。

办公时间一到，我马上拨电运输署，香港二六一五七七，得知早上会在大会堂高座举行车牌拍卖。那安迪没骗我。

然后，我又拨电回报馆，说会与一间银行客户商议跨版广告之设计，之类。

当我到达大会堂高座时，已经听得有人在叫价："五千！"

"六千！"

"一万！"

"二万！"

终于一个"HK 一九九七"的车牌，被一位姓吴的先生投得，他出价二万一千元，比底价高出二十倍，而他暂时还没有车。

忽见镁光一闪，原来有外国人在拍照。

他们一定很奇怪，这些香港人，莫名其妙，只是几个数目字，便在那里各出高价来争夺？在他们眼中，不知是世纪末风情，抑或豪气。总之，任何地方都没有这习俗："炒！"

"唉，真是市道不景，"旁边有位老先生在自语，也许是找个人搭讪："以前，车牌同楼价差不多，靓的车牌，才二万元？休想沾手！"

"是吗？"我心不在焉。

一直留意着以后的进展。接着的车牌是"AA 一一八八"，二万五千元成交。另外还有"CL 五"、"BW 一八"，渐次升至四万。

"早一阵，有个无字头三号的车牌，你猜卖得多少？"

"十万？二十万？"我说。

"有人投至八十万——"

"啊？"

"八十万还买不到。因为最后成交价钱是一百多万，还登了报纸呢。"

"你怎么那样关心？"我问这老先生。

忽然，拍卖官提到一些数字：

"CZ 三八七七。"

我如梦初醒。

身旁那老先生，已无兴趣，立起来。

我的神经紧张，不知道这老先生，是否对我有帮助；又不知道接下来的拍卖，是否事情的关键。他已离去。我稍分了神。

"二万五千！"

座中有一个声音叫了。我急回过头来，追踪不及，不知发自何方。游目四盼。

后面有两个中年男子，在聊着：

"这车牌不是在三月份时拍卖过吗？初订价好像是二万元，但无人问津。"

"三八是不错，但这七七，读起来窒住中气一样。"

你兴趣如何？

"普通。"

拍卖官继续在问：

"二万五，有没有多于此数？"

成交吧，成交吧。我心狂跳，守株待兔可有结果？

结果是，拍卖官道：

"没有更高的价钱？底价二万，只叫到二万五，叫价不大满意，所以不打算卖出了，留待下次吧。"

后座的男子又在发表：

"这车牌真邪，两次都卖不出。"

"不是邪，是政府嫌我们太吝啬了，宁愿吊起来卖，等大豪客。"

"大豪客们都跑到小国家入籍去，几乎连车都不要，还要靓车牌？"

不久，拍卖的游戏玩完了。

在这个早晨，推出拍卖的特别车牌共有十七个，卖出了十六个。最高的卖至四万，最低的是一千元，号码是"AN七四八七"，丝毫吸引力都没有，也有人肯白花了这一千元？

而我翘首苦候的CZ三八七七，等了一朝，只听过叫价一次，声沉影寂。

啊，我颓然坐倒。是谁曾有意思，要买这个三八七七的车牌呢？是谁呢？

　　十二少为如花离家出走。一个纨绔子弟，
未历江湖风险，又没钱创业兴家，前思后想，
决定投身戏班。

线索中断，都因为这个林姓的拍卖官对叫价不满意，所以拒卖。真混帐。他只顾应对静态港闻的记者们：

"是次拍卖活动共得款十八万零五百元，将拨入奖券基金作慈善用途。"云云。

人群陆续地离去。本来人便不多，一走，马上淘空。他们投入茫茫人海之中，再也辨不出谁是谁。谁讲过那么一个价钱，谁对三八七七那么有兴趣。留得青山在，已经没柴烧。我浑沌的脑袋更加浑沌，加上失望。我在想：若有所待便是人生，若有所憾也是人生。

离开冷气间，踏进燠热的城市心脏，又一次，这大会堂的脚头真不好！每次都叫我空手而回。

谁知还发生这样的事故——

一辆八吨重的货车，落货后，工人忘记将吊臂放下，货车行驶时，这吊臂造成意外，轰向一辆巴士的身体，巴士闪躲，轰向一辆私家车，私家车闪躲，轰向行人路。

我刚在行人路。

我闪躲，站立不稳，倒地，身后有一个青年，干革命一般，前仆后继，压向我身上。我的手先着地……

这宗意外，没人死，没人重伤，只有"轻伤"，那是我！在事主与途人与好奇者扰攘不堪之际，我痛楚难当，整条右臂直不起来，我亲眼见到它"弯"了。只轻举妄动，便叫我眼泪直流。他们送我到急诊室去，就扔下我自生自灭。在急症室，医生给我照 X 光，那是坐候二十分钟之后的事。照 X 光时，他们叫我把手伸直，我竭尽所能，无法做到。于是他们写纸，上了三楼专科诊治。

我真是时运低！一个遭鬼迷的时运低的落魄书生！

上得三楼专科。医生吩咐道：

"弯曲。"

"伸直。"

"摇动。"

我艰难地照做。恐怕每做一下，消耗的精力都用来忍受痛苦上，末几，筋疲力尽。

"没有断呀，"他说："你动多些吧，动多些便没事了。回家啦，不用住院。"

"医生，但这尺骨分明弯了。"

"渐渐它会直的。"

"我无法把它伸直。十分之痛。"

"忍忍便没事了。"

"医生，这是我的右手，没有了右手于我影响极大，它什么时候会好?"

"会好的，只是皮外轻伤，不是骨科。"

他口口声声强调没事，不外是不希望我住院。在公家医院，床位弥足珍贵，等闲的伤势，无资格占得一席位。"那我去看跌打吧。"我说。

"不太严重的。"他气定神闲。当然，那又不是他的手。我几乎想把他的手……

他给我两种药："长的、白色那种是止痛药，感觉极痛时才吃；圆的那种是胃药，因止痛药在胃中发散，所以……。"

我一瞥那些药，基于常识，我明白特效止痛剂的"功用"，止痛剂如果储存下来，过量可作自杀之用。

当下我吞了些药。

然后他打发我走。一路上，痛苦减轻，那是因为麻醉。带着残躯回家转，手肘部份已渐渐肿起。我以为会像青少年时代踢球受伤，消肿消痛，三数天完全复元。——但不是的。迷糊地躺了几个钟头，半夜里痛得如在死荫的幽谷，冷汗涔涔，我的手，像受着清朝奸官下令所施的酷刑，辣辣地轰痛，惊醒。

在痛得魂魄不齐的当儿，我受伤的手，突然传来一阵凉意。就好像医学上的冰敷一般，但敷在手肘上的，不是冰，是一只手。

如花为我疗伤消肿。

她的手。

她的手。你们不知道了，大寨的妓女由鸨母精心培育，对她们的日常生活照顾周到，稍粗重的工夫，绝不让之沾手，甚至还有人代拧毛巾抹脸，以保护肌肤娇嫩。——所以，如花的手，就像一块真丝，于我那肿疼不堪的伤处，来回摩娑，然后，我便好多了。但，太早了，太快了。

我其实应该伤得重一些。

甚至断了骨。

则这柔腻的片刻，可以长一些。

如花不发一言，她坐在我床沿，不觉察我的"宏愿"。

我暗暗地在黑夜中偷看她，坐有坐姿，旗袍并没有皱摺。想起她们的"礼仪"。

连一个妓女，也比今日的少女更注重礼仪呢。

市面上的少女，在男子的家中，可以随便地坐卧，当着他面前以脱毛腊脱腋毛，只差没问他借个须刨来剃脚毛，也许不久有此演进也说不定。

塘西妓女是不易做的，她们在客人面前，连"倯、衰、病、鬼"这样的字眼也不可以出口呢。

得到如花照顾，为我做"冰敷"。得到如花的沉默，令我心境平静。渐渐地因为不痛了，回复精神记忆："如花，你昨晚到了哪儿去？为什么不来？你——"

　　阿楚妒忌男朋友为如花奔走不遗余力，
大吵一场，负气而去，独自伤心。

我说不下去了。

她见我不提自己伤势，一开口便追问行踪，有没有些微的感动？

"我做过很多事。"她说。

"什么？"我忙问。

"我去过一些地方，"她追溯："那儿有很多我们从前并没有过的证件，我一处一处去，去到那儿翻查到那儿：出世纸、死亡证、身份证、回港证……"

但是一切有号码记载的文件是那么浩瀚无边，她才不过花了一天一夜，如何见得尽三八七七这数字的线索？

还有太多了，你看：护照、回乡证、税单、借书证、信用咭、提款咭、选民登记、电费单、水费单、电话费单、收据、借据、良民证、未婚证明书、犯罪纪录档案编号……

我一边数，一边气馁。一个小市民可以拥有这许许多多的数字，简直会在其中遇溺。到了后来，人便成为一个个数字，没有感觉，不懂得感动，活得四面楚歌三面受敌七上八落九死一生。是的，什么时候才可以一丝不挂？

"如花，你可找到蛛丝马迹？"

她摇头。单薄的身子，丰富的眼睛。单薄的今生，丰富的前尘。

啊，于我这是一个单薄的夜，丰富的感情。我不敢再误会下去。我想痛骂她，叫她放手算了。也不过是一个男人，何苦众里寻他千百度？"如花，今天是第四天，如果找不到十二少，你有什么打算？"

"一定会找到的。"

我苦笑。"是不是很多像你这样的鬼，申请上来寻找她的爱人？"

"不，"如花说："在阳间恋爱不能结局，因而寻短见的人，死后被囚禁枉死城，受尽折磨，状至憔悴。黄泉路上，经多重审判，方有转生之机……"

"那么一齐寻短见的人，岂不很容易便失败了?"

"是的，尤其到了'授生司'，人群拥挤赶逼，就像——车站候车的纷乱情形。"

"秩序那么差?"难怪我听见骂人说赶着去投胎，真是争先恐后。

"轮回道中无情，各人目的地不同，各就因缘，挥手下车，只能凭着一点记忆，互相追认。我不知道十二少现栖身何处?"

"记忆? 今世有前生的记忆? 何以我一点都记不起前生种种?"

"那是因为投生之前，喝了三口孟婆茶。"

原来在转轮台下有孟婆亭，由孟婆主掌，负责供应"驱忘"茶，喝下三口，前事尽忘，这茶有甘辛苦酸咸五味混合，喝后不辨南北东西，迷糊乱闯，自堕于六道轮回，一旦投生，醒来已是隔世。

"那多好，前事浑忘，后事不记，便重新做人。"

"永定!"如花望定我："你从没试过深切怀念一个人吗?"

"没有。"我快口快舌地答了。没有? 我在疑惑。

"我不可以。前生过得不好，我不相信今生也过得不好。我们只盼望一个比较快乐的结局，难道这是错吗?"

一个痴心的人强悍如军队。我不忍心泼冷水。凭一个信念，二人重组幸福的家庭，真的，只盼二人有个快乐的结局，难道这是错吗? 是天地间有嫉妒者，故意捉弄，叫分合无常，叫缘份飘渺，半点不由人?

如花告诉我：

"我不肯喝那孟婆茶。就在那必经之路苦等。久候不至，哀请让我上来寻人，付出了代价。"

上来七天的代价，便是来生减寿七年。

她宁愿寿命短一点，也要找到他。

我真妒忌。这人凭什么？

"如花——"我拍拍她的肩膊，什么话也没有说。回房去了。

如花坐在沙发上，遥望星空，梦为远别啼难唤，书被催成墨未浓。

书被催成墨未浓。

我的心情不知像古人那封信，抑或那砚墨。两者皆不是。一切与我无涉。

如花像电影中的定格。她心里想的是什么？如果那一天，她没有应毛巾七少的花笺。如果那一天，十二少没空在席间出现。如果那一天，她不曾多看他一眼。如果那一天，他公事在身早早引退。如果那一天，她没暗示他日后倚红楼相见。如果那一天，他无心再访艳……

都是那一天。

我在床上，也像电影中的定格，我心里想的是：如果那一天，我早五分钟收工。如果那一天，我偷空上了采访部看电视。如果那一天，我在家等阿楚宵夜。如果那一天，接洽寻人广告的是小何不是我……都是那一天。

我半睡不醒。如花抚摸过的伤处，早已痊愈，我忍不住，就在原位轻轻地像她一般来回摩挲，我不相信！她曾与我肌肤相接？其实，她只不过是个至为简单的女子，她的身世复杂，感情简单。无端的，闻到花露水的香味，漫天漫地的温馨，今生今世的眷顾。我载浮载沉……

　　十二少眉清目朗，风流倜傥，在戏班却红
不起来。红不起来的戏子何以为生？遂心灰意
冷，深染烟霞癖。

清晨乍醒，我有无限歉疚。那是一个过份荒唐的绮梦！我的床单，淋漓一片。

我不是不自疚，但我无力干涉我的性幻想，这并非罪恶，这只是荒唐。

我在如花的世界岂有立足之地？

胡里胡涂地整理好床铺被褥，胡里胡涂地上班去。普天之下，没人发觉我昨天曾经受伤。报上也没有登。小市民的灾难，全是打落门牙和血吞。幸好我的伤也好了。

但小何告诉我：

"阿楚来过电话。"

"什么事？"

"她不是找你。——她找我。她叫我下午到她家取一篇稿交到娱乐版。"

"为什么？"

"她病了，感冒。"

"感冒也可以交稿，她又不是歌星，感冒时不能谋生。"

我虽轻描淡写，但何以她叫小何去取稿？她来个电话！我会替她办妥。——要不，她也可以委托那个安迪代劳，惟安迪得知她病了，少不免送束花，安慰探问一番……

小何实在气不过，见我木讷，便道："我下午没空，你代我去。"

"她又没叫我做。"

"你不去，是不是？其实她心底里并不是想我去，故意要我传话，好，如果我去，我会设法撬你墙脚。撬了来扔也好！反正你俩意见不合，无法团圆……"

"我那么多工夫要赶，谁知下午是否走得开？到时再说。"嘴说得倔，心中恨不得掌掴小何两记，然后飞身至沙田。终于我按着阿楚家门铃。

家人不在，她来开门。一见，原来为了发泄，剪了一个极短的发型，短得几乎可以当尼姑。

她见是我，竟然成竹在胸，一点也不愕然。

我进去，她也不招呼，拎起电话继续对话："——试就试吧，落选不等于一切没希望呀——我知道，不过——你听我说，钟楚红不也是落选港姐吗？她现今一部戏收四五十万，还说一口气推了六部。——泳衣？怎么这些导演一个二个都要泳衣试镜？——看着办吧，签四年，长是长了点，不过可以要求外借，——主要看你自己，你要红，就搏尽豁出去，别不汤不水，畏首畏尾……"

她跟对方蘑菇了二十分钟，看来不过是某落选佳丽，作推心置腹状向她问意见。谁知是不是问意见？反正她们自己心里有数。不过找了一些记者展示谦虚彷徨无知，人总是爱怜弱小的，自是乐于赠言。——说到底，还不是搏宣传？签不签约好呢？其实心中已经狂签了七千次："我愿意！"

阿楚重感冒，声音深沉如一只低音喇叭，令在旁听到的人也喉头不适，她还要讲那么多废话，真是辛苦。我示意她快点收线，她见到我手势，又装作淡漠。真狡猾。一瞥她书桌上，放着一盒糖——正是那种奸人才吃的草药糖。

终于她收线了。然后开始把刚才的无聊对话化成一篇特稿："三大机构争相邀约，落选佳丽无所适从"之类。文中不免涉及些从前的例子，钟楚红、赵雅芝、缪骞人……选美经典作。

"你等一会，"阿楚淡淡地说："写好后给你带回去，告诉老编是独家的。"

"也许她转头又向另一记者讨意见了，你还带病赶稿，独家不独家又如何？还不快去休息？"见她不理，气了："你吃过什么东西，竟一病不起？你们那天到何处晚饭去？"她不回答。

"真是时运低，遇鬼之后，你病了，我又受伤——"

"你受了什么伤呀？"她边写边问。

我便把那灾祸重述一次。——当然，如花为我冰敷的一节绝口不提，其他的……也绝口不提。我学得油滑了，把伤势和痛苦形容得十分详尽，活灵活现。末了还说：

"现已不痛了。我不是要你同情呀。"

"我也没要你同情。"阿楚沙哑着老牛一样的嗓子说："有什么关系？"

"阿楚，"我实话实说："我们和好吧。趁你生病，没气力吵架，我们就不必再吵下去。你这样的嗓子，再努力吵架，很快会哑掉，不如修心养性……"

"嘿——"阿楚啼笑皆非："世上哪有男人这样认错的？"

"我这样算认错？"

"你惹我生气，还不算错？"

"你也惹我生气——。"

"总之一切都是你错！"她激动了。

"不，"我道："——但算了。对不起。"

病中的阿楚，比较软弱，眼圈一红。

"阿楚，"我的声音充满温柔："难道你没有信心？你以为自己斗不过一只鬼？"

"你不可以爱上她。"

"我发誓不会！"

"她无处不在，"阿楚忽然孩子气地质问："在你洗澡时突然出现，你怎办？"

我联想太多，十分腼腆。

阿楚下定决心。像样板戏《智取威虎山》的表情：

"永定，我决心尽力帮她找到十二少，早日找到，她心息了，便早日离去。真的。"

"当然，大丈夫一言既出，驷马难追。"

"哼，你算大丈夫？大丈夫不可一日无权，小丈夫不可一日无钱。你不是大丈夫，你连小丈夫也不是……"

"是，"我很悲哀地说："我只可成为人间的一名丈夫，不论大小。但凡男子都可成为丈夫吧。"

"你以为？"

"不是有成语说：'人尽可夫'吗？"

阿楚笑了。浓浊的感冒鼻音，令我也忍俊不禁。我递给她一颗奸人糖，趁势抓住她的手。她也不挣扎，只是狠狠地说：

"瘦田没人耕，耕开有人争！你得意啦。"

一发狠，阿楚咳了几下。我拥抱她，病猫永远比老虎可爱。这病猫的毛发又那么短，刺手的："你努力地病吧。"

"因你对我不好，我已把全部精力消耗于一场病中，再也不能了。"

然后，她静静地，哭起来。扁着那个曾得理不饶人的嘴，里头有唇枪舌剑，针言刺语，如今半招也使不出来。

"你以后不准激怒我！"她命令。

"遵命！若有再犯，请大人从重发落！"我十分认真地答，表示听话。

男人一生中，总是遇到不少要他听话的女人，稍微的听话，令男人更加男人。女人一生中，总是希望男人都听她的话，好像没这方面的成就，便枉为女人了。什么是"话"？什么叫"听"？归根究底，没有爱，一切都是空言。没有爱，只成了鸣的锣响的钹。

我与阿楚的感情，忽地向前跨进一大步，实是始料不及。

三天之内，波谲云涌，跌宕有致。

阿楚的妈妈买菜回来，一点也不发觉我俩龃龉。只留吃饭。为了一顿团圆饭，我巴巴的自沙田把稿带回报馆，然后又巴巴的回去。饭后，见伯母在洗碗——是的，要有大量的爱，女人才肯乖乖的入厨洗刷那堆脏碗。

我在阿楚家呆至很晚，也没有什么事做，一起看电视。只为娱乐（不是娱乐版）而看电视，相信这对阿楚是稀罕的。病一病多好，什么享受应有尽有。连堂堂男子汉也奔波向她赔罪。

回到家时已是十二时半。

于跋涉长途中，我已奋力锁起一头心猿，关禁一匹意马，以后对女友一心一德。如花只是幻影，我对她，口号是"日行一善"；原则乃"助人为快乐之本"。

我发誓不会。

我发誓不会。

训练自己的坚毅精神，相信再次面面相觑，不会不好意思。

打开门，欲亮灯，但灯掣没有着。两三下之后，始发觉是停电了。

我把姊姊家门敲了一阵，借来四枝红烛，把它们一一燃亮，顷刻之间，小小的房子就荡漾着一片红光，幽幽摇摇，是是非非，迟迟疑疑。

窗外，是出奇地冷静窥照的寒月疏星，益显得人间晃荡。同样的星月，窥照不同的人，时间，又过去了。

"永定，为什么这样晚？"

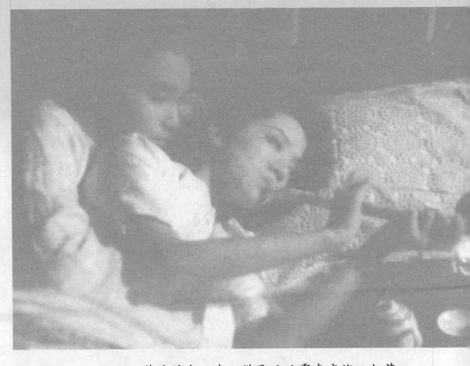

　　落魄的十二少，借吞云吐雾来忘忧。如花
无从劝止，自己也陪着抽上一两口。日夕一灯
相对，忘却闲愁。

烛影之中，只见如花在。睫毛闪动的投影，覆在脸上，像一双手，拂来拂去。

"你来了？"

"来了很久。你到何处去？找不找得到？"她轻轻地问。

但，我的时间用作破镜重圆之上。忘记了如花未圆之愿。

"还没找到。"声音中有几分歉意。

"永定，我很害怕——"

"不要这样。"

"我再也找不到他吗？"

"找得到的，"如今反过来，变成我的信念："他在人间，你放心。"

"不，我不相信我俩可以重逢。变迁如此大，一望无际都是人，差不多的模样，差不多的表情。也许是我的奢望，这是一件艰难的事，几乎是没可能的，根本是没可能的。只怪我自己，拿得起，放不下，弄到如今无可救药。"如花后悔了吗？

悔不该，惹下冤孽债，怎料到赊得易时还得快。红烛的眼泪，盈盈堆积，好似永远都滴不完，但她的眼泪，一早消逝在衣襟，埋在地毡，渗入九泉。

我不知道该如何安慰伤心的鬼。

在空白的一刻，电话铃声响了。

如花愕然抬头。

"是停电，但不关电话的事。"我解释得不好："电话，是另外的一些电。"

同样的电，却是两个世界。

同样的故事，却是两种结局。

是阿楚。

"阿楚，我们这里停电。你那边呢？"

"隔那么老远，怎会有相干？"

"是。"

"——电是不会，但人是会的。"

一下子，关系拉得极近，谢谢爱迪生。

"如花在不在？代我向她说句话：'是你的就是你的，若不是，始终都不是。'，你会说吗？好好的劝她。我不应该给她脸色看。"阿楚收线后，我第一次发觉，她是一头好心肠的狐狸。但我担心她乖下去，她这种女孩，不可以乖，一乖，每令人失却乐趣。我不要她觉悟。她做了好人，我做什么角色才对？

如花见我犹握住听筒怔怔地出神，也不追问，只静静望着我。

"我女友。总是令我担心，她有时对我好，有时对我不好。"

"她爱你，才故意对你不好。"如花安慰。

"但既爱我，为什么故意对我不好？"我不明白这么迂回的羊肠小径的道理。

"十二少也故意对你不好？"

"——"如花不理睬我："爱是很复杂的，真不是一件容易的事。"

"是，阿楚与我交往，当成写稿一样。"

"写稿？"她不明所以。

"无中生有，小事化大。"

如花会心一笑。"那不是鳝稿吗？"

"你怎么知道这名词？你学习得真快！"

"永定，"如花娓娓地说："这不是一个新名词，这是我们那年代的术语。"

　　如花如何得知？原来她有个客人，是《循环日报》的编辑，常与舞台红伶、开戏师爷等到塘西酒楼讲戏，不时发笺召来姿容姣丽的阿姑作陪，就是这样，如花认识了不少文化界。

　　且说二三十年代，中区威灵顿街的南园酒家，地方宽敞，颇负盛名，一日鱼塘送来一条五六十斤的大鳝，主人见鳝硕大，恐难一日沽清，那时没有雪柜，鱼会发臭，于是求问《循环日报》编辑，他代拟了一段新闻稿，说南园酒家明日经大鳝，请顾客及早定座，这夸张的稿发表之后甚收效……日后但凡南园经鳝，例必发"鳝稿"。

　　我听了，很佩服。

　　如花，你知得真多！"

　　"这只是生计。"如花谦道："我晓得以白牡丹或银毫香片款客。我百饮不醉。我对什么男人讲什么样的话。但不过是伎俩。"

　　"但是美貌——"

　　"美貌也是伎俩。"

　　我好奇地注视她。她上了妆，酡红的脸，好像一只夜色中的画舫。不过，她只在夜里方才流泻艳色吧？

　　"你在白天是怎么样的？"我从来未曾在白天见过她。我想。她的客人，许也未曾在白天见过她。多么奇怪，在做人的当儿，在做鬼的当儿，她只与黑夜结缘。

　　"苍白的，眼睑浮肿，疲倦如一般女人。"

　　"你会生气吗？"

　　"何以这样问？"

　　"不，我只猜想不到你生气的样子。"

　　"我生气没有'样子'，只有'心情'。我不晓得发泄。"

　　"为什么？"

"——这是因为我自小没有生气的权利，没有父母供我撒娇，或弟妹给我差唤。稍懂人性，已在倚红楼三家手底下成长，接受一切礼仪训练，也没有生气之经验。我的专长是卖弄风情，我的收获是身价日高。最大的快乐，只是遇上十二少——"

"我明白。"

"你不明白呀。我多么希望，可以在他身上发脾气，只有在心爱的男人身上发脾气，才是理直气壮的。"

"一次也没有吗？"

当然我记得，当十二少为她放弃了一切，却又终逃不过走投无路的困扰时，爱情越浓，龃龉越烈，都是因为：爱，并非一种容易的事。在那么艰涩的日子里，如花没有发过脾气吗？

"有的，就是那一天——"

那是刻骨铭心的一天：

十二少，向她提出分手。

如花平素卖的是笑，自懂事后，她的"事"便是令男人快乐，令男人喜欢她，并不知道，原来她也可以遇到一个令她快乐，令她喜欢的男人吧。那已足够——谁知一天男人说……

新春正月里，正是大戏锣鼓最热闹的时分，大中小戏班，都忙于演出。如果连这兴旺的佳节也乏人问津，仿效观音大士坐莲（年），那也真是华光师傅不赏饭吃了，不如及早回头是岸。

十二少在华叔的班子里，只是一个新扎小角色。有时甚至只在日班踏踏台毯而已。在太平大戏院，又似比外头铁皮架搭的棚子要好得多。这冬日里的一天，十二少台上参演《梁祝恨史》。不是梁，不是祝，甚至不是士九人心。后台除了大佬倌拥有自己的厢座外，一干人等使用公共的镜屏脂粉，公共的戏服。公共的反映，你反映我，我反映你，不过是苍生一角。梁祝的书友之一。没有名字，不是甲乙丙，便是丁戊己。

当梁山伯与祝英台在私塾中为女子地位而辩，当梁山伯发现祝英台耳上穿了孔时，他们的同窗书友，便在旁起个哄——这样，又是一出戏了。并没有"化蝶"的福分。

十二少的母亲来看了，堂堂阔少，自食其力？真是丢人现眼。母亲气病了。父亲眼看他不成气候，又闻得他深染烟霞癖……

托人辗转相劝："你才廿四岁……"多有力的罪证!

是的，一个大好青年，廿四岁。

戒了鸦片，与烟花女子分手了，回去还有一家子热诚的欢迎，既往不咎，脱胎重生。

廿四岁。才这么年轻。往前瞧，一片锦绣。十二少对着这公共的镜屏，背后人声鼎沸，喧嚣纷纭，一切都淡出了。他一边落妆，抹去脂粉，细看一张憔悴的不成人样的脸，自己都认不出来，那曾经一度的风华。

一个人要回头，总是晓得这样想：也不是错，美丽的日子总是短暂的，永远在心头上的。——不过，也差不多过完了。

无从开口。

在十二少小小的居停，中环摆花街一幢唐楼的三楼，如花水葱似的手，正在搓着面粉团，她正学习一下，怎样弄一锅汤圆。捏出一小粒一小粒的粉团，然后一粒粉团包一粒片糖馅。圆是不怎么圆，怎么搓都不圆。有时，片糖的方角，竟会掺了出来，于是可以预料得到，不消一刻，糖在沸水中溶了，便缓缓地漏掉，混在水中，糖的芳踪，杳不可寻，那汤圆，成了一个空心的物体，在水中漂漾。

十二少刚刚开了口。

　　十二少向如花提出分手，他要回家。如花
悲痛欲绝。

如花听了，好像并不真切。她只管搓她的汤圆，一颗汤圆，来回往返的，恨不得碎尸万段，谁知它又那么黏腻，糖也半溶了，在手心，一切都混淆，渐渐地变成黯灰色的白粉团。良久良久，依旧是一颗汤圆。横看竖看，都可算是汤圆。但，却不可以吃了。煮都不用煮，已知吃都不必吃。

"振邦，你不要我啦？"

十二少霍地起来，自身后把如花紧紧搂住，那么紧，没命地吻她。好好的一整盘干面粉被撞翻，洒了两人半身。

如花蓦地转过来，狠狠地捆了他一记。狠的只是心，但因挣扎得不如意，打上去力道不足。十二少不加阻止。如花把他的衣衫撕了又扯，揉成残团。泪落如雨，脸上胭脂水粉汇成红流。两个人，不知如何，化成一堆粉，化成不像样的汤圆——但，终于不能团圆。大家都十分明白。

如花后来说：

"来，我陪你抽最后一盅！"又补充："你回去，那是应该的。"

这盏烟灯今儿特别的暗，如花添了点油，眼看它变得闪烁饱满，才为十二少烧几个烟泡，烟签上的鸦片软软溶溶，险险流曳。好好通一通烟枪。如花吩咐：

"三天之后，你来倚红找我一趟。一切像我们初会的第一天。穿最好的衣服，带最好的笑容，我们重新温习一遍。即使分手了，都留一个好印象。"

当下两人都极力避免离情别绪，只储蓄到三天之后。

三月八日黄昏，如花收拾好她寨中房间的一张铜床，那是十二少的重礼，备了酒菜，专心一致等待男人。不过是分手，通常一男一女，无缘结合，便是分手，十分平常。也不是惊天动地冤情，没有排山倒海恨意。如花仔细思量一遍，不晓得败在什么手上！——其实，也是晓得的。

她并非高手，料不到如此低能。

从此擦身而过，一切擦身而过。

她也穿上最好的衣服，浅粉红色宽身旗袍，小鸡翼袖，领口袖口襟上捆了紫跟桃红双捆条。整个人，像五瓣的桃花。

然后细细地用刨花胶把头发拢好，挑了几根刘海，漫不经心地洒下来，直刺到眼睛里。

让一切还原。

她布置酒、菜。挪动杯、筷。整理床、枕。

今朝离别后，何日君再来。

当夜第一个客人，十二少赴约。经过地下神厅，上得二楼：这样的一个女人，这样的一张床，这样的灯火。因是最后一次，心里有数，二人抵死缠绵，筋疲力尽。

后来十二少在如花的殷勤下，连尽了三杯酒。也是最后的三杯。

"我不想讲下去——"如花颤声对我说。

"好好好，你不必讲，我都知道了。"

我好像很明白，这种痛苦不该重现，连忙劝止：

"如花，生命并不重要。真的。我们随时在大小报章上看到七十人在徙置区公园大械斗，挥刀乱斩。还有车祸、高空掷物、病翁自缢、赌男厌世、失恋人跳楼……难得有一个男人肯与你一齐死——"

"我不想讲下去——"

见如花忽地变了声调。我叹了一口气。

"永定，找不到他，会不会……是他不肯见我？我很害怕，我——不要找下去了。"

"怎么会？只不过机缘未至。"

"但已经过了五天。"

"还没到限期，对不对？皇天不负有心人，你可是有心鬼。来，再想想——"

我无意中，瞥到她胸前悬挂着一样物事，在红烛影中幽幽一闪。

"那是什么？"我朝她胸前一指。

她拎起那东西，是一个小匣子。

一个景泰蓝的小匣子，鸡心型，以一细如发丝的金链系着。

她把匣子递给我。

审视之下，见上面镂了一朵牡丹，微微的绯红着脸，旁边有只蝴蝶。蓝黑的底色，捆了金边。那么小巧，真像一颗少女的心。按一按，匣子的盖弹开了，有一面小镜，因为周遭黝黯，照不出我的样子，也因为周遭黝黯，我不知道那是什么。

如花用她的小指头，在那团东西上点了一下，然后轻轻地在掌心化开，再轻轻地在她脸上化开。

这是一个胭脂匣子。

"我一生中，他给我最好的礼物！"如花珍惜地把它关上，细碎的一声。就像一座冷宫的大门。

"即使死了，也不离不弃。"

但自她给我看过那信物后，也失踪了一天。也许她便自这方向搜寻下去。我一天一夜没见她，工作时更心不在焉。

奇怪，日来总是有蝴蝶、花、景泰蓝、镜、胭脂，七彩纷陈，于我心中晃荡不去。奇怪。

飘渺间往事如梦情难认——
百劫重逢缘何埋旧姓？

夫妻……断了情……

这种粤曲，连龙剑笙都唱不上任剑辉，何况只是区区一个五音不全的小何。肉麻得很。

"你唱什么？真恐怖！"

小何自顾自哼下去。

我被他哼得心乱：

"通常在月圆之夜，人狼都是那样嚎叫的。无端的表演什么噪音？"

"我在做课前练习，"小何说："今晚陪人去看雏凤。"

"雏凤？你？"

"唉，是呀，陪我女友，她妈妈，她姨妈……一张票一百元。还要多方请托才买得到。"

"你不高兴，可以不去。"

"不可以半途而废，追了一半，非继续牺牲下去。否则两头不到岸。"

"麻烦你三思，才好用'牺牲'这种字眼。你还哼？强逼收听恐怖歌声，本人誓割席绝交！"

这好算牺牲？比起生命，光是挨一晚粤剧，已经是最微不足道了。

"喂，"他不唱，便管起闲事来："你与那凶恶女人冰释前嫌啦？"

"当然。"我作得意状。在这关头千万不可稍懈："天下唯一真理是：'瘦田没人耕，耕开有人争'。"

"永定，你岂是瘦田？是肥田；你那么有料，简直是肥田料！"

与阿楚午饭后——此生不再光顾那间上海馆子了，只跑到上环吃潮州小菜。我们信步返向报馆，经过必经的嚤啰街。

忽然间我想浪漫一下，这是我从来没有过的念头：不如我送女友一件礼物，好让她不离不弃，但送什么好呢？反正她不知道我东施效颦，我也想拣一个坠子，以细如发丝的金链系着，予她牵挂。

整街漫着酸枝的气味，也夹杂樟脑、铁锈，和说不上来的纳闷。

不知为了什么，我的心跳加速了。也许是因为听我们的老总说过，他曾以三十元的代价，竟购得傅抱石的真迹。我以为我会寻到宝物吗？血气上涌，神魂颠倒。忽然被一件故衣碰撞到。它悬在高处，是一件月白色旗袍，钉上苹果绿色珠片，领口有数摊水痕，一层层的，泛着似水流年之光影。

这件故衣，也不知曾穿过在谁身上了，那么苗条。虽然不再月白，变成暗黄，但手工极精细，珠片也不曾剥落。

"永定，你带我来看这些死人东西干么？"阿楚受不了那直冲脑门的樟脑味。

"我到那边看看。"她巴不得远离这些"年老"的遗物，只跑去看"年轻"的：那是大大小小的毛章、毛像，一整盘流落于此，才不过十多年的光景，当成"古物"，卖五元至十元不等。

旁边还有不少有趣的物件：珠钗、鼻烟壶：有玻璃质内画山水，也有珐琅彩釉、军票、钱币、风扇叶、玛瑙雕刻、公仔纸。

忽然，我吓了一跳。

我见到那个胭脂匣子。一式一样。

我前夜见的是灵魂，今午见的，是尸体！

虽在人间，我遍体生寒。

是它？

我如遭雷殛，如遭魅惑。胡里胡涂，信步入内。一个横匾，书了"八宝殿"。

老人在午睡。

我叫他：

"阿伯，阿伯。"

他半舒睡眼，没好气地招呼我：

"看中什么？"

语气略为骄傲。

"看中了才与我议价。我的都是正货。"

"我要那个胭脂匣子！"

"匣子？"

他喃喃地走去取货。

"阿楚！"我把她唤过来，她买了一个红色的天安门纪念章，随手扔进她工作袋中。

"先生，什么匣子？没有。"

我指给他看，那个景泰蓝……

没有！

那不是景泰蓝，那是一个俗不可耐的银十字架，它的四周，毫无迹象显示，会有什么胭脂匣子。它不是尸体，它仍是灵魂。

"我亲眼见到——"

"我年纪老大，还没有眼花，你倒比我差劲？真是！我都七十多岁……"

"阿伯，"阿楚卖弄乖巧："你七十几岁？"

"七十六。算是七十七罗。"

我倒退一步。我明明亲眼见到。我不相信在顷刻之间，物换星移。但是，为什么呢？好像有一种冥冥的大能，逼我逗留，我满腹疑团。

"不，我要找一找。"从未试过这样的坚持，死不认错。

"走吧，老花眼。"阿楚推我一把。

一推之下，我碰倒一大堆旧报，几乎也绊倒了。我俩忙替他执拾，在旧报中，露出了一角端倪——我见到一个"花"字。

这分明是一个"花"字。

我气急败坏地把它抽出来，一共有三份，残破泛黄。这"花"，是"花丛特约通讯员"，这报，叫做《天游报》。

一看日期，一九三二年三月……

我以抖颤的手，翻阅这旧报，因过度的惊恐忙乱，生生撕裂了一角。

"喂喂，小心看!"阿伯在叱喝。

他过来一瞧，见这旧报，便道：

"哦，《天游报》。你怎会得知什么是《天游报》？告诉你，这是广州出版，专门评议陈塘、东堤，以及香港石塘咀、油麻地阿姑的报纸，等于今日的《征友报》，不过，文笔要好得多，你瞧，都是四六文。唉，你又不知道什么是四六文。想当年，我在……"

我勉定心神一目十行，这些"特约通讯员"都写下不少花国艳闻，以供饮客征花选色。对妓女的评语，若道："有大家风，无青楼习"，便已是最大的恭维了。

它还暗写：某某阿姑喜温戏子，乃是"席啑"。某某阿姑，最擅讲咸湿古仔，遇上嗜客，每获奖金高达一百元。又某某阿姑，工夫熨贴，能歌擅舞……间中报导：广州花国王后因避赌债过江，而在港花运日淡。某某红牌阿姑，遇人不淑，一段姻

　　如花约十二少见最后一面，独自酝酿以死
殉情。

缘，付诸流水，终重出江湖……

一路翻阅，一路心惊。

终于，我见到一段小小的文字，在一个不起眼的角落，叫我神为之夺：

青楼情种，如花魂断倚红

一看，字字映入眼帘：

名妓痴缠，一顿烟霞永诀；
阔少梦醒，安眠药散偷生。

安眠药？

安眠药？

我听来的故事中，提都没提过"安眠药"这三个字。

此中有什么蹊跷？

我听来的故事，是真是假？是怎么的一回事？十二少没有死，他"悠悠复苏"……

我的疑惑到了不可收拾的地步，取过旧报，竟急急离去。

阿伯一把揪住我。看不出此等衰翁力气那么大。阿楚责道：

"永定，看你失魂落魄的样子，一边看报，脸色一阵青一阵白。付钱呀。"

"你是想买下这三份《天游报》吧？"

"是是是。"我拥之入怀，惟恐他来抢夺。

"这报早已绝版，你知啦，有历史价值的旧东西，可能是无价宝。"

哼，都已七十七岁了，还锱铢计较，难道可抱入棺材留待来生？

"要多少钱？"我只好恭敬地问。

"我这八宝殿——"

我烦躁了："多少钱？"

"一千块！"

他不动声色地漫天开价。一定是瞧得我那急色模样。志在必斩。

"一千块？"

买？不买？

"哎呀，永定，把报拿来。"阿楚夺去。放回旧报堆。

"你又不一定有用。一千块买这种旧报纸干么？不要买！"她狡狯地朝我一疗。

"阿伯，你看，那么贵，真不值，我们又不是考古学家，不过找参考资料吧，半真半假也过关了，天下文章一大抄。——这样吧，一百块？"

"不卖！"

我寸步不移，心剧跳，如鹿撞，如擂鼓。

我一定一定，要买那一九三二年的旧报，上面有为如花揭露的真相，一切的关键都在里头，现今他不肯卖了？

"不卖算啦，"阿楚推我："两百块吧？最多两百。否则你留下来自己有空时看呀。阿伯，说不定你那时也是一个风流的寻芳客。"

阿伯面有得色。

阿楚乘机投其所好："一看便知你见闻广博了，这旧报都是你当年存下来的吧？有没有你大名？"

"没有，我又不是名门阔少，不过是陪同朋友，见见世面而已。"

"阿伯，两百块钱卖给我。你存来又没用。"

"——三百？"

阿楚说："不！"

我说："好！"

一早掏定银两，以免节外生枝，功败垂成。阿楚气恼，眼看两百块即可成交！却让我一语作结，且又诚实：

"我只要这一份。"

还把其他两份还给他。

那老人，见废物可以换钱，还换得三百块，怎不眉开眼笑。这年头，那有如此愚钝的买客？真是十年不逢一闰，打响了铜锣满街的找，都找不到半个。要不是我神推鬼拥……是了，一定是——

我把那报摺起，珍重地放于后袋中，想想又不安全，若有扒手窃去，怎么办？把它放于前袋内……终于紧紧捏在手中，好像是我的生命。

踏破铁鞋无觅处。

直至完全定下心来，我才回顾这小店，它就在嚤啰街中心，右边数过去，第三间。

三、八、七七！

我把整件事与阿楚商商量量，忖忖度度，只觉越来越迷失。我俩都是正常的人类，何以被放置到一个荒唐的、明昧不定的世界里？一切疑幻疑真，不尽不实。这是一场不愉快的冒险，也许结果是令人惊骇莫名。抽起了一个诡异的丝头，如何剥茧？

还不是像小何的恋爱心态：追了一半，中途退出？两头不到岸。

越猜越累。

我跟女友说：

"阿楚，我真怀疑这件事，与我前生有关系。"

"哼！"她白我一眼："你肯定不是主角。也许你只是一名'豆粉水'，专门替红牌阿姑传递花笺，四方奔走，任劳任怨。"

也许吧。也许我还负责替她们买胭脂水粉、倒洗脸水和密约情人。

当晚，我们三人对薄公堂。

"如花，请你冷静听我告知真相：（一）十二少没有死，他尚在人间；（二）他没有吞鸦片，他是服安眠药的；（三）我怀疑你……"忽闻黑夜里啁啾的哭。

还未曾作供完毕，如花痛哭失声：

"他没有死？他不肯死？他……"

"如花，你不要哭——"我道。手足无措。

阿楚抚慰她：

"有话慢慢说。"

她昏昏然站起来："我永远都不要再见他！"一起来又跌坐下，漂泊的影崩溃了。

我与阿楚急急挽留。她这一走，陷我俩于疑窦中度过一生？那有这么便宜的事，我也气上心头。把《天游报》抛出来：

"你怎么可以一走了之？我为你四方奔走，任劳任怨，"把阿楚的评语都使用出来，"而你，隐瞒了事实，利用了我的同情，看不出你那么阴险！"

骂得兴起，索性不留情面：

"如果你撒手不管，逃避现实，跑掉了，我们永远都不原谅你。讲故事动听，何以你不去做编剧?做鸡和做编剧都没有分别，一样是作假……"

两个女人从未见过我大发脾气，一起呆住。我也不明白，什么力量叫我非以"夸父逐日"之坚毅精神，追查到底不可。

"你把一切真相，诚实说出来！"

如花满身泪痕，一脸歉疚，朝我一揖。我忙息怒扶住。怎么还有这种重礼，唬得我！

"永定！我把一切说了，你还会原谅我吗？"她怯怯地说，不看我，只捡起旧报细阅。手都抖了。

"会会会，一定会！"我强调。原谅而已，不要紧，可以原谅她七十个七次。又不需动用本钱。

于是她清清喉咙，在这艰辛的时刻，为我缕述她故意隐去的一个环扣：——

如花思潮起伏，心中萦绕一念：十二少与自己分手，是因为自己不配。他这样回家去，生命中一段荒谬的日子抹煞了，重新做人，今后，便是道左相逢，二人也各不相干。一个越升越高，一个越陷越深，也是天渊之别。十二少，如此心爱的男人，自是与程家淑贤小姐成婚了，淑贤不计前嫌，幸福唾手拾得；自己艰苦经营，竟成过眼云烟，真是不忿。想那程家小姐，在与陈家少爷跨凤乘龙之日，鼓乐喧天，金碧辉煌，披着龙裙凤裳，戴了珠钻金饰，交杯合卺，粉脸飞红，轻轻偎在十二少怀中……日后……

如花还不及想到日后。

她只想到今晚。无端的邪恶：

这个男人，她要据为己有！

自己得不到，谁也不可以得到！对于赌，她耳濡目染，甚是精通，这一盘，就是同归于尽，连本带利豁出去！

"在分手的那晚，我在酒中落了四十粒安眠药，细细拌匀

　　十二少不愿以死殉情，他独自偷生。多年
之后，孤寂悲凄，穷困潦倒。

……"

啊，我一听之下，甚为恐惧：这是一宗杀人阴谋！阿楚比我更甚，也许她念及自己一向对如花不怎么友善，怕她把她一并干掉，她来紧握我手，我俩的手一般冷，相比无分轩轾，荣膺双冠军……这可怕的女人！

在与十二少半夕欢娱之后，如花殷勤劝饮，连尽三杯，是的，最后三杯。

然后，如花当着十二少面前吞下鸦片。她且分了一份给他，不等任何回话，以肃穆的神情来交代后事：

"如果，你也有一点真心——"

十二少当下心潮汹涌，一个痴情女子以死相许，大丈夫何以为报？他呆在原地，如石雕木刻，脑中百音鸣放，唇干舌燥。死？不死？人生最大的趑趄。

如花一瞥壁上大钟，钟摆来回走动，催促岁月消亡，她在毒发之前，不忘嘱咐：

"今天，三月八日，现在，七时七分，来生再见，为怕你我变了样子，或前事模糊，你记住：三八七七，你就知道，那是我来找你！"她把那信物胭脂匣子往颈间一挂。

——如花脸上，闪过一丝阴险，是的，如果你也有一点真心，便死于殉情；如果掉头他去，也死于被杀。这是一场心理上的豪赌。十二少并不知道他无论如何逃不过。只要他是真心的，即便死了，也是伟大的吧。

十二少拿起生鸦片烟，如花才抒了一口气，才放下心，才觉大局已定，才知终身有托。她痛苦不堪地呕吐、呻吟，但脸上一笑牵连，她以为，她终于赢了。这心爱的男人，据为己有。她吞得很多，毒发得很快。

如果，你也有一点真心……

如果，你也有……

如果，你……

但是——

据医学家解释：服安眠药和吞鸦片的状况差不多，同是剧烈的麻醉剂，毒发时陷入昏迷状态。古老方式拯救吞鸦片的垂危者，是把他放在土坑，希望吸收地气，可以回复知觉。

如花寻死志坚，力挽无从。玉殒香销。

以后的情节，可以想像：十二少，他并没有为如花而死，他颤抖着，倒退，至门前，门已上锁，花布帘还没有掀起，整个人也倒地昏迷。

陈家倾囊施救，竭尽所能……过了两个星期，十二少振邦悠悠复生，但全身浑黑，医生诊断，中安眠药的毒，虽经洗胃，但这黑皮，要待褪去，重新生过肌肤，才算完全复元，虽脱离危险，但非一两个月，不能痊愈出院。十二少捡回一命，哪在乎休养生息。静中思量一场断梦，整个人失魂落魄。他甚至不敢猜测，孰令致此？

如花拼了一条命，什么都换不到。真不知是可怕，抑或可怜——她势难预料如斯结局，还满腔热切来寻他！

生命原是不断地受伤，和复元；既不能复元，不如忘情。

她咬牙："我错了！"声音低至听不见。

"如花，一切都有安排，不是人力能够控制。不如意事，岂止八九？希望你不要深究。"我劝。

一向伶牙利齿的阿楚，她的心底一定在恨恨："男人都不是好东西。看来永定也不是好东西！"无话可说。

三人静默，与第一次会面，听到前半截故事时的静默，迥然不同。因为，这一回，大家都知大势已去。支撑她的，都塌了。

大势已去，是的。到了一九三五年，香港政府严令禁娼，石塘咀的风月也就完了。在如花死后两三年之间，整个的石塘咀成为一阵烟云。谁分清因果？也好像她这一死，全盘落索，四大皆空。

烟花女子，想也有过很多情种，海枯石烂，矢志不渝，任是闺秀淑媛，未遑多让。但也许在如花之后，便没有了。也许如花是所有之中，最痴的一个。因此整个的石塘咀忧谗畏讥，再也活不下去。她完了，石塘咀完了，但他仍没有完呢，他的日子长得很，算算如今尚在，已是七十多岁。测字老人说："这个'暗'字，是吉兆呢。这是一个日，那又是一个日，日加日，阳火盛，在人间。"十二少的日子，竟那末的长！

真是一个笑话。她什么都没有——连姓都没有。他却有大把的"阳火"，构木为巢，安居稳妥，命比拉面还长，越拉越长。

这便是人生：即便使出浑身解数，结果也由天定。有些人还未下台，已经累垮了；有些人巴望闭幕，无端拥有过份的余地。

这便是爱情：大概一千万人之中，才有一双梁祝，才可以化蝶。其他的只化为蛾、蟑螂、蚊蚋、苍蝇、金龟子……就是化不成蝶。并无想象中之美丽。

如花抹干了眼泪，听我教训。我变得彻悟、了解，完全是"局外人"的清明：

"没有故事可以从头再来一次。你想想，即使真有轮回，你俩侥幸重新做人，但不一定碰得上。人挤人，车挤车，你再生于石塘咀，他呢？如果他再生在中国哈尔滨、乌鲁木齐、或者台北市南京东路四段一三三巷六弄二号六楼其中一户人家，又怎会遇得上？"

我还没讲出来的是：即使二人果真有情，但来生，是否还记得这些愿望和诺言，重来践约？有情与无情，都不过如是。

　　"电影可以 NG，"阿楚以她的职业本能来帮我注释："生命怎可以 NG 再来？不好便由它不好到底了。"

　　如果生命可以 NG，那来如此大量的菲林？故只得忍辱偷生。

　　"你那很难读的什么——NG？意思是——？"如花又不明白了。

　　"反正是'不好'。"

　　"那我的 NG 比人人都多。比所有女人都多。全身都挂满NG。"她卑微地说。

　　"怎么会？"阿楚被挑动了饶舌筋，开始数算她任内的访问心得，搬弄女性是非："如花你听着了——

　　"刘晓庆这样说：'做人难。做女人难。做名女人更难；做单身的名女人，难乎其难。'

　　"陆小芬这样说：'男人，不过是点心。'

　　"缪骞人这样说：'世上哪有伟大的爱情？可歌可泣的恋爱故事全是编出来的，人最现实，适者生存。'

　　"丁佩这样说：'自从信奉佛教之后，我的心境才平静多了。'

　　"林青霞这样说：'我过得'省'，是希望有一天退出影坛时，有能力自给自足。我不愿意依赖婚姻，因为碰到可靠的人，是自己造化好，否则我又能怎么样呢？我是以一种悲观的心境来面对快乐，刻骨铭心的感觉，难以永恒。'……"

　　"阿楚，你所提及的女人，我一个都不认得。她们都是美丽而出名吧？她们同我怎会一样？我只是——"

　　"不，世间女子所追求的，都是一样滑稽。"

我不希望阿楚再嚼舌下去。

"恋爱问题很严肃，不是娱乐新闻，说什么滑稽？"

"走走走，我跟如花谈女人之间的烦恼，与你何干？女明星的恋爱不是娱乐新闻？——都是大众的娱乐！人人都沉迷，就你一个假撇清，你不看八卦周刊？你不知道谁跟谁的分合？没有分合的点缀，没有滑稽感，那么多人爱看？"

我顿然地感到悲哀。

我们竟不能给予女人一些安定的感觉，真为天下男人汗颜。

经阿楚这般的灌输，只怕如花一定对男人灰心。她本来就已灰心，现在连灰也不存在了。其实我们应该鼓励她，让她积极开朗一点，好好上路，谁知一沉到底。

我非把她俩都提起来不可。

"如花，明天你便要离开这里了吧？"我尽量放轻松一点："你可要逛逛这进步一日千里的大都会呢？"

她犹在梦中，怎思得寻乐？

"这样来一趟，不尽情跑马看花，岂不冤枉？那些来自中国大陆的双程访港团，巴不得七天之内一六八小时就把整个香港吸纳至深心中。我明天带你坐地铁、吃比萨饼、山顶漫步、看电影……"

"哈哈！"阿楚笑："她又不是游客！"

我有点不好意思。自恨老土。

气氛好了一点。

"我什么地方都不要去，我要把这一切过滤一下，只保留好的，忘记坏的，明天之后，我便完全抛弃一层回忆，喝三口孟婆茶，收拾心情上转轮车，也许不久我便是一个婴儿。让我好好地想念……"

"明晚你再来吗？"我与阿楚都不约而同地依依不舍。

"来的，我来道别。"

"你一定要来，不要骗我们！"

"明晚是香港小姐总决赛，我势将疲于奔命，但一选完了，马上赶来会面。如花……"

阿楚摇撼她的双手。

"你赶不了，驳（拼）料算了。"我说。

"是，驳不到料，便嫁人算了。"她笑。

"今晚我想静静度过。"

如花绝望地消失。

"永定，怎么你不留她一下？"一反常态。

"让她安静。"难道要她在那么万念俱灰底下强振精神来与人类交谈？够了，不必取悦任何人。她连自己都不可取悦。让她去舐伤口，痛是一定痛，谁都无能为力。

看来，阿楚对我完全的放心了，她看透了我：不敢造次。我看透了女人：最强的女人会最弱；最弱的女人会最强。女人就像一颗眼珠：从来不痛，却禁不起一阵风。一点灰尘叫它流泪，遇上酷热严寒竟不畏惧。——其实我根本无法看得透。

送阿楚下楼坐车，她要养精蓄锐，明晨开始，直至午夜，为一年一度的香港小姐选美尽"跑腿"义务。把闪光灯上足了电，把摄影机上足了菲林，把身体填满精力。明晨，一头小老虎地上路搏杀，争取佳绩。看谁一夜成名？

一夜的风光。明年轮到下一位。

被踢出局的，马上背负"落选港姐"之名；入了围的，一年后便被称作"过气港姐"。落选或者过气，决不是好字眼。无论赢或输，却都在内了。有什么比这更不化算？但如阿楚所言："世间女子所追求的，都是一样滑稽。"

到了最后，便落叶归根，嫁予一个比她当初所订之标准为低之男子。得以下台。

间中提心吊胆，成为习惯之后，勉为其难地大方。

"喂，"阿楚忽然想起什么似的："你刚才提到那台北市南京东路四段？五段？那是谁的地址？"

她的记性真好，呜呼！

"那并非'谁'的地址，那是我胡乱捏造，台北不是巷呀里呀的一大堆吗？"

"是吗？捏造得那么快？"

"你不信？我再捏一个给你听，"我随口道："中山北路七段一九〇巷十八弄九号四楼。是不是这样？"

阿楚被我逗笑了。

我正色说："你上当了。我有多位台湾女朋友可供选择。你知道啦，台湾的女子，温柔、体贴、小鸟依人。对婚姻的要求，只是嫁到香港来，然后转飞美国去。"

不是对手，阿楚才不动真气。

送她坐小巴，然后回家。

在楼梯，便遇到我姊姊一家。因明天星期六短周，不用上学——"一家"均不用上学，遂带同儿子共享天伦。

"舅舅，我们节目真丰富！"

"去过哪儿？"我问小甥子。

"吃自助餐。有汽球送。"

"然后呢？"

"看电影。"

"然后呢？"

爸爸买了一本《大醉侠》给我。"

真快乐！

这般温馨的天伦之乐。到湾仔某餐厅吃一顿自助餐，大人四十八元，小童三十八元，另加一小帐。至名贵的菜肴许是烧猪肶（大腿）。大伙一见有生果捧出来，只是西瓜吧，便兵荒马乱地去抢，抢了回来又吃不完那种。

餐后一家去看电影，通常是新艺城出品之闹剧，胡乱笑一场。

他们回家了，十分满足。

孩子鲜蹦活跳，大人心安理得。他们都把精神心血花去打扮孩子，因而忽略自己之仪容气质，不必再致力于吸引、猜疑。完全脚踏实地。渐渐各自拥有一个肚脯。

——爱情有好多种。这不是最好的一种，但，这是毫无疑问的一种。

我肯定他们白头偕老，但不保证永结同心。——人人都是如此啦。由绚烂归于平淡，或由平淡走向更平淡，都是如此，不见得有什么不好。中间更不牵涉到谋杀。

他是她永久的大。

她是他永久的妻。

妻？啊——我想起来了：旧报微型菲林，一九三八年七月七日，第一眼见到的一幅广告，当年的卖座电影是《陈世美不认妻》。我想起来了，桩桩件件，都泄露了一点天机。

所不同的，是陈世美被包公斩了，秦香莲只好活着。而如花殉情，十二少临阵退缩，也只好活着。

呀，忽然我很不甘心。这一件任务还没完成呢。我真想见他一面。我真想见他一面。见不着，就像踢球，临门欠一脚，下棋，走不了最后一着，多遗憾。真是个烂摊子。

但算了，都知道真相，心底虽不甘，不过当事人既然放弃……这样反反覆覆。今天下班后，专心致志候如花作最后一聚。我想，男人之中，我算是挺不错的。为人为到底，送佛送到西。即使离了婚也有朋友做的那种人。反目亦不成仇，重言诺，办事妥当。还给如花安排好节目，一俟阿楚采访完毕，我们三人去看午夜场。遂打开报章挑拣一下。

阿楚一早把行程相告：选美在利舞台举行，然后她会随同大队至利园的酒会拍些当选后花絮。如果看午夜场，必得在铜锣湾区，所以我集中在此区挑拣，最近的，是翡翠戏院了。就是这电影吧。

怂恿如花散散心，体验一下现代香港人夜生活。浮生若梦，一入夜，人都罪恶美丽起来。铜锣湾不比石塘咀逊色，因为有选美，"六宫粉黛"的感觉更形立体。

如果不是门限森严，也许该带她去看选美，让她们惺惺相惜。

"我们坐电车去。"

"好吧。"如花说："我最熟悉的也只是电车。"

上了车，一切恍如隔世。六天之前，我俩在电车上"邂逅"。

自一九〇五年七月五日起，电车就通车了，谁知在这物体上，有多少宗"邂逅"？

"如花，电车快被淘汰了。"我悲哀地说："它也有七十多八十岁了。"

"——"如花怔怔地："像人一样。"

我知她心底还缠绕着那男人的影子。不，非驱去她心魔不可。话题回到电车：

"以前电车的票价是多少？"

"唔？"她略定神："头等一毛，三等五仙。"

"那么便宜？"

"但那时普通工人一个月的薪水是七、八元。五仙可以饮一餐茶，或吃碗烧鹅濑粉。"

"如此说，今天的票价才最便宜。你看，六毛钱，连面包都买不到。"

"不知道我再来的时候，还有没有电车?"她也无限依依。

"也许还有。到你稍懂人性的时候，便没有了。"

"那有什么分别? 结果即是没有。"

在这澄明的夏夜里，电车自石塘咀，悠闲地驶往铜锣湾，清风满怀，心事满怀。虽没说出来，二人也心有不甘：是缘悭一面。

真是凡俗人劣根性：勘不破世情，放不下心事，把自己折磨至生命最后一秒。

有两个女孩登车，坐到车尾，那座位，正正面对楼梯。其中一个嚷嚷："我不要坐这儿，看! 多不安全，好像车一动就会滚下去。"二人越过我们，坐到前面。

"又有什么位置是安全呢?"如花对自己说。

翡翠戏院今晚的午夜场放映《唐朝豪放女》。我去买票的时候，如花浏览四下的剧照，看不了几张，有十分诧异的反应。她大概做梦也想不到，香港的戏院会放映类似生春宫的影画。

但吾等习以为常，不觉有何不妥。这是因为道德观念、暴露标准，把三十年代的妓女也远远抛离。如今连一个淑女也要比她开放。她甚至是稀有野生小动物，濒临绝种，必得好好保护。

等到差不多开映了，阿楚气咻咻赶来，看来已把一切工夫交代妥当。我也禁不住好奇：

"谁当了香港小姐?"

"还有谁？那混血儿啦。"

"哦，"我说："大热门。一点也不刺激。"

于是此缤纷盛事又告一段落。——如果在这几天没有虚报年龄、隐瞒身世、争风呷醋、公开情书、或大爆内幕大打出手之类花边的话，才算圆满结束。可怜阿楚与一干人等奔走了个半月，至今还未松一口气。大家都在等待一些新鲜的秘密，可供发掘盘查。

"你那么迟？"

"是呀，有行家自某模特儿口中，得知新港姐男友之隐私……"

"先看电影吧，都要开场了。"

我把票掏出来，招呼如花入座。

阿楚一看，便埋怨：

"哎吔！怎么你买三张票？"

"有什么不对？"

"真傻，如花是鬼，不必买票。你拣多空位的角落，买两张票就够。"

是，我真太老实了。连这一点普通常识也想不起。不及女友机灵。

——乍喜还悲的是，阿楚，她开始在"经济"上管束我了！

还有令我沮丧的地方，谁料到这电影也是讲妓女的故事？难保不勾起如花连绵串累的感慨。唉。

当电影把长安平康里妓院风貌呈现时，我瞥瞥坐我右边的如花，她盯着银幕，聚精会神，她从来未见过那么宽的银幕，那么浓烈的色彩。还播着小调：

长安平康里，

风流薮泽地。

小楼绮窗三千户，

大道青楼十二重……

她浅浅地笑了。联念到塘西四大天王风月无边，一种原始的骄傲：到底也是花魁。

她肯笑起来，也就好了。我放心。

这戏由一位没什么身材的女明星演出，她叫夏文汐。我从来没看过她的电影，也从来没看过这么幽艳性感的表演。像男人的身体却加上极女人的风流。豪放得叫人咋舌。还有同性恋镜头。

如花低下头，我敢打赌她脸红。

但现场的观众犹不满足，他们都是午夜场常客，不懂欣赏盎然古意，只怨主角未曾彻底把器官展览，有些在鼓噪：

“脱啦！脱啦！”

“上吧！上吧！”

来自四方八面的叫床配音，与银幕呼应，就像一群兽在杂交。

如花吓得半死。连鬼都受不起的惊吓，人却若无其事？还有断续的传呼机声作伴。

“别怕！这是午夜场的特色。”

一场床上戏完事，有人呼啸抗议不过瘾，还在痛骂电检处。

到了最后，戏中的鱼玄机被杀头了，在心爱的男人耳畔哼着自己的诗：

“羞日遮罗袖，愁春懒起妆。易求无价宝，难得有情郎。”

这样的诗句，今天下女性不忍卒听。

天下男性也不耐烦听，早已有粗暴的男人起座，啪啪的声音如蝙蝠在拍翼远扬。

戏其实没有完，还有段尾声，是铸剑师赶来，亲自行刑，使得玄机死在自己人手中。大概是这样吧，因受骚扰，也不了了之。又听得传呼机在 BB 的响。BB，BB……

"这讨厌的声音是什么？"如花悄问："是有人在吹银鸡吗？戏院中谁会吹银鸡？"

"这叫传呼机，如果想找那个人，不知他在那里，就可以通过传呼机台——"

阿楚蓦地住嘴。

"传呼机？"我叫出来。

她抓住我肩膊。

"永定，传呼机！"

"是呀是呀，CALL 三八七七——"

"永定！你真聪明！"阿楚尖叫，无边的喜悦，对我奉若神明。她几乎便跳起舞来。

她把整个身体攀过来如花那边，我夹在中间，被逼聆听她向如花絮絮解释这物体：

"如花，这传呼机，即是 CALL 机，每具约一千元，是近十年来才流行的先进科技，如果你身在外边，电话联络不方便，众人便可以通过一个通讯台，讲出你的号码，他们操作，你身上佩着的机就会响，然后你打电话回台，讲出自己的密码，查问谁找过你，便可以联络上了。"

如花听得用心，但我知道她一点都不明白。这多繁琐，是她狭小天地之外的离奇诡异恍惚迷茫。戏院四周观众不知就里，见阿楚向空气喃喃自语，重复累赘，只觉她幼稚得可耻。

“阿楚，你可以用最简单的话说明吗？”我脸皮薄。

“好，我不说，”她呶起了嘴：“你试用最简单的话说明。”

我才不跟她斗，我只想飞车回家，CALL 三八七七去。

我的灵魂已在那儿拨电话了，不过……

是哪一个台？

面对电话，一样束手无策。

哪一个台？

何处着手？

还是阿楚心水清，她找到一个跑突发的同事，这类记者身上必备传呼机，三两下子，阿楚弄来港九传呼机台的电话了。

“如何弄到手？”

“他们联名加价嘛，自那份联名的通告可一一查出。”

大概有十几间传呼公司，每间公司，又有若干传呼台，廿四小时服务。

但市面上使用传呼机的人那么多，经纪、记者、明星艺员、外勤人员、甚至职业女性……人手一机，水银泻地。惟有逐台逐台的试。今晚，我们特别紧张，内心有滚烫如熔岩之兴奋：最后一夜，孤注一掷。

如花莫名其妙地看住我们，做一些间谍才做的行为。

拨个电话去，像面对机器：

“喂，CALL 三八七七，我姓袁，电话是……”

完全冰来雪往。

已经是凌晨一二时了，隔一阵，也有电话回过来。每一次铃声响了，我与阿楚都神经兮兮地交换一个眼色。我俩分工合作，互相扶持，共效于飞。聆听带睡意的声音骂道：“什么时候了？黐线！”

有些覆得很快，但他姓林、姓余，或不讲姓氏。我们道歉

CALL 错了。

有捞女的回话："一千元。什么地方？十分钟后到。"其中一个声音，还像煞无线电视台那位新扎的小师妹。

到了二时十五分，我接到一个电话：

"袁先生？哪位袁先生？"

"你是陈先生吗？"

"是。"

我忙问：

"陈振邦先生？"

"不。"那中年汉回话。

一阵失望。

"对不起。"

"喂——"对方有点迟疑："你找陈振邦干么？"

"陈振邦是你——？"

"唔，他是——我父亲。"

啊！我，

终于，

找到了！

"陈先生，陈先生，真好了，太好了！请听我说。"我的脑筋纠结，坚实如铁壁，怎么细说从头？只好把以前的谎言，覆述一遍："——这样的，我祖父专营花旗参，以前在南北行有店铺，后来举家移民到英国去。今次我回来，代他探访故旧，这陈振邦老先生，现在那儿呢？请通知你父亲……"

"我不知道他现在哪儿。"

"不，千万别不知道！"我不许他收线："请求你，我非见他不可，有重要的话要同他说。"

"他还有什么好重要的？"声音中透着不屑："都闻得棺材

香了。"

"陈先生，我——后天要上机了。千辛万苦才找到你电话，我要尽一切能力找到他。明天星期日，整天都有空，我不用上班——"我锲而不舍。

"上班？你不是刚自英国回来吗？又说后天上机？"

"是是是，我是说，我的朋友不用上班，他代我寻找陈先生，虽非他切身之事，也不遗余力。我们明天来见你？"

"不用了。"他说。

冷淡得很。

"请你告诉我他住那儿，我好自己去吧？"上帝，拜托你老人家好好感应他，叫他吐露消息。否则功亏一篑，我抱憾终生。

"袁先生，老实说，我那父亲，我不知道怎样说才好，他在我很小时已离弃我们母子。战事发生，生意凋零，家道中落，我还是靠母亲辛苦培育长大，才有今天，所以……"

"你母亲可是程淑贤？"

"是呀。你都晓得了？"

"陈先生，我对你们一家很熟悉呢。"比他还熟悉！起码他并不知道在他母亲之前，还有如花。"所以祖父托我一定要与他面谈一切。"

"我不管你们面谈什么，我也没兴趣知道。不过一年数次，我聊派人送点钱给他，他总在清水湾一间制片厂外的油站收取。他在那片厂当茄喱啡（群众演员），已十几二十年。喏，银幕上那些老道友就是。根本不必化妆。"

"我是否应往片厂找他？"

"是啦，问问吧。"

"我明天马上去。陈先生，请留下联络电话好吗？"

"咦？你刚才不是 CALL 过我吗？"

但他妈的！我真要讲句粗口了，我打了二十几个传呼机台的电话，怎记得那一个是他的？再找他，岂非要从头做起？但这一解释，自是露馅了，他也不相信我了，只得唯唯诺诺。

"对，我日后再同你通电话。"

"也不必了吧。从前的事都过去。我母亲去世前，他也不相往来。袁先生，说来我与他没感情，一直恨他对我母亲不好，对我也不疼惜，扔过一旁，自顾自抽鸦片去，戒了再抽。听说，他在娶我母亲之前，还迷恋过妓女。袁先生，你有工夫，自己去会他，我不想插手。夜了，再见。"

对方的电话早已挂断，我犹握住不放，好像这便是大海浮沉的一个救生圈。我知道了，但还没有找到。

两个女人略自对话中领悟到线索，一齐盯着我。嘿，此时不抖起来，更待何时？

"十二少在清水湾一间片厂中当茄喱啡。清水湾？那是——"

"邵氏！"如花叫出来。

这答话并非出自阿楚口中，我十分震惊。她知道邵氏？她知道？

"如花，其实你一切都知道了？"

"啊不，我只是知道邵氏而已。"

"为什么？"阿楚忙问。

"你一定不相信，我在苦候十二少的路上，碰到不少赶去投胎的女人，她们都是自杀的，我见她们虽有先来后到之分，但总是互相嘲笑。说起身世，差不多全是邵氏的女明星。"

"唔，让我考考你——"阿楚顽皮。

"不用考啦，"如花道："最出名的一个，有一双大眼睛，据说还是四届的影后呢。我从没看过她的电影，不过她风华绝代，死时方三十岁。大家都劝她：人生总是盛极而衰，穷则思变，退一步想，就不那么空虚矛盾。"

"她如何回答？"

"她只喃喃：何以我得不到家庭的快乐？"

"那是林黛。"我说。

"还有呢？"

"——"如花再想一下："有一个很忧郁，像林黛玉。她穿一件桃红色丝绒钉胶片晚礼服，这旗袍且缀以红玫瑰。她生前拍过几十部卖座电影，死后银行保管箱中空无一物。听说也是婚姻、事业上双重的不如意。"

"我知啦，她是乐蒂！"阿楚像猜谜语一般。这猜谜游戏正中她上中下怀。

"还有很多，我都不大认得了。"

当然，一个人自身的难题尚未得以解决，那有工夫关心旁人的哀愁。总之各有前因。

"我记得，我数给你听：——"阿楚与如花二人，一人数一个，化敌为友，化干戈为玉帛，化是非为常识问答讲座："有李婷啦、杜鹃啦……"

"又有莫愁、什么白小曼。好像还有个男的，他是导演——"

"叫做秦剑。"阿楚即接。

我见这一人一鬼，再数算下去，怕已天亮了。如花本来是要回去报到的，她的"访港"期限已满。

"如花，你不要与她一起发神经了。你可肯多留一天，好设法见十二少一面？"

她静下来。

"我们差一点就找到他了。明天上邵氏影城去可好?"

她更静了。

这与数算别人的苦难有所不同,面临的是切肤之痛。

"永定,阿楚,"如花十分严肃而决断地说:"我决定多留一天!。"

"咦?你怎么用那表情来说话?不过是延迟一天才走吧,用不着如此可怕。"

"是可怕的。"

阿楚莫名所以。

"生死有命,我这样一上来,来生便要减寿。现在还过了回去的期限,一切都超越了本分,因此,在转生之时,我……可能投不到好人家——也许,来生我只好过着差不多的生涯。"

差不多的生涯?"那是说,你将仍然是一个妓女?"我目瞪口呆。"不,你赶快走吧。"

"已经迟了。"

如花说:"当我在戏院,听到你们最后的线索时,我已知冥冥中总有安排。我要见他,见不到。想走了,却又可能会面,一切都不在预料之中。我已下定决心,多留一天。"

我无话可说:"好!如花,我们明天出发!"——虽然迟了。

第二天是星期日。又是星期日。这七天,不,八天,真是历尽人间鬼域的沧桑聚散。时无止,分无常,终始无故。

下午我们坐地铁去。我终于也带如花坐一次地铁——那最接近黄泉的地方。也许那就是黄泉。先自中环坐到太子,再跑到对面转车,由一个箱子,进入另一个箱子中。

这是一个交叉站,车刚开不久,迎面也驶来另一列地铁,在这幽晦的黑忽忽的黄泉路上相遇上,彼此不认得,隔着两重玻璃，望过去，一一是面目模糊如纸扎公仔的个体。大家都无法看清。对面有否相识的朋友爱人，又擦身而过。我们，会在人生那一站中再遇？

我在想：那列车中，莫非全是赶着投胎的鬼？也不奇怪，又没有人证明不是。

地铁开得极快，给我一种不留情面的感觉。冰冷的座椅冰冷的乘客，连灯光都是冰冷的呀。有两个妇人便在那儿把自己的子女明贬暗褒，咬牙切齿，舞手蹈足：

"我那个女真蠢，毕业礼老师挑了她致词，她竟然不知道，回来念一遍给我听，第二天便要上台了，那有这样大头虾的？"

"我的儿子呀，真想打他一顿。他要表演弹钢琴，还忘了带琴书，全班只得他一个人学琴，往哪儿借？结果逼着弹了，幸好效果不错，否则真气死我！"

如花便木然立在她们身旁。她们一点也不发觉，于冰冷的氛围，尚有一只鬼，听着她今生来世也碰不上的烦恼。

到了彩虹站，我们步上地面，在一间安老院的门外截的士。不久，"邵氏影城"那 SB 的标志在望了。

守卫问我们来干什么？阿楚把她证件出示。因为她的身份，我们通行无阻。如果不是阿楚，在这最后的一个环扣中发挥了作用，事情也就不那么顺利。可想而知，都是缘份。

"喂，阿楚，星期天水静河飞，也跑来这儿？没有料到呀。"

有个行家唤住阿楚。我看过去，见她都随同一个蛮有威严，但又笑容可掬的中年女子到处逛。

"那女子是谁？"我问阿楚。"好像一个'教母'。"

"冰姐，"阿楚给我俩介绍："她正是邵氏的'教母'，掌宣传部，是一块巴辣的姜。这是永定，我同事、男友。"

"阿楚你别带他乱逛，万一被导演看中，拉了去当小生，你就失去了他。"

经这冰姐如此一说，我十分的无措，却又飘飘然。阿楚见我经不起"宣传"，偷偷的取笑——在邵氏里当明星的，一天到晚被这般甜言蜜语烘托着，怕不早已飘了上神台，无法下来？但此中的快乐……。难怪那么多人投奔银海，投奔欲海。

"不会啦，"阿楚道别："他太定，不够放，当不成小生，我很放心。"

如花在一旁，静待我们寒暄，然后步入影城的心脏地带。一路上，都是片厂、布景。在某些角落，突然置了神位，燃点香火。黝暗的转角处，又见几张溪钱。不知是实料，抑或是道具。

我和如花都是初来乍到，但觉山阴道上，目不暇给，恨不得一下子把这怪异而复杂的地方，尽收眼底。

未几，又见高栋连云，雕栏玉砌，画壁飞檐。另一厂，却是现代化的练舞室，座地大镜，健美器械，一应俱全。

不过四周冷清清的，还没到开工时刻。而走着走着，虽在下午时分，"冷"的感觉袭人而来。不关乎天气，而是，片厂乃重翻旧事重算旧帐之处呀。搞戏剧的人，不断地重复一些前人故事，把恩怨爱恨搅成浑沌一片；很多桥段，以为是创作，但世上曾经发生过一亿个故事，怎么可以得知，他们想像的，以前不存在？也许一下子脑电波感应，无意地偷了过来重现。真邪门！

我们到那简陋的餐厅坐一下，不久，天便昏了。

开始有一阵金黄的光影镀于这影城上，每个人的脸，都发出异样的神采。演员们也陆续化了妆，换了另一些姿态出现。今天开中班，唯一的片在此续拍，那是一部清装戏，好像有狄龙。但我们又不是找狄龙，所以尽往茄喱啡堆中寻觅。

阿楚上前问一个男人：

"请问，陈振邦先生回来了没有？"

"谁？"

"陈振邦。"

"不知道，这里大家都没有名字。"

不远处有老人吐了一口痰，用脚于地面踩开。黄绿白的颜色，本来浓厚，一下子扁薄了。然后他随一群人在垃圾堆似的地方搜寻东西。原来是找黑布靴。每人找一双比较干净的，合大小的，然后努力发狂地拍打灰尘，趺出三数只昆虫，落荒而逃。有声音在骂：

"妈的，找了半天，两只都是左脚！"

周遭有笑声，好像不怎么费心。

天渐黑了，更多的茄喱啡聚拢。大概要拍一场戏，悍匪血洗荒村，烟火处处，村民扶老携幼逃命，但惨遭屠杀，之类。

阿楚见这么多的"村民"，各式人等都有，光是老人，便有十多个。

她跟我耳语：

"猜猜那一个是？猜中有奖。"

"奖什么？"

"奖你——吻如花一下。"

当女人妒意全消的时候，不可理喻地宽大起来，放下屠刀，立地成佛。

"好呀，如果你猜中，奖你吻十二少一下。"我说。瞥了那边如花一眼。

"那不公平！你看那些老而不——嘘！"她怕如花听到："满脸的褐斑，牙齿带泥土的颜色，口气又臭。那双手，嶙峋崎岖，就像秃鹰的爪，抓住你便会透骨入肉……"

"人人都会老啦。你将来都一样。"

"我不宁愿那么长命。我宁愿做一只青春的鬼，多过苍老的人。"

"但这由不得你挑拣。"

"由得，自杀就可以。"

"阿楚，你别中如花的毒。"

我不愿女友心存歪念。

"你说，如花如何认得他？"她又问。

"他们是情侣，自然认得出。那么了解。譬如：屁股上有块青印、耳背上有一颗痣、手臂上有朱砂胎记……"

"啧！那是粤语长片的桥段。"

"我还没有说完呢：也许他俩各自掏出一个玉佩。也许是一个环扣，一人持一边。也许两手相并，并出一幅刺青。"

"永定，希望你到了八十岁，还那么戆居。"

"好的。"如无意外，她嫁定我了。

"听说到了你八十岁时，社会上是七个女子配对一个男子。幸好还有五十多年。"

嘿，五十多年？若有变，早早就变。若不变，多少年也不会变。

瞧这一大堆没有名字没有身份的茄喱啡，坐在一起枯坐等埋位。拍一天戏，三几十元，还要给头头抽佣。他们在等，木然地谋杀时间，永不超生。他们就不会怎么变。

"如花，"我小声向她说："你自己认一认，谁是十二少？"

她没有作声，眼睛拼命在人堆中穿梭，根本不想回答。

一忽儿便不见了她。也好，她一定有办法在众人里把他寻出。也许蓦然回首，那人正在灯火阑珊处。

李碧华作品集

我和阿楚把她带来，是一个最大的帮忙，以后的事……

茫无头绪。听得一个老人问另一个老人：

"罚了多少？"

"公价。"

"次次都罚那么少？"

"把我榨干了都是那么少啦。"

他干咳一声，起来向厕所走去。不忘吐痰。这人有那么多痰要吐？还在哼：

"当年屙尿射过界，今日屙尿滴湿鞋！"

阿楚听了，很厌恶：

"真核突！"

到他回来时，有人来叫埋位，众又跑到片厂中。未拍戏之前，化妆的先为各人脸上添了污垢，看来更加不堪。如此一来，谁也看不清谁了。

五分钟之前，这儿还是一片扰攘，尘埃扑扑，汗臭薰薰。五分钟之后，已经无影无踪，在另一个世界中，饰演另一些角色去了。他们坐的地方，是小桥石阶，此情此景，不免想到"二十四桥仍在，波心荡，冷月无声"的境界。——虽然是人工的。

"如花！如花！"我轻轻向四周叫她名字。"你到哪儿去了？找到没有？"

没有回响。

"哗，已是十时了。"阿楚看表，方才惊觉时间无声地流泄，再也回不来了。

"如花？"我只好到处找她去。

阿楚分头叫："如花！"

她怎么了？究竟是找到，抑或找不到？我渐渐地担忧，是不是迷了路？是不是发生了意外？何以销声匿迹？

这样的唤了半晚，携手行遍了片厂的南北西东，都是枉然。

里面有叱喝、呼喊、求饶、送命的各式声音，不时夹杂了NG、咳！和导演的骂人粗话。不久机器又轧轧开动。只有我和阿楚二人，于凄寂无边的厂外，焦灼地找一只鬼。

终于我们找不到她。她一直没有再出现了。永远也不再出现。自此，她下落不明。

竟然是这样的。

竟然是这样的。

竟然是这样的。

我们于黑雾虫鸣中下斜坡，丛林中有伤心野烟，凄酸弦管。偶然闪过一片影，也许是寿衣的影，一忽儿就不见了。

我总误会着，如花正尾随我们下山，就像第一晚，她蹑手蹑足在身后。但，这只不过是我感觉上的回忆。无论我怎样回忆，她都不再出现了。是的，她一定见到自己痴等五十多年的男人，她一定认得他。也许她原是明白一切，不过欺哄自己一场，到了图穷匕现，才终于绝望。一个女人要到了如斯田地方才死心？就像一条鱼，对水死了心。

她也欺哄了我一场。我上当了。

二人步出影城，过马路，预备到对面截的士出市区。在等过马路的当儿，我心头忽然一阵恐惧，一切都是假的吗？

一切都是骗局？

我怕猛回头，整座的影城也不见了！

直至安全抵达彼岸，才放下心头大石。

它还在！

我才晓得惆怅。

的士来了，我和阿楚上车。那车头插了束白色的姜花。姜花是殡仪馆中常见的花，那冷香，不知为什么，太像花露水的味道了。

收音机正广播夜间点唱节目，主持人介绍一首歌，他说，这歌叫做《卡门》，唱得很骄傲：

爱情不过是一件普通的玩意，
一点也不稀奇。
男人不过是一件消遣的东西，
有什么了不起？

阿楚问我：
"什么人唱的？"
"我不知道。"
"什么年代的歌？"
"我不知道。"
"卡门是谁？"
"你别问来问去好不好？我怎么知道？总之那是一个女人。"我不耐烦地发脾气。我从未因为这种小事发过脾气。

阿楚略为意外地转过头来。没有再问下去。她无事可做，又想下台，只好依偎着我。她也从未因为这种小事而肯不发脾气。

洒脱的歌犹在延续：

什么叫情？什么叫义？
还不是大家自己骗自己。
什么叫痴？什么叫迷？

简直是男的女的在做戏。

……

你要是爱上了我，

你就自己找晦气。

我要是爱上了你，

你就死在我手里！

听着听着，不寒而栗。不知谁死在谁手里。

摸摸口袋，有件硬物，赫然是那胭脂匣子，她不要了！我想一想，也把它扔在夜路上。

车子绝尘而去，永不回头。

当我打开今天的报章时，才发觉自己多胡涂，那寻人启事还没有取消。在那儿一字一字的窜入我眼帘，辗转反侧：

"十二少：老地方等你。如花"

很可笑，明天一定取消了。

一路看过去，是一些车祸、械斗、小贩走鬼滚油烫伤小童的新闻。大宗的图文并茂，小件的堆积在一个框框中，写着"法庭简讯"。

什么弱智而性欲强之洗衣工人邱国强，在葵涌区狎弄一名八岁女童及掠走其身上三元。为警拘捕，被告认罪，入狱半年。

什么休班警员王志明涉嫌于尖沙咀好时中心写字楼女厕作弊，当场被捕，控以游荡罪，罪名成立，入狱三月。

突然地，毫无心理准备，我竟见到一个熟悉之极的名字："陈振邦"。

它这样登着：

"陈振邦，七十六岁，被控于元朗马田村一石屋内吸食鸦片烟，被告认罪，法官念其年迈贫困，判罚款五十元。"

是他？

我竭力地追忆，是他？但，他是谁？

他太老了，混在人丛，毫无特征，一眨眼便过去。世上一切的老人和婴儿，都是面目模糊的——因太接近死亡的缘故。

看，他快死了。她回去稍候一下，他也就报到。算算时日，也许刚好在黄泉相遇。前生的纠葛，顺理成章地带到下一生去，两个婴儿，长大了，年纪相若的男女……

今生的爱恋，莫不是前生的盘点清算？不然也碰不上。也许我与阿楚，正是此番局面。

阿楚下来找我了。"楚娟"，哈，简直是妓女的名字！我怀疑我的前生是"豆粉水"，难道她不会是如花的"同事"？我失笑起来。

"你笑什么？邪里邪气的！说！"她缠住我，不断追问。

胭脂扣

—完—

135

附录：客途秋恨

原唱者●白驹荣

（南音）凉风有信。秋月无边。思娇情绪好比度日如年。小生缪姓莲仙字，为忆多情妓女麦氏秋娟。见佢声色性情人赞羡，更兼才貌的确两相全。今日天隔一方难见面，是以孤舟沉寂晚景凉天。你眸斜阳照住个对双飞燕，独倚蓬窗思悄然。耳畔听得秋声桐叶落，又只见平桥衰柳锁寒烟。第一触景更添情懊恼，亏你怀人愁对月华圆。旧约难如潮有信，新愁深似海无边。亏我情绪悲秋同宋玉，况且在客途抱恨你话对乜谁言。记得青楼邂逅个晚中秋夜，我共你并肩携手拜婵娟。我亦记不尽许多情与义，真正缠绵相爱又复相怜。共你肝胆情投将有两个月，唔想同群催趱要整归鞭。几回眷恋难分舍，真系缘悭两字拆散离鸾。泪洒西风红豆树，情牵古道白榆天。共我杯酒临歧同我饯别，在望江楼上设离筵。你牵衣致嘱我个段衷情话，叫我要存终始总要两心坚。今日言犹在耳成虚负，屈指如今又隔年。近日听得羽书驰谍报，重话干戈撩乱扰乱江村。昆山玉石也遭焚毁，好似避秦男女入桃源。你系幽兰不肯受泥污染，又怕贼星来犯月中仙。娇花若被狂风损，一定玉容无主倩乜谁怜。个阵辗转马前遭血溅，日落魂归玉化烟。你话若然艳质遭凶暴，我宁愿同埋白骨去伴姐妆前。或者死后得成连理树，好过生时常在奈何天。但望慈航法力总要行方便，把杨枝甘露救出火坑莲。等你劫难逢凶俱化吉，个的灾星魔障两不相牵。亏我心似辘轳千百转，空绻恋，娇呀但得你平安愿，我就任得你天边明月照向别人圆。（转乙反线）闻击析，鼓三更，只见江枫渔火照住愁人。几度徘徊思往事，劝娇唔好咁痴心。风尘不少怜香客，罗绮还多惜玉人。你话烟花谁不贪豪富，做乜你偏把多情向住小生，况且我穷途作客囊如洗，掷锦缠头愧未能。记得填词偶写个段胭脂井，含情相伴你对着盏银灯。你细问我曲中何故事，我把陈后主个段风流讲过你闻。讲到兵困景阳家国破，歌残玉树后庭春。（抛舟腔）携着二妃藏井底，死生难舍意中人。闻听此言多叹息，重话风流天子更重情真。（转正线）但系唔该享尽奢华福，锦绣河山委路尘。你系女流也晓个的兴亡恨，不枉梅花为骨雪为心。重话我珠玑满腹实在原无价，知你怜才情重更不嫌贫。想到此情欲把嫦娥问，无奈枫林见得月色昏。远望楼台人影近，人影近，莫非相逢呢一位月下魂。

生死桥

民国十四年

冬

北平

"鬼来了！鬼来了！"

看热闹的人声轰轰炸炸，只巴望一个目标。

小孩们惊心动魄地等。忘了把嘴巴给阖上，呵呵的漏出一团白气。

神神魂魂都凝住。

只见左面跳出一只黑鬼，右面跳出一只白鬼，在焚焚的诵经声中，扑动挥舞。黑鬼和白鬼的身后，便是戴着兽面具的喇嘛，他们的职分是"打鬼"，又曰"跳步扎"，鬼是不祥物，是要追逐哄打驱赶出门，保了一年平安。黄教乐器吹打，锣鼓喧嚣带出了持钵念咒的大喇嘛，不问情由不动声色的一张黄脸，一身黄锦衣，主持大局。

远远近近的老百姓，都全神观戏，直至黑白二鬼跳得足了，便脱除鬼服，用两个灰面造的人像作替身，拿刀砍掉，才算完了"打鬼"日。明天还有，唤作"转寺"日。这便是正月廿九至二月初一的雍和宫庙会盛事了。

丹丹才第一次看"打鬼"，两颗眼珠子如浓墨顿点，舍不得眨眨。眼看黑白二鬼又绕到寺的另一方，马上自人丛中鼠窜出去。

叔叔背着人，一转身，才瞥到丹丹那特长的辫子尾巴一飕。

丹丹以为抄小路绕圈子，可以截到鬼迹，谁知跨进第一重门户，转过殿堂，一切混声渐渐地被封住了似的，闷闷地不再闹响。

十岁的丹丹，知道走错路，她也不害怕，只是刹时间无措了。待要回头觅路，抬头见着踞坐的弥勒佛，像满面堆笑欢迎远方来客。它身旁还有四大天王：一个持鞭，一个拿伞，一个戏蛇，一个怀抱琵琶，非常威武。

丹丹记得此行雍和宫，原是为了她黄哥哥来的。心中一紧，又念到他们那天的杂耍，表演"上刀山"。平地竖起一根粗木杆，两边拉有长绳，杆顶绑着桌子。念到软梯、横梁、明晃晃向上的刀口，光着脚踩上刀口的黄哥哥、攀到杆顶、爬上桌子、拿顶——他摔下来了，地面上炸开一个血烟火……

原来无端到了这万福阁，楼高三层，大佛的头便一直的伸展，到三层楼上去。据说它身长七丈五，地下还埋着二丈四，总计九丈九。

丹丹费了力气，只觉自己矮巴溜丢的，仰头看不尽。她是不明白，这大佛有没有灵，不知可否叫她黄哥哥再如常走一两步——她不要他抛起水流星，腾身跳起，翻个筋斗落地扬手一接。她也不要他跟她来个对头小顶……

只要他平平常常的走一两步，从那个门迈进这个门。

叔叔背了他来庙里求神，他念着有鬼了，只要迎祥驱祟，大概会好起来。所以在喇嘛手挥彩棒法器，沿途洒散白粉的时候，叔叔就像大伙一样，伸手去撮拾，小心放进口袋中，回去冲给身子残废了的病人喝。

黄哥哥是瘫子了。要说得不中听，是全身都不能再动了。就为了"上刀山"摔下硬地来。

"请大佛保佑我黄哥哥！"丹丹嗑了三下头。"如果你灵了我再来拜你。你要是不灵，莫说你有三层楼高，我也不怕，我攀得上，给你脸抹黑锅！我们后天回乡下去了，你得快点把身边的鬼给打跑。"

"噢——"

香烟萦绕的殿上传来答应。丹丹猛地四下一看，什么都没有。一定是大佛的答应。她倒没想过，突如其来，恐惧袭上了心头。

她要回到人群中，告诉叔叔去。

一团黑影自她脚下掠过。

丹丹一怔，是啥？

丹丹虽小，可不是养尊处优的小囡儿。自天津到北平，随了黄叔叔一家，风来乱，雨来散，跑江湖讨生活。逢年过节的庙会，摆了摊子，听叔叔来顿开场白："初到贵宝地，应当到中府拜望三老四少，达官贵人。只惜人生地生，请多多谅解。现借贵宝地卖点艺，求个便饭，有钱的帮钱场，没钱的帮人场。咱小姑娘先露一手吧……"她是这样给拉扯长大过来。

丹丹壮了壮胆子，追逐那团黑影去。

出了阴暗的佛殿，才踏足台阶，忽然只见那黑黝黝的东西，不过是头猫。

便与陌生小姑娘特投缘的在"咪——噢——"地招引。

丹丹见天色还亮，竟又忘了看"打鬼"，追逐猫去了。许她不知道那是头极品的猫呢。全身漆黑，半丝杂毛也没有，要是混了一点其他颜色，身价陡然低了。它的眼睛是铜褐色的，大而明亮。在接近黄昏的光景，不自己地发出黄昏的色彩，被它一睐，人沐在夕照里。

她走近它，轻轻抚摸一把，它就靠过来了。这样好的一只猫，好似乏人怜爱。

正逗弄猫，听后边有闷闷呼吸声。

丹丹抱起猫儿，看看里头是谁？

有个大男孩，在这么的初春时分，只穿一件薄袄，束了布腰带，绑了绑腿，自个儿在院子中练功。踢腿、飞腿、旋子、扫堂腿、乌龙绞柱……全是腿功，练正反两种，正的很顺溜，反的不容易走好。

练乌龙绞柱，脑袋瓜在地上顶着转圆圈，正正反反，时间长了，只怕会磨破。

怪的是这男孩，十一二岁光景，冷冷的练，狠狠的练。一双大眼睛像鹰。一身像鹰。末了还来招老鹰展翅，耗了好久好久。

"喂，"丹丹喊："你累不？"

男孩忽听有人招呼，顺声瞧过去，一个小姑娘，土红碎花儿胖棉袄，胖棉裤，穿的是绊带红布鞋，纳的顶结实，着地无声地来了。最奇怪的是辫子长，辫梢直长到屁股根，尾巴似地散开，又为一束红绳给缚住。深深浅浅明明暗暗的红孩儿。

男孩不大搭理——多半因为害羞。身手是硬的，但短发却是软的。男孩依旧耗着，老鹰展翅，左脚满脚抓地，徐徐弯曲成半蹲，右腿别放于左膝盖以上部分，双手剑指伸张，一动不动。

丹丹怎服气？拧了。马上心存报复，放猫下地，不甘示弱，来一招够呛的。

小脸满是挑衅，拾来两块石头，朝男孩下颔一抬，便说："瞧我的！"

姑娘上场了。

先来一下朝天蹬，右腿蹬至耳朵处，置了一块石头，然后缓缓下腰，额上再置一块。整个人，双腿擘成一直线，身体控成一横线，也耗了好久。

男孩看傻了眼。像个二楞子。

一男一女，便如此的耗着。彼此也不肯先鸣金收兵。

连黑猫也侧头定神，不知所措。

谁知忽来了个猴面人。

"天快黑了，还在耗呀？"

一瞥，不对呀，多了个伴儿。还是个女娃儿，身手挺俊的。

看不利落，干脆把面具摘下，露出原形，是个头刮得光光的大男孩，一双小猴儿眼珠儿精溜乱转。见势色不对，无人理睬，遂一手一颗石弹子打将出去，耗着的二人腿一麻，马上萎顿下来。

"什么玩意？怀玉，她是谁？"

唐怀玉摇摇头。

"你叫什么名字？"

"你呢，你叫什么名字？"丹丹反问。

"我是宋志高，他叫唐怀玉。"

"宋什么高？切糕？"

宋志高拖拉着一双破布鞋，后跟儿都踩扁了。傻傻笑起来。

"对，我人高志不高，就是志在吃切糕。切糕，唔，不错呀。"

马上馋了。卖切糕的都推一部切糕车子，案子四周镶着铜板，擦得光光，可以照得见人。案子中央就是一大块切糕，用黄米面作的，下面是一层黄豌豆，上面放小枣、青丝、桂花、各式各样的小甜点。然后由大锅来蒸，蒸好后扣在案子上，用刀一块一块的切下来，沾白糖，用竹签扎着吃，又黏又软又甜……

"嗳，切糕没有，这倒有。"忙把两串冰糖葫芦出示。

"一串红果，一串海棠。你……你要什么？"

正说着，忽念本来是拿来给怀玉的，一见了小姑娘，就忘了兄弟？手僵在二人中央。

志高惟有把红果的递予丹丹，把海棠的又往怀玉手里送，自己倒似无所谓地怅怅落空。

怀玉道："多少钱？"

志高不可一世："不要钱，检来的。"

"捡？偷！你别又让人家逮住，打你个狗吃屎。我不要。"

当着小姑娘，怎么抹下脸来？志高打个哈哈："怎么就连拉青屎的事儿都抖出来啦。吓？你要不要，不要还我。"

怀玉抢先咬一口，粘的糖又香又脆，个儿大，一口吃不掉，肉软味酸。冰糖碎裂了，海棠上余了横横竖竖正正斜斜纹，怀玉又把那串冰糖葫芦送到志高嘴边："吃吃吃!"

"喂，吃呀。"志高记得还不知道丹丹是谁，忙问："你叫什么名字？"

"牡丹。"

"什么牡丹？"

"什么'什么'牡丹？"

"是红牡丹、绿牡丹？还是白牡丹，黑牡丹？"

"不告诉你。"一边吃冰糖葫芦一边掇弄着长辫子。等他再问。

"说吧？"

"不告诉你。"丹丹存心作弄这小猴儿。虽然口中吃着的是人家的东西，不过她爱理不理，眼珠故意骨溜转，想：再问，也不说。

"说吧？"怀玉一直没开腔，原来他一直都没跟她来过三言两语呢。这下一问，丹丹竟不再扭捏了，马上回话。

"我不知道。我没爹没娘。不过叔叔姓黄，哥哥姓黄，我没姓。他们管我叫丹丹。"

怀玉点点头："我姓唐。"

"他早说过啦。"用辫梢指点志高。

"嗳，你辫子怎的这样长？"志高问。

"不告诉你。"

"咱关个东儿吧怀玉。嗳，一定是她皮，她叔叔揪辫子打屁股，越揪越长。我说的准赢。"

丹丹生气了，脸蛋涨红，凶巴巴地瞪着志高，说不出话来，什么打屁股？

志高发觉丹丹左下眼睑睫毛间有个小小的痣。

"嗳？"志高留神一看："你还有一个小黑点，我帮你吹掉它！"

还没撮嘴一吹，怀玉旁观者清，朗朗便道："是个痣。"

"眼睑上有个痣？真邪门。丹丹，你眼泪是不是黑色的？"

"哼！"

"我也有个痣，是在胳肢窝里的，谁都没见过，就比你大。你才那么一点，一眨眼，滴答就掉下地来。"志高说着，便趁势作个险险捡着了痣的姿态，还用兰花手给拈起，硬塞回丹丹眼眶中去。丹丹咕咕的笑，避开。

"才不，我是人小志大。"

"我是志高，你志大。您老我给您请安！"话没了，便动手扯她辫子。

志高向来便活泼，又爱耍嘴皮了，怀玉由他演独脚戏。只一见他又动手了，便护住小姑娘。怀玉话不多，一开口，往往志高便听了。他一句，抵得过他一百七十句。

"切糕！"怀玉学着丹丹唤他："切糕，你别尽欺负人家。"

"别动我头发！"丹丹宝贝她的长辫子，马上给盘起，缠在颈项，一圈两圈。乖乖，可真长，怀玉也很奇怪。

丹丹绕到树后，骂志高："臭切糕！你一身腌刺巴的，我不跟你亲。"

"你跟怀玉亲，你跟他！"志高嬉皮笑脸道。

怀玉不会逗，一跟他闹着玩儿，急得不得了。先从腮帮子红起来，漫上耳朵去，最后情非得已，难以自控，一张脸红上了，久久不退。

怀玉抡拳飞腿，要教训志高，二人一追一逃，打将起来。既掩饰了这一个的心事，也掩饰了那一个的心事。

少年心事。当他十二岁，当他也是十二岁。

丹丹嘻嘻地拍掌，抱着黑猫，逗它："我只跟你亲。"说着，把冰糖葫芦往它嘴边来回纠缠。

怀玉待脸色还原，才好收了手脚，止住丹丹："这猫不吃甜的。"

"这是谁的猫？"

"还有谁的？"志高拍拍身上灰尘："王老公的。"

"王老公？"

"唔，这王老公，我一见他跟他那堆命根子，就肝儿颤。"志高撇撇嘴："他老像奶孩子似的，摸着猫，咪噢咪噢，嘿，娘娘腔！"

"还他猫去吧。"怀玉道。

志高眼角扫他一下："还什么猫？你不练字？你爹让你练字，你倒躲起来练功！现在又不练功，练还猫给王老公。"

"爹老早走了，"怀玉得意："叫我掌灯前回去，看完'打鬼'才练字。今儿个晚上有得勤快。"

"好了好了，还给他。说不定他找这黑臭屎蛋找不着，哭个唏里哗拉。"

"喂，王老公是谁？"丹丹扯住志高，非要追问："是谁？"

"我不告诉你。"志高捏着嗓子学丹丹。

怀玉也不大了然，他只道："爹说，他来头大得很，从前是专门侍候老佛爷的。"

"老佛爷是谁?"

老佛爷是谁,目下这三个小孩都不会知道。毕竟是二三十年前的事儿了。

别说老百姓,即使是紫禁城中,稍为低层的小太监,自七岁起,于地安门内方砖胡同给小刀刘净身了,送入宫中,终生哈腰劳碌,到暮年离开皇宫了,也没见过老佛爷一面呢。

王老公来自河北省河间府,三代都是贫寒算卦人,自小生得慧根,可是谋不到饱饭,父母把心一横,送进宫去。

"净身"是他一辈子最惨痛的酷刑,他从来不跟人家提起过。而他的慧眼先机,也从来不跟人家提起过。

他最害怕这种能耐给识破了,一直都装笨,以免在宫中,容不下。当然又不能太笨。

为什么呢?

那一回,他曾无意中给起了个卦,只道不出三年清要亡了。

不知如何传了出去……

老佛爷听说了,要彻查"不规"的来源。她刑罚之残酷,骇人听闻。

没有人知道王老公这专门侍侯老佛爷膳食的太监会算卦,他只管设计晚餐,埋首精研燕窝造法:燕窝"万"字金银鸭子、燕窝"寿"字五柳鸡丝、燕窝"无"字白鸽丝、燕窝"疆"字口磨肥鸡汤……在夏天,一天送三百五十个西瓜给慈禧消暑。此人并不起眼。

老佛爷查不出什么来,便把三十六个精明善道,看上去心窍机灵的太监给"气毙"了。用七层白棉纸,沾水后全蒙在受刑人的口鼻耳上,封闭了,再以杖刑责打……

自此,王老公更笨,也更沉默了。

——一直捱至清终于亡掉。

果然，在两年另十个月后，清室保不住了，他算准了。

皇朝覆灭，大小太监都失去了依凭。有的从没迈出宫门一步，不知道外头的世界。王老公出紫禁城那年，捐出一些贵人给他的值钱首饰，故得以待在雍和宫养老。庙内的大喇嘛，因有曾指定当皇帝的"替身"，每当皇帝有灾病时，由他们代替承当，故地位尊贵，大喇嘛要收容他了，王老公一呆二十年。

怀玉先叩门。

"谁呀？"一把慢吞吞的，阴阳怪气的声音在问。像不甘心的女人。

"我，怀玉。"怀玉示意丹丹把猫抱过来："王老公您的命根子野出去了。"

门咿呀一开，先亮出一张脸。白里透着粉红，半根胡茬子也没有，布满皱纹，一折一折，就像个颜色不变但风干了的猪肚子。粉粉的一双手，先接过猫，翘起了小指，缺水的花般。

猫在他手里，直如一团浓浓黑发，陷入白白枯骨中，永不超生。猫"咪噢——"一叫便住嘴，听天由命。说不出来反常的温驯，再也不敢野了。仿佛刚才逃出生天是个梦。

志高咬嘴，丹丹往里一瞧。哗，一屋子都是猫，大大小小的猫，在黑室中眼眸森森。

丹丹乍见满屋压压插插都是猫的影儿、猫的气味，不免吃了一惊。还听王老公像个老太太似的，教训着："你到处乱窜，不行的，老公要不高兴了，往哪里找你好？以后都不准出去！"

黑猫挣扎一下，纵身逃出他手心。

王老公意犹未了，以手拍着床铺，道：

"来来来。"

它认命了，无奈地只好跳上床。王老公一手紧扣猫，一手掀开被窝，里头已有两头，都是白的、矜贵的，给他暖被窝。

从前他给大太监暖被窝，端尿盘子、洗袜子……这样过了一生。如今猫来陪伴他，先来暖被窝，然后他便悠悠躺下，缕述他的生平，那不为人知的前尘。多保险，它们绝对不会漏泄。

王老公是寂寞的。

"怀玉，怎的叫你来听故事你也不常来？——"正说着，已吆喝："志高你这小子，你跟囡儿糊弄什么？——"

"王老公，这猫好像不对啦。"

"别动，它困了。"

丹丹道："它哭呢。"

王老公颤危危迈过来："什么事直哼哼？嗳？"

原来那麻布袋似的小猫，脚底心伤了，有刺。王老公眯睐着眼，找不到那刺。

怀玉过来，二话不说，给拔出来。

"哎呀，你真笨。要磨爪子就到这来磨，"王老公心疼地骂："来这，记住了。真是的，告诉你们，猫的爪子绝对要磨，如果不磨，爪子太长了，弯曲反插到脚底心，就疼，无法行走。"

他把麻猫领到一块木板处："认得吗？别到外面去磨，免得被什么柱子木条给刺上了。以后都不准出去！"

麻猫惟有敷衍他，好生动一下。王老公满意了。

人与兽，生生世世都相依为命。他习惯了禁锢，与被禁锢。

"不准出去，倒像坐牢似的，王老公，怎不买个柳条笼子全给关起来？您习惯猫可不习惯。"志高看不过。

王老公马上被得罪了。

他装作听不见，只对怀玉道："怀玉你别跟人到处野，要定心，长本事，出人头地。常来我这，教你道理。"

"我还要帮爹摆地摊呢。"怀玉问：

"好久没见您上天桥去了。过年了，明儿您上不上？"

"这一阵倒是不大乐意见人、见光。"

忽地，在志高已忘掉他的无心之失时，王老公不怀好意地阴阴地一笑："志高，你娘好吗？"

志高猛地怔住，手中与猫共玩的小皮球便咚咚咚地溜过一旁，他飞快看了丹丹一眼。丹丹没注意，只管逗弄其他的猫。

志高寒着脸："我没娘!"

王老公仿似报了一箭之仇，嘻嘻地抿了抿，像头出其不意抓了你一痕的猫，得些好意，逃逸到一旁看你生气。

怀玉冷眼旁观这一老一少，不免要出来支开话题，也是为了兄弟，在这样一个陌生小姑娘跟前，他负气地：

"王老公，您不放猫去溜溜，一天到晚捧着，它们会闷死的。"

"上两个月刚死了一头，听说给埋在后山呢。"志高逮到机会反击："多么可怜。"

"你这小子，豁牙子!"

"老公老公，我问呢，明儿您上不上天桥去？"怀玉忙道：

"不啦，给人合婚啦，批八字啦，也没什么。都是这般活过来的，都是注定的。活在那里，死在那里。唉唉，算来算去，把天机说漏兜儿，挣个大子儿花花，没意思。以后不算啦。"

"人家都说您准呢。"

"算准了人家的命，没算准自家的命，"王老公轻叹一声，尖而寒的，怨妇一样："我这一生，来得真冤枉，都是当奴才，哈腰曲背。没办法了，现世苦，也只好活过去，只有修来世。唉，我可是疼猫儿，看成命根子一样。"

志高顿觉他对王老公有点过分了：

"您老也是好人。"

丹丹只见两个大男孩跟一个老太太似的公公在谈，中途竟唉声叹气，一点都不好玩。怀中的猫又睡着了，所以她轻轻放到床上去，正待要走。呀，不知看"打鬼"的人散了没有，不知叔叔要怎样慌乱的到处找她。一跃而起：

"我走了。"

说着把一个竹筒给碰跌了。

这竹筒是烟黄的，也许让把持多了，隐隐有手指的凹痕，这也是一个老了去的竹筒，快将变成鬼了。所以站不稳。

竹签撒了一地，布成横竖斑驳的图画，脱离常轨的编织，一个不像样的，写坏了的字。

丹丹忙着掇拾，志高和怀玉也过来，手忙脚乱的，放回竹筒中去。

"这有多少卦？"志高问。

"八八六十四。"

"竹签多怪，尖的。"

——孩子不懂了，这不是竹，这是"蓍"。它是一种草，高二三尺，老人家取其下半茎来作筮卜用。它最早最早，是生在孔子墓前的。子曰……所以十分灵验。王老公就靠这六十四卦，道尽悲欢离合，哀乐兴衰。直到他自己也生厌了，不愿把这些过眼云烟从头说起。以后不算啦。

"给我们算算吧？"怀玉逼切地央求："算一算，看我们以后的日子会不会好？我不信就是这个样子……"

"老公，您给我们算？最后一次？"志高示意丹丹：

"来求老公算卦，来。"

三人牵牵扯扯，摇摇曳曳，王老公笑起来。撒娇的人，跟撒娇的猫都一样。我不依，我不依，我不依。这些无主的生命。现世他们来了，好歹来一趟，谁知命中注定什么呢？

谁知是什么因缘，叫不相干的人都碰在一起。今天四个人碰在一起了，也是夙世的缘分吧。

王老公着他们每人抓一枝。

丹丹闭上眼，屏息先抓了一枝。然后是志高，然后是怀玉。正欲递予王老公时，横里有头猫如箭在弦，飕地觑个空子，奔窜而出……

"哎呀！"丹丹被这杀出重围的小小的寂寞的兽岔过，手中蓍草丢到地上去。因她一闪身，挨倒怀玉，怀玉待要扶她一把，手中蓍草丢到地上去。志高受到牵连，手中的蓍草也丢到地上去。

一时间，三人的命运便仿似混沌了。

"又是它！"丹丹眼尖，认得那是在万福阁大佛殿上窜过的黑猫。——真是头千方百计的猫。

"老公，我帮你追回来。"丹丹认定了这是与她亲的，忘了自己的卦。

王老公道："由它吧。"

"您不是不准它们出去吗？"志高忙问。

"去的让它去，要留的自会留。"

"它会回来的。"丹丹安慰老人。

怀玉望着门缝外面的，堂堂的世界：

"对，由它闯一闯，要是它找不到吃的，总会回来。找得到吃的，也绑不住它吧。"

怀玉省得他们的卦。拈起三枝菁草，递向王老公。

"来，老公，给我们说说，我们本事有多大？"怀玉澄澄的眸子，满是热切期望，仿佛他是好命，他的日子光明，他觉得自己有权早日知道。日下还未到开颜处，绸缪一下，也就高升了。他心中也有愿呀。

志高丹丹凑上一嘴："说，快说呀。"

王老公摇首，只道："看，都弄胡涂了，这卦，谁是谁的？来认一认。"

三人认不清。

"不要紧，您都一起说了，我们估量一下是谁的命？"

算卦的老太监闭上眼睛。啊，黄昏笼罩下来了，疲倦又笼罩了他，他有点蔫不唧的，萎靡了。只管把玩手中的卦，十分不耐烦。

"不算了。年纪轻轻的，算什么卦？"王老公说。

"老公骗人，老公说话不算数！"

三个孩子都气了。

老人闹不过，推了两三回，终妥协了：

"好好好。我说，我说。不过也许要不准的——"

"您说吧，我们都听您的。"怀玉道。

"——一个是，生不如死。一个是，死不如生。"王老公老脸上带着似笑非笑的，暧昧的表情。是你们逼我的，我不想泄漏的："还有一个，是先死后生。"

"那是什么意思？"丹丹绕弄她长辫梢上红头绳，等着这大她一个甲子的公公来细说她命里的可能性。

老公没有再回答。他不答。

"哦？老公原来自家也不懂！"丹丹顽皮地推打他。"您也不懂，是吧？"

"生不如死，死不如生，先死后生……"怀玉皱着他横冷的一字眉。

"哈，谁生不如死？谁又死不如生？嗳，看来最好的就是先死后生。"志高在数算着："说不定那是我。——不不，多半是怀玉，怀玉比我高明。"

说着，不免自怜起来了："我呢，大概是生不如死了，我哎，多命苦！呜呜呜呜！"

然后夸张造作地号啕大哭，一边怪叫一边捶打着身旁的红木箱子。

"别乱敲！你这豁牙子！"王老公止住，不许志高乱动他的木箱子，保不定有些什么秘密在里头，或是贵人送给他的，价值不菲的首饰，他和猫的生计便倚仗这一切，直到最后一口气。

"丹丹！丹丹！"

外头传来一阵喊声。

丹丹应声跃起至门前，不忘回过头来："黄叔叔找来了！我要走了！"

志高忙问："到哪儿去？"

"回天津老家去，给黄哥哥养病。"

院子里出现一个矮个子的四十来岁的壮汉，久经熬练，双腿内弯成弓形，步履沉沉稳稳，一身江湖架子。背上是个脸色苍白中带微黄的，穿得臃肿的十来岁少年，两只手软垂着，眼睛中有无限期望，机灵地转动。嘴一直咧着，不知道是不是笑意。

他是丹丹那此生也无法再走一两步的黄哥哥。

"走啦！"叔叔唤丹丹。

这苦恼的邋遢的老粗，身上棉袄不知经了多少风霜雨露，竟变得硬了。如同各人的命，走得坎坷，渐渐命也硬了。因为命硬，身子更硬了。

他爱怜着眼前这没爹没娘的牡丹。"牡丹"，花中之王呀，改一个这样担戴不起的名字？

"你怎的溜到这里来，叨扰人家啦，回去吧。'打鬼'完了，人都散了。"

末了又谦谦对王老公说道："不好意思，小姑娘家蹦蹦跳的，话儿又村。您别见怪，丹丹，跟公公和哥们说再见。"

丹丹笑着，挥手：

"王老公，怀玉哥，切糕哥，我们再见！"

叔叔在她耳畔骂："看，到处找你，累得滋歪的！"

怀玉笑："再见。"

志高努力地挥手："再见再见。喂喂喂，什么时候再见？我请你吃切糕。真的，什么时候？会不会再来？摇头不算点头算。"

"我不知道呀。"

丹丹远去了，三步一蹦，五步一跳，辫子晃荡在傍晚太阳的红霞中。少年的心也晃荡在同一时空内。

初春的夕阳不暖，只带来一片喧嚣的红光，像一双大手，把北平安定门东整座雍和宫都拢上了，决不放过。祖师殿、额不齐殿、永佑殿、鬼神殿、法轮殿、照佛楼、万福阁……坐坐立立的像，来来去去的人，黑黑白白的猫，全都逃不出它的掌心。

"老公，她会不会再来？"志高问。怀玉没有问。他心里明白，志高一定会问的。但怀玉也想知道。

王老公没答。在人人告别后，院子屋里，缓缓传来算卦人吹笛子的怪异闷哼，似一个不见天日的囚徒，不忿地彻查他卑微而又凄怆的下狱因由。青天白日是非分的梦。

人在情在，人去楼空，这便是命。

腾腾的节气闹过了，空余一点生死未卜，恍惚的回响。怀玉和志高已离庙回家去。

中国是世上最早会得建桥的国家了：梁桥、浮桥、吊桥、拱桥。几千年来，建造拱桥的材料有木、有石，也有砖、藤、竹、铁，甚至还动用了冰和盐。

桥，总是横跨在山水之间，丰姿妙曼，如一道不散长虹。地老天荒。

在北平，也有一道桥，它在正阳门和永定门之间，东边是天坛，西边是先农坛。从前的皇帝，每年到天坛祭祀，都必经此桥。桥的北面是凡间人世，桥的南面，算是天界。这桥是人间、天上的一道关口，加上它又是"天子"走过的，因而唤作"天桥"。

天桥如同中国一般，在还没有沦落之前，它也是一座很高很高的石桥，人们的视线总是被它挡住了，从南往北望，看不见正阳门；从北向南瞧，也瞧不着永定门。它虽说不上精雕细琢，材料倒是汉白玉的。

只是历了几度兴衰，灯市如花凋零……后来，它那高高的桥身便被拆掉，改为一座砖石桥，石栏杆倒还保存着，不过就沦为沼泽地，污水沟。每当下雨，南城的积水全都汇积于此，加上两坛外面的水渠，东西龙须沟的流水会合，涨漫发臭，成了蚊子苍蝇臭虫老鼠的天堂。大家似乎不再忆起了，在多久以前？天桥曾是京师的繁华地，灯市中还放烟火，诗人道："十万金虬半天紫，初疑脱却大火轮。"

年过了，大小铺子才下板，街面上也没多少行人。

两只穿着破布鞋的脚正往天桥走去。左脚的脚趾在外头露着，冻得像个小小的红萝卜头儿。志高手持一个铁罐子，低头一路捡拾地上长长短短的香烟头，那些被遗弃了的不再为人连连亲嘴的半截干尸。拾一个，扔进罐子里头，无声的。只有肚子是咕咕响。过了珠市口，呀，市声渐渐便盖过他的饥肠了。

真是另有一番景象。

才一开市，满是人声，市声，蒸气。连香烟头也盈街都是。志高喜形于色。

虽然天桥外尽是旧瓦房、破木楼，光膊赤脚，衣衫褴褛的老百姓，在这里过一天是一天，不过一进天桥就热闹了。

大大小小的摊棚货架，青红皂白的故衣杂物……推车的、担担的，各就各位了。那锅里炸的、屉里蒸的、铛里烙的……吃食全都散发着诱人的香味。

志高走得乏了，见小罐中香烟头也拾得差不多，先在一处茶摊坐下来，喝了一碗大碗茶。口袋里不便，只对卖茶的道：

"三婶子，待会给您茶钱。"

三婶子见是志高："没钱也敞开了喝吧，来吧，再喝。"

"不了，一肚子是茶水。"

志高蹲到茶摊后面兄旯儿，小心地把烟头剥开，把烟丝一丁点一丁点的给拆散，再掏出一叠烟纸，一根一根卷好，未几，一众无主的残黄，便借尸还魂，翻新过来。志高把它们排好在一个铁盒上，一跃而起，干他的买卖去。

"快手公司！快手牌……爷们来呀，快手牌烟卷，买十根，送洋火！"

——他根本没洋火，事实上也根本没有一买十根的顾客。都是一根一根的卖出去，换来几个铜板。不一会，他也就有点赚头了。

好，先来一副芝麻酱烧饼油条，然后来点卤小肠炒肝，呼噜呼噜灌一碗豆腐脑，很满足，末了便来至一个黏食摊子前。卖的是驴打滚。只见一家三口在分工，将和好的黄米面，擀成薄饼，洒上红酒，然后一卷，外面沾上干黄米面，用刀切成一截一截，蘸上糖水，用竹签挑起吃。

正想掏个铜板买驴打滚，又见旁边是切糕车子，一念，自己便是丹丹口中的"切糕"啦，马上变了卦，把铜板转移，换了两块粘软的甜切糕，还对那人道：

"祥叔，往后我不唤志高，我改了名儿，唤'切糕'哈哈哈！"

"得了，瞧你乐鸽子似的！"祥叔笑骂。

忽闻叮咚乱响，有人嚷嚷："来哪，大姑娘洗澡啦……"

那是一个满嘴金牙的怯口大个子，腮帮子也很大，脸鼓得像个"凸"字。看来才唱了一阵，嗓门不大，丹田不足，空摆出一个讲演的架势，你无法想象他是这样唱的：

"往里瞧啦往里瞧，'大姑娘洗澡'！喏，她左手拿着桃红的花毛巾，右手掰弄着澡盆边……咚咚咚呛，咚咚咚呛……"

大个子站在一个长方形的木箱子旁边，箱子两头各拴了绳子，他便一边响起小锣小鼓小镲，一边拉绳子，箱子里头的一片片的画片，便随着他的唱词拉上拉下。

"又一篇呐又一篇，'潘金莲思春'在里边，她恨大郎，想武松，想得泪颠连……咚呛，咚呛，咚咚咚呛……"

观众们，就坐在一条长板凳上，通过箱子的小圆玻璃眼往里瞧。聚精会神，脖子伸得长长的，急色的。拉洋片的大个子，不免在拉上拉下的当儿，故弄玄虚，待要拉不拉，叫那些各种岁数的贫寒男人，心痒难熬，在闷声怪叫："往下拉！往下拉！"

各自挂上羞怯的暧昧的鬼鬼祟祟的笑，唱的和看的，都是但求两顿粗茶淡饭的穷汉，都是在共同守秘似的交换着眼色。

大个子心底也有不是味儿的愧作，好似虎落平阳——谁知他是不是虎？也许只错在个头太大，累得他干什么都不对劲，尤其是这样的贩卖一个女人的淫荡，才换几个大子儿。但他支撑着他的兴致，努力地吆喝：

"唉！又一出，又是一出……"

志高目睹这群满嘴馋液的男人，天真而又灼灼的眼神，他想起……呸！他没来由地生气了，他觉得这样的兽无处不在，仿佛是他的影子，总是提醒他，即使光天白日，人还是这样的。志高充满憎厌和仇恨地，往地上吐了一口唾沫，怪叫：

"洗澡！洗澡！妈的，看你们老娘洗澡！"

然后转身朝桥西跑了。

天桥最热闹的，便是这边的杂耍场。他扒开人群，钻进一个又一个的场子找人去。

在天桥讨生活的行当很多，文的有落子馆、说书场。武的就数不尽了，什么摔跤、杠子、车技、双石、高跷、空竹、硬气功、打把式、神弹弓、翻筋斗……天桥是一个"擂台"，没能耐甭想在这混饭吃，这块方圆不过几里的地方，聚集着成百口子吃开口饭的人，虽云"平地抠饼"，到底也是不容易的。

故，每个撂地作艺的摊子，总有他们的绝活儿，也不时变着新花样。

志高钻进一个场子去，左推右撞的才钻出个空儿，只见怀玉正在耍大刀。

大伙都被这俊朗的男孩所吸引。他凝神敛气，开展了一身玩艺，刀柄绑上红绸带，随着刀影翻飞。刀在怀玉手中，忽藏忽露，左撩右劈，不管是点、扫、推、扎……都赢得采声叫好。

他一下转身左挂马步劈刀，一下左右剪腕叉步带刀，纵跳仆步，那刀裹脑缠头，又挟刀凌空旋风飞腿，一招一式，在在显示他早早流露的英姿。

刀耍毕，掌声起了，看客们把钱扔进场子里。怀玉的爹唐老大，马上又赶上场来。

唐老大是个粗汉，身穿一件汗衫，横腰系根大板带，青布裤。宽肩如扇面展开。在这刚透着一丝春意，却仍料峭的辰光，穿得多，露得少，他手里拎着一把大弓，扎了马步，在场中满满地拉开，青筋尽往他脖子和胳膊绕。看客自他咬牙卖力的表演中满足了，也满意了，扔进场子里的钱更多，有几张是花花的纸币，更多的是铜板，撒了一地。

江湖卖艺，要的是仗义钱，行规是不能伸手，所以等得差不多了，怀玉方用柳条盘子给捡起来。

演过一场，看客们也纷纷散去。

板凳旁坐了志高，笑嘻嘻地，把一块切糕递给怀玉。

"唐叔叔。"志高忙亲热招呼。

"唔。"唐老大淡淡应一下，只顾吩咐怀玉："拿几枚点心钱，快上学堂去。别到处野啦。读书练字为要。去去去！"

唐老大说着，便自摊子后头的杂物架上取过布袋子，扔给怀玉，叮嘱：

"回来我要看功课。"

怀玉与志高走了。

"你爹根本不识字，还说要看你功课呢。"

"他会的，他会看字练得好不好，要看到蹊蹊儿跷的，就让我'吃栗子'。他专门看竖笔，一定得直直的，不直了，就骂：'你看你看，这罗圈腿儿！'厉害着呢。"

唐老大不乐意怀玉继承他的卖艺生涯。在他刚送走怀玉的时候，便有官们派来的人，逐个摊子派帖子，打秋风来了，什么"三节两寿"，还不是要钱？

怀玉心里明白，吃艺饭不易，父子二人虽不致饥一顿饱一顿，不过赚得的，要与地主三七分账，要给军警爷们"香烟钱"。要是来了些个踢场子找麻烦的混混，在人场中怪叫："打得可神啦！"你也得请他"包涵"。

爹也说过：

"咱两代卖艺，没什么好下场，怀玉非读书不可！穷了一辈子，指望骨血儿中出个识字的，将来有出息，不当睁眼瞎，不吃江湖饭，老子就心满意足了。"

——怀玉不是这样想。

他喜欢采声。

他喜欢站在一个睥睨同群的位置，去赢得满堂采声。

不是地摊子，不是天桥，飞，飞离这臭水沟。

所以他有个小小的秘密，除了志高之外，爹是不知道的。

"志高，我上学堂了。待会你来找我，一块到老地方去。"

"唉！我到什么地方溜弯儿好？"

怀玉不管他，自行往学堂上路去。

志高百无聊赖，只得信步至鸟市。前清遗老遗少，每天早晨提笼架鸟，也去溜弯儿。

他们玩鸟，得先陪鸟玩，鸟才叫给你听，要是犯懒，足不出户不见世面，喂得再好，鸟也不肯好好地叫。志高走至鸟市，兴头来了。

这个人，总有令自己过瘾的方法。

说起来也是本事。什么画眉、百灵、红蓝靛颏、字字红、字字黑、黄雀等，叫起来千鸣百啭，各有千秋。志高听多了，也会了，模仿得叫玩鸟的人都乐开了，有时也赏他几枚点心钱。

志高于此又流连了一阵。

怀玉的教书先生今年五六十。他穿长袍马褂，戴圆头帽。学堂其实在绒线胡同的大庙里，这是间私塾，只有十个学生，全是男孩，由五岁到十五岁都有。

怀玉不算"学生"，因为他没交学费，只因唐老大与丁老师有点乡亲关系，求他，管怀玉来听书和干活。

怀玉来了，算对了时间，便迳往大庙院内的树下敲钟，当当当，学生陆续也到了。一般自己走来，也有有钱的，穿黑色的无翻领的中山装，铜钮扣儿，皮鞋，坐洋包车来了。脚踩铜铃响着。——怀玉看在眼内，不无艳羡之情，好，我也要这一身。

人齐了，怀玉才到学堂最后一条二人长桌上坐定。一见桌上，竟有小刀刻了中间线。他一瞥身畔那学长，是班上最大的，十五岁，家里有点权势，一直瞧不起卖艺人。

"唐怀玉，你别过线！"

"哼！谁也别过线！"

老师今天仍然教"千字文"：

"……交友投分，切磨箴规。仁慈隐恻，造次弗离。节义廉退，颠沛匪亏。性静情逸，心动神疲。守真志满，逐物意移……"

正琅琅读着这些困涩难懂似是而非的文字时，班上传来拌嘴口角。

一个竹制的精致上盖抽屉式笔盒应声倒地。一个布袋儿也被扔掉，墨盒、压尺和无橡皮头的木铅笔散跌。

"叫你别过线！老师，唐怀玉的大仿纸推过来，我推回去，他就动粗!"

"老师——"

"唉，怀玉，你收拾一下，罚到外头给我站着。"丁老师无法维护这个不交学费的学生。同学们只见怀玉侧影，腮边牙关一紧，冷冷地，出去了。

等到课上完了，不见有人敲钟，老师出来一瞧，怀玉不知什么时候，一走了之。老师只得吩咐放学。

院内有接放学的，也有娘给送加餐来了。孩子一边吃点心，一边眉飞色舞地叙述唐怀玉跟何铁山的事。家长也趁机教训他们要孝义。

何铁山还没走出绒线胡同口，横地来一记飞腿，他中了招，马上还击，仗着个头大，拳来脚往，好不热闹。

"打起来了! 打起来了!"

何铁山又怎是对手? 怀玉不消几下功夫，把他打个脸蹭地，那儿凸那儿破，嘴唇和下巴颏上头也流血了。

志高赶来时，吓傻了。忙怪嚷:

"什么事什么事?"

何铁山落荒而逃。

怀玉拍去泥尘，只道:

"没事。"

"什么事?"

"没事。走吧。"

前因后果也不提，便示意志高走了。志高颠着屁股追问。不得要领。

丁老师，他知道也好，也许听不见。只在大庙后他的小房子里，寂寂地拉着胡琴。当年，他也是个好琴师，一段反二簧，竹腔似断非断，一弓子连拉五个音……

为了生活，不得不把他赢过的采声含敛，把他的学问零沽。今日也没所谓升官发财，来识字又是为了什么？时髦一点的都上教会洋学堂去了。终于他又拉了一段"楚宫恨"，悠悠回旋地唱："怀抱着年幼儿好不伤情……"

怀玉领志高来到了"老地方"，这是肉市广和楼。自后台门进出，也没人拦阻，因为二人常来看蹭儿戏，小孩子家，由他们吧，志高很会做人，经常帮忙跑腿，递茶壶饮场，收拾切末。

怀玉呢？他还喊李盛天师父的——这是他的小秘密。

今天日场上"四五花洞"。志高最喜欢看这种"妖戏"了。

因为是日场，不必角色上场，一般都是热闹胡闹的戏。"四五花洞"演的是武大郎与潘金莲因家乡久旱成灾，同赴阳谷县投奔武松去，途经五花洞，洞内妖魔金眼鼠和铁眼鼠变化为假武大假金莲，与真武大真金莲纠缠不清，官司闹到矮子县官胡大炮那里，反而越搅越胡涂，其时正逢包拯过境，便下轿察看，也难辨真假，无法判断。后来江西龙虎山的张天师到来，便用"掌心雷"的法宝，两妖才现出原形，真相大白。

日戏时几个小花旦为要踏踏台毯，都得到机会出场，妖魔化身为金莲，一变变了三个，是谓"四五花洞"，一真三假的玩笑戏，好不风骚热闹——这几个未成角儿的小花旦，全是十几岁的男孩，也有刚倒呛过来，嗓子甜润嘹亮。

志高听着那人唱："不由得潘金莲怒上眉梢，自幼配武大他的身量矮小……"

他用肘撞撞怀玉："怀玉你瞧，金宝哥给咱们飞眼。"

然后两个孩儿就在上场门边来个招呼。台上的戏依旧在唱，小花旦又装作若无其事。

二人一瞥前台稍空，便偷偷自后台走到前台去。

168

才一上，那空位有人占先，只好站到一旁观看便是。广和楼楼下靠墙有一排木板，高凳儿，二人一先一后，踮起脚尖儿，站了上去。

妖戏完了，志高忘形地鼓掌，忽地发觉怀玉不在身边。志高自散场的观众间逆向钻回后台去。

怀玉磨在他"师父"李盛天身后，看他勾脸，看得神魂迷醉似的。

夜场上"艳阳楼"，又称"拿高登"，李盛天演高登，他是班上的武生，年纪有四十多五十，但武功底子数他稳厚，扮像极有派头。戏中所持兵器乃七星大刀。那刀怀玉自是扛不动，他想，总有扛得动的一天。

李盛天已然换上水衣，又用细棉布勒住前额，白粉打了底。只见他在眼眶、鼻下人中处抹黑灰，再把眉定位，高登画的是刀螂眉。

怀玉看傻了眼，每一回，一张模糊的脸，于彩匣子前，大镜子外，给了一勾一抹一揉，红黑黄蓝白金银……渐渐的它变了，像图画一般，脸上全是故事，色彩斑斓，眼花缭乱，定了型，最后在脑门上再勾一长条油红，师父便是千百年前的一个古人。他是奸臣高俅之子，他倚仗父势鱼肉乡民……后来，他死在艳阳楼上。

李盛天开始扮戏了，虽然他自镜中也瞧见这身手机灵，心比天高而又沉默苦干的大男孩，不过他从来没把感觉外露，他调教他，基于看他是料子，但总要让他明白，世上并无一蹴登天的先例。

李盛天换衫裤，系腰带，穿上厚底靴，扎紧裤腿，搭上胖袄衬里，再搭上厚护领。二衣箱给他穿箭衣，系大带。盔头箱处勒上网子及千斤条，插耳毛，戴扎巾，戴髯口。

最后，再到大衣箱给穿上褶子，拿大摺扇。

——这一身，终于大功告成了。

"师父！"怀玉此时才敢恭敬地喊一声。

"唔。"李盛天应了，径自养神入戏，不再搭理。

怀玉知机地便退过一旁。

退回后台，退至上场门外一个角落，一直的退，他还是个雏儿，上不得场——他的场子只在天桥地摊。

夜戏散了，怀玉跟志高嘞嘞絮道他师父的那份戏报：

"老大的一张戏报，大红纸，洒上碎金点儿，上面写着'李盛天'、《艳阳楼》这样的字儿。其他的名儿都比不上我师父，缩得小小的给搁在旁边。你看见没有？真红！嗳，你识字的呀！你认得那个'天'字的呀……"

志高觑不到空档儿接碴儿。

只见街巷上点路灯的已扛着小木梯子，挨个儿给路灯添煤油点火了。一个人管好几十个灯，有的悬挂在胡同铁线上，好高，要费劲攀上去。

虚荣的小怀玉，也许他惟一的心愿是：老大的一张戏报，大红纸，洒上碎金点儿，上面写着"唐怀玉"三个字。

沿街又有小贩在叫卖了。卖萝卜的，吆喝得清脆妩媚："赛梨，萝卜赛梨，辣了换！"卖烤白薯的，又沉郁惨淡："锅底来！——栗子——味！"

勾起志高的馋意。

他伸手掏掏，袋中早已空了。怀玉的几枚点心钱，又给买了豆汁、爆肚。怀玉见志高一脸的无奈，便道：

"又想吃的呀？"

"对，我死都要当一个饱死鬼！要是我有钱，就天天吃烤白薯，把他一摊子的白薯全给吃光了。"

"你怎么只惦着吃这种哈儿吗儿的东西？一点小志都没有，还志高呢！"

"哦，我当然想吃鸡，想吃鸭子，还有炒虾仁，哪来的钱？"

"你闭上眼睛。"

"干嘛？"怀玉把东西往他袋中一塞，马上飞跑远去。

一看，原来是十来颗酥皮铁蚕豆，想是在广和楼后台，人家随便抓一把给他吃的。怀玉没吃，一直袋着，到了要紧关头，才塞给志高解馋来了。怀玉这小子，不愧是把子。志高走在夜路上，把铁蚕豆咬开了壳儿，豆儿入口，又香又酥又脆，吃着喜庆，心里痛快。慢慢的嚼，慢慢的吞咽。壳儿也舍不得吐掉。他心里又想：咦，要是有钱，就天天吃酥皮铁蚕豆、香酥果仁、怪味瓜子、炒松子……天天的吃。

月亮升上来了。

初春的新月特别显得冻黄，市声渐冉，人语朦胧。来至前门外，大栅栏以南，珠市口以北，虎坊桥以东——这是志高最不愿意回来的地方。非等到不得已，他也不回来了。不得已，只因为钱。

胭脂胡同，这是一条短短窄窄的小胡同。它跟石头胡同、百顺胡同、韩家潭、纱帽胡同、陕西巷、皮条营、王寡妇斜街一般齐名。

大伙提起"八大胡同"，心里有数，全都撇嘴挂个挂不住的笑，一直往下溜，堕落尘泥。胭脂胡同，尽是挂牌的窑子。

只听得那简陋的屋子里，隐隐传来女人在问：

"完了没有？完了吧？走啦，不能歇啦。完了吧？哎——"

隐隐又传来男人在答：

"妈的！你……你以为是挑水哥们呀，进门就倒！没完！"
嘿儿喽的，有痰鸣。

女人又催：

"快点吧——好了好了，完了！"

悉悉的穿裤子声，真的完了。

志高甫进门，见客人正挑起布帘子，里头把客人的破棉衣往外扔。

客人把钱放在桌上茶盘上，正欲离去，一见这个混小子，马上得意了。一手叉住志高的脖子，一边喝令：

"喊爹，快喊爹！"

志高挣扎，他那粗壮的满是厚茧的手更是不肯放过。上面的污垢根深蒂固，真是用任何刷子都刷不掉。他怎么能想象这样的一双手，往娘脸上身上活动着，就像狂风夹了沙子在刮。志高拼命要挣脱，用了毕生的精力来与外物抗衡，然而总是不敌。

有时是拉洋车的，有时是倒泔水的、采煤的、倒脏土的、当挑夫的……

这些都是他的对头人。今天这个是掏大粪的，身上老有恶歹子怪味，呛鼻的，臭得恶拉扒心。

"我不喊。老乌龟！大粪干！"

"嘎！我操了你娘！你不喊我爹?"

布帘子呼的一声给挑起了。

"把我弟放下来！"平板淡漠地。

那汉子顺着女声回过头去：

"嘿，什么'弟'? 好，不玩了，改天再来，红莲，我一定来，我还舍不得不操你呢！小子，操你娘！"

红莲，先是一股闷浓的香味儿直冲志高的小脑门。

然后见一双眼睛，很黑很亮，虽然浮肿，那点黑，就更深。

颧骨奇特的高，自欺而又僭越地耸在惨淡白净的尖盘儿脸上。

她老是笑，不知所措地笑，一种"陪笑"的习惯，面对儿子也是一样。

只有在儿子的身上，她方才记得自己当年的男人，曾经的男人，他姓宋。志高的爹称赞过她的一双手。

她有一双修长但有点嶙峋的白手，手指尖而瘦，像龟裂泥土中裂生出来一束白芦苇；从前倒是白花，不知名的。不过得过称赞。男人送过她一只手镯。

红莲在志高跟前，有点抽搐痉挛地把她一双手缠了又结，手指扣着手指，一个字儿也不懂，手指却迄自写着一些心事。十分的畏怯，怪不好意思地。

她自茶盘上取过一点钱，随意地，又赔罪似地塞给志高了：

"这几天又到什么地方野去？"

"没啦，我去找点活计。"

"睡这吧？"

志高正想答话，门外又来个客人，风吹在纸糊窗上，哑闷地响，就着灯火，志高见娘脖子上太阳穴上都捏了痧，晃晃荡荡的红。

"红莲！"

娘应声去了。

志高寂寂地出了院子。袋里有钱了，仿佛也暖和了。今儿个晚上到哪儿去好呢？也许到火房去过一夜吧，虽然火房里没有床铺，地上只铺上一层二尺多厚的鸡毛，四墙用泥和纸密密糊住缝隙，不让寒风吹进，但总是有来自城乡的苦瓠子挤在一起睡，也有乞丐小贩。声气相闻的人间。说到底，总比这里来得心安，一觉睡到天亮，又是一天。

好，到火房去吧。快步出门了，走了没多远，见那掏大粪的背了粪桶粪勺，推了粪车，正挨门挨户的走。

志高鬼鬼祟祟拾了小石子，狠狠扔过去，扔中他的脖子。静夜里传来凄厉的喝骂：

"妈的！兔崽子，小野鸡，看你不得好死，长大了也得卖！"

志高激奋地跑了几步，马上萎顿了。胭脂胡同远远传来他自小便听了千百遍的一首窑调，伴着他凄惶的步子。

桃叶儿尖上尖唉，桃叶儿遮满了天。在位的明公细听我来言唉。此事唉，出在咱们京西的蓝靛厂唉——

志高的回忆找上他来了。

他从来没见过爹，在志高很小的时候他已经不在了。为什么不在？也许死了，也许跑了。这是红莲从来没告诉过他的真相，他也不想知道——反正不是好事。

最初，娘还没改名儿唤"红莲"呢。当时她是当缝穷的。自成衣铺求来一些裁衣服剩下的下脚料，给光棍汉缝破烂。地上铺块包袱皮，手拿剪子针线，什么也得补。有一天，志高见到娘拎住一双苦力的臭袜子在补，那袜子刚脱下，臭气薰天，还是湿濡濡的，娘后来捺不住，恶心了，倚在墙角呕吐狼藉，晚上也难受得吃不下饭，再吐一次。

无论何时，总想得起那双摸上去温湿的臭袜子，就像半溶的尸，冒血脓污的前景。

……后来娘开始"卖"了。

志高渐渐的晓得娘在"卖"了。

他曾经哭喊愤恨：

"我不回来睡，我永远也不回来！"

——他回来的，他要活着。

他跟娘活在窑调的凄迷故事里头：

一更鼓来天唉，大莲泪汪汪，想起我那情郎哥哥有情的人唉，情郎唉，小妹妹一心只有你唉。一夜唉夫妻唉，百呀百夜思……

——一直的唱到五更。

唉声叹气，唉，谁跟谁都不留情面。谁知道呢？每个人都有他的故事，说起来，还不是一样：短短的五更，已是沧桑聚散，假的，灰心的，连亲情都不免朝生暮死。志高不相信他如此的恨着娘，却又一边用着她的钱——他稍有一点生计，也就不回来。每一回来都是可耻的。

经过一个大杂院，也是往火房顺路的，不想听得唐老大在教训怀玉了：

"打架！真丢人！你还有颜面到丁老师那儿听书？还是丁老师给你改的一个好名字！嘎，在学堂打架？"

一顿噼噼啪啪的，怀玉准挨揍了。志高停下来，附耳院外。唐老大骂得兴起：

"还逃学去听戏！老跟志高野，没出息！"志高缓缓的垂下头来。

"他娘是个暗门子，你道人家不晓得吗？"

"不是他娘——是他姊。"怀玉维护着志高的身世。

"姊？老大的姊？你还装孙子！以后别跟他一块，两个人溜儿湫儿的，不学好。"

"爹，志高是好人。他娘不好不关他的事，你们别瞧不起他！"

唐老大听了，又是给怀玉一个耳雷子。

"我没瞧不起谁，我倒是别让人瞧不起咱。管教你就是要你有出息。凭力气挣口饭，一颗汗珠掉在地上摔八瓣呢！你还去跟戏子？嘿！什么戏子、饭馆子、窑子、澡堂子、挑担子……都是下九流。你不说我还忘了教训你，要你识字，将来当个文职，抄写呀，当账房先生也好——你，你真是一泡猴儿尿，不争气！"

狠狠的骂了一顿，唐老大也顾不得自己手重，把怀玉也狠狠的打了一顿。

骂声越来越喧嚣了，划破了寂夜，大杂院的十来家子，都被吵醒了，翻身再睡。院子里哪家不打孩子？穷人家的孩子都是打大的，不光是孩子，连媳妇儿姑娘们也挨揍。自是因为生活逼人，心里不好过。

唐老大多年前，一百八十斤的大刀，一天可舞四五回，满场的采声。舞了这些年了，孩子也有十二岁。眼看年岁大了，今天还可拉弓舞刀，明天呢？后天呢？……

"你看你看，连字也没练好！"

不识字的人，但凡见到一笔一划写在纸上的字，都认为是"学问"。怀玉的功课还没写，不由得火上加油。真的，打上丢人的一架，明天该如何的向丁老师赔礼呢？丁老师要不收他了，怀玉的前景也就黯然。

唐老大怒不可遏：

"给我滚出去！滚！"

一脚把怀玉踢出去，怀玉踉跄一下，迎面是深深而又凄寂的黑夜，黑夜像头蓄锐待发的兽。怀玉紧咬牙关，抹不干急泪，天下之大，他不知要到哪里是好？爹是头一回把他赶出来。他只好抽搐着蹲在院里墙角，瑟缩着。便见到志高。

"喂，挨揍了？"

志高过来，二人相依为命。怀玉不语。

"喂，你爹揍你，你还他呀，你飞腿呀，不敢？对不对？怕抛拖！"志高逗他。见怀玉揉着痛楚，志高又道：

"不要怕，你爹光有个头，说不定他是个脓包啊——"

"去你的，"怀玉不哭了："还直个劲儿跟人家苦腻。我爹怎么还呀？你姊揍你你还不还？"

"我姊从来也不揍我。"志高有点惆怅："我倒希望她揍我一顿，她不会，她不敢……"

"刚才你不是回去吗？"

"我回去拿钱。"

"那你要到哪里去？睡小七的黄包车去？"

志高朝怀玉眨眨眼睛：

"哪儿都不去了，见您老无家可归，我将就陪你一夜。"

"别再诓哄了，谁要你陪，我过不得吗？我不怕冷。"

蜷缩坐了一阵，二人开始不宁了。冷风把更夫梆锣的震颤音调拖长了。街上堆子的三人一班，正看街巡逻报时，一个敲梆子，一个打锣，一个扛着钩竿子，如发现有贼，就用钩竿子钩，钩着想跑也跑不了。

更夫并没发现大杂院北房外头的墙角，这时正蹲着两个冷得半瘫儿似的患难之交。

志高想了一想，又想了一想，终把身上袄内塞的一叠报纸给抽出两张来，递给怀玉：

"给。加件衣服！"

怀玉学他把报纸塞进衣衫内，保暖，忍不住，好玩地相视笑了，志高再抽一张。怀玉不要。志高道：

"嘴硬！"

"你不冷？"

"我习惯了呢。我是百毒不侵，硬硬朗朗。"

怀玉吸溜着，由衷对志高道："要真的出来立个万儿，看你倒比我高明。"

怀玉一夸，志高不免犯彪。

"我比你吃得苦！"志高道。

方说着，志高气馁了，他马上又自顾自：

"吃得苦又怎样，我真是苦命儿，过一天算一天，日后多半会苦死。"

"不会的。"

"会！嗳嗳怀玉，你记得我们算的卦吗？"

"记得，我们三个是——"

"甭提了，我肯定是'生不如死'，要是我比你早死，你得买只鸭子来祭我。"

"要是我比你早死呢？"

"那——我买——呀，我把丹丹提来祭你。"

"你提不动的，她蛮凶的。"

"咦？丹丹是谁呢？吓？谁？"志高调侃着，怀玉反应不及："就是那天那个嘛。"

"那天？那个？我一点都记不起了。哦，好像是个穿红袄的小姑娘呢，对了，她回天津去了，对吧？嗳，你怎么了？"

"怎么？别猫儿打镲了，不听你了。"

"说真的，还不知道有没有见面的日子呢。要是她比我哥儿俩早死，是没法知道的。"

"一天到晚都说'死'！怪道王老公唤你豁牙子！"

"哦，你还我报纸，看你冷'死'！还我！好心得不着好报！"

"不还！指头儿都僵了。"

——房门瞅巴冷子豁然一开。凶巴巴的唐老大吆喝一声："还不滚回屋里去？"

原来心也疼了，一直在等怀玉悔改。

怀玉嘟着嘴，拧了，不肯进去。

"——滚回去！"作爹的劈头一记，乘势揪了二人进去。冷啊，真的，也熬了好些时了。

渴睡的志高忙不迭怂恿："进去进去！"又朝怀玉眨眨眼睛，怀玉不看他，也不看爹。

是夜，二人蜷睡在炕上。志高还作了好些香梦：吃鸭子，老大的鸭子。梦中，这孩子倒是不亏嘴的。直到天边发白。

民国廿一年

夏

北平

"醒了吧?小老弟。"

志高听得模模糊糊的一阵人声。

"嗳,天都亮了,快起来让客人上座啦。"

志高用手背抹抹嘴角的残涎。

一梦之中,尽是称心如意。乍惊,不知人间何世,天不再冷了,夜不再昏了,人也不再年少。

一觉醒来,人间原来换了芳华。

民国廿一年夏。九一八去秋刚发生的变故,半年间,日本人逐步侵占东北了。一直呆在北平的老百姓,还是不明所以。中国的军队?外国的军队?反正不是切肤之痛。甚至有不愿意追究的八旗子弟,当初的风光梦魂般缠绕着他们,虽则沦落为凡人了,他们的排场和嗜好还是流传下来,日子过得结结巴巴,倒也熬一头鹰。鹰,是他们凶悍的回忆,破空难寻,最后不免又回到主子手中了。

鹰性野,白天从来不睡,只有晚上才肯安睡,要熬它野性子就不能让它休息,要叫它连闭眼的时间也没有。熬鹰人晚上都带了鹰,五六知己,吃饱了进前门到天安门,沿长安街奔西单、西四到平安里的夜茶馆去聚会,相对请安寒暄,问问重量大小,论论毛色浓淡。

鹰怕热,不能进茶馆里边,他们便坐到外头的板凳,沏一包叶子,喝几碗,来两堆花生,半空儿的,一边吃一边聊。

东方朦胧亮了。

志高一身汗濡挣扎起来,四下一看,奇怪的声音:扑扑扑扑扑。鹰的精神来了,身子全挺起,乱飞,马上,熬鹰人给戴上遮光的帽子,退它野性,好习惯人气,胸无大志。

借宿一宵的志高,又得起来让出一条板凳。看来那板凳实在太短,容不下志高成长了的身子,不过他像猴儿般灵便,仿佛什么地方，即使是一棵树吧，他都有办法睡个安稳的。

他弹跳而起，揉揉眼睛，一边十分通情达理地帮茶馆的抹桌子搬板凳，收拾一顿；一边跟汉子聊：

"这鹰驯了吧？没折了，对，要放了也飞不远！"

"不呢，"那汉子道："我这就难熬了。我给它上宿，一人担前夜，一人担后夜，待会儿还交白班看管，三个人轮班的熬，过了十多天，还没驯好，撒不出去放。"

——对的，花花世界，鹰也跟人一般，有的生在那儿，驯在那儿，有的总是不甘。驯鹰是养鹰人的虚荣。不驯的鹰是鹰本身的虚荣。

不管怎样，生命是难喻的。

三伏天，热得连狗也把舌头伸出来，这几亩水塘，一直被称作"野凫潭"，又唤作"南下洼"，是北平西南城区的一块低地。油垢和污水，经年不断灌注到潭中，雨过天晴，烈日一蒸，更是又臭又稠。

这样的一处地方，配不上它原来的好名儿："陶然亭"。

北面是一片平房，东面是累累荒冢，南面是光秃秃的城墙，西面是个芦苇塘。附近纵有些树，但也七零八落，谈不上绿荫扶疏，只有飞虫乱扰。

陶然亭不是一个"亭"，是一个土丘，丘上盖了座小巧玲珑的寺庙。香火是寂寞的。陶然亭之所以得了这么大的名声，只因为它是一个练功喊嗓的好地方，它是卖艺人唱戏人的"第一块台毯"。

只见一个俊朗的年轻人在练双锤，耍锤花，这两个大锤在他手中，好像黏住了似地，随他意愿绕弄抛接，无论离手多远，他总是一个大翻身马上背手接住。

多年以来，七年了吧，唐怀玉在他师父李盛天的夹磨底下，十八般武艺也上路了。师父是一时的武生，"九长"：长枪、大戟、大刀、镗、钺、戈、矛、殳、槊；"九短"：锤、杵、剑、斧、刃、盾、钩、弓、棍，都有一手。不过怀玉的绝活儿是锤。

这天他苦练的是"顶锤"，把锤高抛，于半空旋转一圈后，落下时顶住。他抖擞着精神，非要那锤于半空旋转两个圈不可。

怀玉试了很多遍，都顶不住。志高咬着个硬面饽饽，一嘴含糊地扬声："这几天'躺僵尸'躺得怎么样？"

怀玉把双锤一抛一顶，一拧一接，也不望志高，只一下招式吐一个字：

"怎——么——躺——就——怎——么——疼！"

志高笑了：

"好呀，终有一天，真躺成了僵尸了！"

原来这几天李盛天着怀玉开始练戏了。把子功不错，晚上广和楼戏散了，便到毯子上躺僵尸。

舞台上，一场剧战之后，武生要死了，总不肯马马虎虎的死，总是来个"躺僵尸"，当他这样干了，观众们便会落力的鼓掌吆喝，称颂他死得好样。

这做功，是先闭住气，随着激越震撼的板鼓，忽地一下板身，直板板地脸朝天背贴地，就倒下了。

李盛天教怀玉：

"千万要闭住气，一道也不泄，这样不管怎么摔怎么躺，也不疼，不会弄坏脑仁儿。"

不过最初的练习，谁有窍门呢？怀玉躺了几天，不是身子瘫了，不够板，便是脑袋瓜先着地——又不敢让爹知道。

爹实在只是装蒜，儿子大了，有十九了，身段神脆，长相英明，横看竖看，也是块料子。何况师父李盛天待他不薄，处处照应。这种只有名分没有互惠的师徒关系，倒是一直密切的。唐老大过年时也给李盛天送过茶叶包儿。

"怀玉，你喊嗓没有？"师父问。

"喊了。"

——其实怀玉没嗓子。他自倒呛后，练功放在第一位，嗓子受了影响，不开。每练"啊——"、"依——"这些个音，都不灵活，所以拉音、短音、送音、住音，换气不自如，每是该换气而不换，所以音量无法打远、亮堂。

"来一遍。"

怀玉无可奈何，只得像猫儿洗脸，划拉地草草唱一遍。

先来大笑三声：

"哈哈，哈哈，啊哈哈……"

志高捂着半边嘴儿忍笑。

怀玉唱《水仙子》：

呀——喜气洋呀，喜气洋，笑笑笑，笑文礼兵将不提防。好好好，好一似天神一般样。怎怎怎，怎知俺今日逞刚强。

李盛天眉心一皱，眼睛一瞪，十分不满意："哦，这就叫天神呀？你给我过那边再喊嗓去。去呀，锤先放下来！搁这边。搁！"

目送怀玉终于听了，李盛天绷紧着的脸宽下来。每个人对怀玉都是这样，这孩子宠不得。明明宠他，不可以让他知道，他是天生的一股骄气，也许这骄气会害了他。

怀玉气鼓鼓地瞪着笑得前仰后合的志高，往地势开阔，但又缀满乱坟的荒野开始了：

"啊——依——呜"

志高瞅着他：

"我就不明白有什么难？这么几句，老子随随便便打个呵欠就唱好了。"

"别神啦。"

"你不信？"

志高马上随口溜，把刚才《水仙子》唱了一遍：

呀——喜气洋呀，喜气洋。笑笑笑，笑文礼兵将不提防。好好好，好一似天神一般样，怎怎怎，怎知俺今日逞刚强。

志高天赋一副嘹亮的嗓子，质纯圆润。虽他没苦练，听戏听多了，又常随怀玉泡一块儿，耳濡目染，也会唱好几出。意犹未尽，再唱另一出：

只杀得刘关张左遮右挡，俺吕布美名儿天下传扬——

李盛天听了，过来，拍着志高的肩膊："志高，你还真有点儿猫儿传，小聪明。"

志高不好意思了：

"不不不，我是口袋布做大衣——横竖不够料。"

"你不跟一跟？跟跟就上啦。"怀玉道。

"我？唱戏就是唱气。每回发声动气，动了丹田气，我就饿了。不如学鸟叫，学鸟叫还可以挣几个大子儿。"

正说着，那边又来了一伙人。

有男有女，大概六七人，由一个个头不高的精悍的中年人领着，分头在练习，地方空阔，也就分成几组了。

生死桥

两个半大小子，十七八岁的，跟着那中年汉子练摔跤基本功夫：举铃子、倒立、翻筋斗……然后二人互相撩扒。

中年汉子在旁指点：

"给他脚绊子，对，你还他几个'插闪'，下盘，下盘，来点劲呀！"

另外两个女的，在抖空竹。

空竹是木头制成的，在圆柱的两端各安上圆盘、两层、中空、边镶竹条，上有四个小孔，用两根竹竿系上白线绳，在圆柱中间绕一圈，两手持竹竿抖动，圆盘就旋转，抖得快，旋转得也迅速，从竹条小孔发出嗡嗡的声音来，洪亮动听，两个女孩把空竹抖出些花样，扔高、急接，倒有点名堂。只听她俩在扬声："猴爬竿，张飞骗马，攀十字架——"

还有一个中年妇人，梳髻的，一个人在远边练双剑，长穗翻飞着，看来像是汉子的媳妇儿。

她身旁的女孩，身子软得很，在倒腰，倒成拱桥，头再自双腿间伸过来一点，伸过来一点……

怀玉问李盛天：

"师父，这一帮子不知道是干啥的？从前也没见过。"

"对。"

"都是练把式杂技的呢。"志高道。

"说不定也是来此讨生活的。"李盛天跟怀玉道："不是说'人能兴地，地也能兴人'么？"

"我在天桥也没见过他们呀。"

"今儿不见明儿见，反正是要碰上的，也总有机会碰上的。"

那伙人练得几趟下来，也一身的汗。便一起到陶然亭那"雨来散"茶馆去。

"雨来散"，其实是摆茶摊卖大碗茶，借几棵柳树树荫来设座。

志高蓦地一扯怀玉：

"怀玉怀玉，你瞧！"

"瞧什么？"

"那个女的——"

顺志高一指，那伙人已弯过柳树的另一边坐下来了，参差看不清。

他们围着一个小矮桌，桌上放了几个缺齿儿大碗和一个泡茶用绿瓷罐，外面还包着棉套的。瓷罐里已预先泡好茶水了，不外是叫"高碎"或"满天星"的茶叶末罢了。

姑娘提了有把有嘴的瓷罐，倒满了几大碗茶，太热了，晾着。几个人说说笑笑。

李盛天见怀玉分了神，有点不高兴。志高见他脸色快变成青了，只好这样的兜托住了：

"人家一个女的也练得这般勤快，你看你，不专心。"

乘机挑唆，睨着师父加盐儿。

"李师父，我替你看管怀玉去。"

师父临行给怀玉说：

"怀玉你要出人头地，非得有点改性不可。"

怀玉觑李盛天和几个师兄弟的背影远去，便骂志高：

"神是你，鬼也是你！"

志高不理他，忙朝"雨来散"茶馆瞧过去，这种茶摊儿，风来乱雨来散，茶客也是呆一阵，不久也散了。

不等志高说话，怀玉也看见一个影儿，随着一众，三步一蹦，五步一跳的，辫子晃荡在初阳里。

是的，那长长的辫梢，尾巴似的，一甩一飕，就过去了。

怀玉与志高会心一望，不打话，走前了两步。

但见人已远走高飞，怎么追？追上了，若不是，怎么办？若是，她忘了，怎么办？若是，她记得，又怎么办？——一时之间，想不出钉对的招呼。

而且，多半也不是的。

志高回头来，望怀玉：

"上呀，别磨棱子了！"

"爹等着呢。你今天上场呀，你都搭准调儿了吧？"

"——呀，老子得上场了！"

二人盘算着时间，到了天桥，先到摊子上喝一碗豆汁。小贩这担子，一头是火炉，上面用大砂锅熬着豆汁；一头是用筐托着一块四方木盘，木盘上放了几盘辣咸菜，都是腌萝卜、酱黄瓜、酱八宝菜，和一盘饼子。

志高放下两个铜板，每人一碗甜酸的豆汁跟焦圈、果子，很便宜，又管饱。

正吸溜着，便听得敲锣了——

"各位乡亲，今天是咱头一遭来到贵宝地——"

志高道：

"嗳，也是初上场的嘛。"

那叫扬声继续：

"先把话说在前面，人有失手，马有失蹄，吃饭没有不掉饭米粒的，万一有什么，还请多包涵。孩子们都是凭本事卖力气，功夫悬着呢。现在小姑娘把功夫奉敬大家——"

"哗！"人声一下子燃起来了。

二人不用钻进场子去，也见了半空隐约的人影。

那是一根杠子，直插晴空，险险稳住，下头定是有人肩了。在杠子上，悬了一个姑娘，只靠她一根长辫子，整个身子直吊下来，她就在半空倒腰、劈叉、旋转……最后不停地转，重心点在辫梢上，转转转，转得眼花缭乱，面目模糊。

大伙都轰然喝采了。

这是天桥上新场子新花样呢。

末了把姑娘放下来，姑娘抱拳跟大伙一笑："谢各位爷们看得起！"

她身后的中年夫妇也出来了：

"好，待姑娘缓缓劲，落落汗。待会还有其他吃功夫的把式……"

怀玉和志高，在人丛外钻至人丛中，认得一点点，变个方向再看，又变个方向，歪着头，是她吗？是她吗？很不放心。

很不放心。

姑娘拎着个柳条盘子来捡散在地上的铜板，捡了刚一站起来，眼睛虽然垂着，左下眼睑睫毛间的痣一闪，果不其然就是她——

"丹丹！"

丹丹睫毛一扬，抬起头来。

含糊地，渐渐清晰了。不管她走过多么远，她"回来"了。

一双黑眼珠子，依旧如浓墨顿点，像婴儿。新鲜的墨，正准备写一个新鲜的字。还没有写呢。

对面的是切糕哥吧，嗳，眼睛笑成了三角形，得意洋洋的，十分顽皮。就是那个猴面人，摘下了面具，猴儿眼，亮了，放光，也放大——虽然原来是不大的。

还有怀玉哥，怀玉有点羞怯，他的眼睛，焦点不敢落在她身上呢，总是落在稍远一点的地方。

每个人的心都在兴奋，又遇上了。

真的吗?

在天桥的地摊场子上，遇上了。

"切糕哥！怀玉哥！"

——不知怎么样话说从头好。

"哦，你的辫子是用来吊的！"志高终于知道这个秘密了。马上给揭发："吊死鬼！"

"志高，看你，什么吊'死'？不像话！"怀玉止住他。

"你们来这转悠呀?"

"不，"怀玉笑："我们都是行内的呀。"

"真的?"

"真的，志高也上场啦，我们在那边摆地摊，你来看?"

"好，我来找你们!"

"一定?"

"一定！说了算数。在哪里?"

唐老大见二人今儿来晚了，有点气。他刚耍了青龙刀，一百八十斤。前些儿还没什么，最近倒是喘着了。汗哗哗的也往裤裆里流。

在天桥这么些年日，看客日渐少了，而且这地方，场上人来又人去，初到的总是新奇，一喷口就黏住了好些人。

怀玉还不来？志高这小子。也是的，没心。

怀玉飞身进了场子。

他先来一趟新招。那是软硬兼施的把式——

江湖艺人讲究跑码头，闯新场子。所以要在同一个地方长期呆着，跟流水式的抗衡，非得变换着活儿不行，生活才可将就混下去，不必开外穴去。

怀玉今儿耍的是红穗大刀跟九节鞭。九节鞭是铁链串成的长鞭，要运用暗力，鞭方可使直；要使用敛功，鞭方可回缠。

每当这鞭与刀，一左一右，一软一硬，一长一短，在交替兼施时，怀玉的刁钻和轻灵，总也赢来采声。

只见他一边耍，有点心焦，场子上有没有一位新来的看客呢？她来了没有？在哪一个角落里，正旁观着他的跌扑滚翻？在一下抢背时，那刀还差点伤己。

他又不想她来。

他甚至不算是想她——只要不可思议地，他跟她又同在一个地方上各自卖弄自己的本事，彼此耗着。

终于怀玉还是以一招老鹰展翅来了结。到收了刀鞭，他看见丹丹了，丹丹很开心地朝他笑着，还拍掌呢。幸亏没有抛拖，怀玉也就放下心事。原来他是想她来的。

他有点憨，上前道：

"耍得不好呀，太马虎了，下回是更好的。"

丹丹道："好神气呀!"

"说真格的，这鞭是很难弄的，你拎拎看，对吧?"

怀玉把九节鞭梢往丹丹手心搔，搔一下搔两下搔三下。

丹丹咬着唇忙一把抓住，用力的晃动直扯：

"哎，你这小子'扠芝麻酱'，谁给你逗乐——"

正笑骂，忽又听得一阵鸟叫。

真是鸟叫。清婉悦耳的鸟声，叫得很亮。

只几声："叽叽，叽叽喳，叽叽喳——"就止住了。

志高煞有介事地，"哗"一声打开了一把大摺扇，不知从哪儿顺手牵羊来的，先跟怀玉丹丹使了个眼色，然后傲然上场。

志高首先向四周看完武场的客人拱拱手：

"各位父老各位乡亲，在下宋志高！又叫'切糕'"——

见丹丹留了神，便继续吹了：

"人送外号'气死鸟'。我一直都在这拉扯长大了，现在空着肚子，搭搭唐老大的场子，表演一些玩艺，平地抠个大饼吃吃。恳请多多捧场，助助威，看着不好，也帮个人场，别扭头就走。看着好，赏几个铜子儿。我可是第一回的。今天，先给大伙开开耳界。"

说得头头是道，想是耳熟能详的便来一套。

志高又把那摺扇轻轻地摆弄了两下，如数家珍："鸟有杜鹃、云雀、百灵、画眉。现在这扇权当鸟的翅膀。百灵叫的时候——"

他把扇子往后一别，伸着脖子，"叽叽"两声，扇子也随着呼搭了两下。

"哎呀，像极了！像极了！"

人群中一阵骚动，见这是新花样，连提笼架鸟溜弯儿的，也来了几个。图新鲜，又有兴头，簇涌得渐多。

志高得意了，眼珠一转，计上心头。

接着他又说道：

"画眉叫的时候呢，两个翅膀是闭拢的——"

听的人被黏住了，瞪着眼竖着耳，有个老大爷，提着笼也在听，捋着胡子的手都不动了，只随志高手挥目送，鸟声远扬，志高在场子中可活了，一鸟入林，百鸟压音似地，还作了个扑楞状……。

忽然便见那老大爷，在志高的表演中间，嚷嚷起来：

"哎，我的鸟死了！"

他把笼子往上提，人人都看见，那个画眉已经蹬蹬了。没一阵就一命呜呼。

老大爷在怪叫：

"怎么搅的？"

"老大爷，你这画眉气性很大呢，好胜，一听得我学鸟学得这么像，被叫影了，活活气死啦！"志高笑道。

"看啊！多棒呀，看啊！这'气死鸟'多棒！"

围观的人都在惊呼了。扔进场子中的铜板也多了。

老大爷忿忿然：

"你混小子，快赔我鸟！"

志高忙道："实在对不起您，招得您鸟气死了，我给赔个不是，不过，我们卖艺的靠把玩意儿演好了挣饭吃，学什么像什么——"

"对呀，"旁观都站在志高那边：

"是他艺高，您老的鸟才一口气咽不下呢！"

正说着，忽见场子外传来一声暴喝：

"呔！你今天算撞在我手里了！"

来了一个四十多岁的流氓丁五，看他奋拉眼角的三角眼，揸着鼻叉的塌鼻子，翻嘴唇里呲出的两颗黄板牙，威风凛凛地踏进来。一手抢了笼子，指着：

"看！什么'气死鸟'？我就见这混小子掣了石子在手，趁大伙不觉，射将中了，喏，画眉不是躺在这石子旁边吗？"

大众哗然。

丁五还道：

"我看你也挺面熟的，你不能说没见过老子吧？实话实说，好像也没打过招呼呢。你倒说说是什么万儿的？"

志高脸上挂不住了：

"别盘道了，我叫我的，你走你的，来创个什么？"

"哦？那脆快点儿，你赔老大爷一只鸟，付我地费，大家就别黏缠了。"

"我才刚上场，还没挣几枚，没有！"

"你问唐老大他们,可有什么规矩?"

"不用问了,我是单吊儿,不跟他们一伙,我也不怕你,要有钱也扔到粪坑里!"

说着说着,叮当五四的,竟打起来了,怀玉见势色不对,马上进了场,把丁五推开,三人一顿胖揍。唐老大无法劝止。

怀玉打得眼睛也红了,竟回身抄起家伙。那边厢丁五是见什么砸什么,志高就被砸中了头,血流披面。事情闹大了,两下不肯收手。

唐老大一见怀玉要抄家伙给志高出头,慌乱得很,莫不要出事了,死抱活扯,不让怀玉欺身上前。

一壁又交待几个正躲在一旁的看客把他给耽搁住,自己上去把丁五连推带拉,说好说歹,请他得些好意便高抬贵手。

唐老大这么的粗汉,还是个拉硬弓的,一下子便分了三人。丁五牙关传来磨牙砺齿的声音,一脸一手是青红的伤和血痕。

唐老大塞给他一点钱:

"请多包涵,小孩儿家不懂江湖规矩,您别跟他们一般见识,别忘了带点香烟钱,谢谢!谢谢!"

怀玉不知道他爹还跟丁五嘀咕些什么,只见二人拉扯离了场子去。

丹丹扶不起倒地的志高。

志高支撑着,但一脸的血,痛得迷离马糊儿,不争气,起不来了。

血又把他的眼睛都浆住,丹丹用衣袖给他抹,没有止住。

看热闹的人见一场戏外的打斗竟又完事了,没切肤之痛,便又靠拢上来——也因为好心肠。

更有个娘们,一手抱了小孩,二话不说,逗他撒了一泡尿……

志高一头一脸给这童尿一浇，马上又痛得弹起来，怪叫怪嚷：

"哗！这尿真狼虎！什么玩意儿？——"

吓得这好心肠的女人，满腔委屈：

"童尿嘛，止血的，我们家都常用童尿止血消肿，对你有好处的。"

大伙不免哄笑起来。

志高气了。

"妈的！全给老子滚开！"志高粗暴地把尿给抹了，血似因此而稀淡了点，也许只是一些混了尿的旧迹，而又真的止住了。

怀玉跟丹丹张罗点布条儿来给扎上。旁边地摊上是卖大力丸和药品，有热心的人马上随手抓来一些丸散膏丹，想给他敷上。

还没打开包包，又有人排众上来了。

"让开！让开"

嫌人客让得慢了，那人粗里粗气的给闯进来，喊：

"喂喂，那药散拿回来！"

原来是旁边那卖大力丸和药品的，抢回正待敷上的一包药散，换上另一包。

"那不管用！我来我来！"

然后熟练地给敷药疗伤。志高头破血流，痛得不安分，便被一手按住：

"你给我坐得矩矩儿的！动什么动！"

却原来，他地摊上卖的，不过是假药，说得天花乱坠，什么狗皮膏、止血散、牙疼药，还有治男子肾亏肾寒、妇女赤白带下的……也是充的。为了治人，一腔热血，忘记了生计，马上自后头木匣中给取了"真药"来……

三两下子，把志高摆弄妥当。受了怀玉丹丹跟唐老大的道谢，方才悟得，脸涨红了。

当然，人群之中也有澄明的，但见他治人心切，也就不搭话了。

而大部分单纯憨厚的老百姓，根本联想不起，只交头接耳称颂他，忘记了他为什么给"换"了管用的药来。

待治人的走了，老百姓又忘记了志高落得此下场，只因为使了奸计。

那死了画眉的老大爷，忽地省得他失去了的，又嘟嘟囔囔：

"你们赔我鸟，赔呀！"

"算啦老大爷，"他们竟劝住了："别让他赔了，您不见他伤了？身上还刮破好儿道，红赤拉鲜的，好可怜嘛！"

"对啦，算了吧？"

唐老大只好过来，又塞给老大爷一点钱，安慰他几句。二人拉扯离了场子去。

志高眼见景况如此，好生悲凉。

从来没上过场，一上场，本以为扎好根基立个万儿，谁知自己是一粒老鼠粪——搅坏一锅汤。

砸了唐老大场子不算，这还是头一回露点本事，本事也不赖呀，偏就人算不如天算，台还塌给丹丹看！丹丹见了，不知有多瞧不起，说不定心里头在取笑："还跑江湖呢，别充大瓣儿蒜了。"

刚才还份儿份儿，趾高气扬的往场子里一站呢，志高一念及此，恨不得地上有个缝儿让他一头钻进去好栖身，再也不出来了。还有怀玉，怀玉是怎么的期望他好好的表演一场，大家携手并肩的呢。

唉，众目睽睽，无地容身，他该当如何铺个台阶，好给自己下台？十九年来，从未遭遇这番难题呀。

勉力抖擞一下，抱拳敬礼：

"唐叔叔，不好意思，这点钱我一定还您！各位乡亲父老，不好意思，您们就此忘了我吧！您们就当我死了吧！"

"哎，别这样！"

志高踉跄地离了此地。一路上，怀玉和丹丹在他身旁搀着。志高道：

"你俩回去吧。"

怀玉见他不稳，坚持：

"到我家躺一会去。"

"我还好意思上你家？"志高也坚持。"不去！"

眼看自己一身血污，天星乱冒，既已落得这番田地，一点面子也没了，还充鹰？胃里不舒服，闹心，又打了个贼死的，浑身拧绳子疼，觅个安乐乡躺下来睡个天昏地暗才是。

真的，也不是走投无路。横竖名誉扫了地，乐得豁出去。

"我到我姊那儿去！"

"送你去！"怀玉不肯走。

"送吧。丹丹回去！"

"我也要送！你赶我不走！"丹丹蛮道。

"送吧送吧，都一块去。反正我逃不了！"逃不了啦。——志高负气地，步子也快起来。

大白天，到处都热闹喧嚣，惟独这胭脂胡同呢，晨昏颠倒了，反倒宁静。

有一大半的人没起来呢。要起来了，也是像闹困的迷路小孩，慵倦的，没依凭的。

红莲打着个老大的呵欠，跟隔壁的彩蝶儿懒道："哎，今儿闲着，我'坏事儿'来了呢。"

呵欠没完，半张嘴，蓦地见了这三人。

"哎野，志高，什么事？"红莲赶忙延入，坐好。

"上哪儿打油飞去了？打上一架了？"一边进进出出给张罗洗脸水，一边问："伤在那儿？疼不疼？"

"疼呀。"志高道："这是丹丹。我姊。"

"丹丹坐。"

丹丹见他姊，真是老大不小的，有四十了吧？身穿一件绿地洒满紫蓝花的上衫，人儿瘦，褂子大，褛褛的，看上去又似风干了的一块菜田，菜落子都变了色。

奇怪，一张蜡黄的颧骨硬耸的脸，有点脂粉的残迹，洗一生也洗不干净，渗在缝里的。

红莲常笑，进进出出也带笑。没笑意，似是一道纹，一早给纹在嘴角，不可摆脱。

红莲畏怯而又好客地，问："怀玉饿不饿？丹丹要不要来点吃的？"

她其实一颗心，又只顾放于志高的伤上。

志高见娘此般手足无措，只他一回来，平添她一顿忙乱。看来还没睡好呢。眼泡肿肿的。因专注给他洗净脸上的血污，俯得近乎，志高只觉那是一双睽违已久的眼睛。当他还是一个很小很小的孩子时，他也曾跟她如此的接近——谁又料到，这眼睛仿佛已经有一千岁。

"疼不疼？疼不要忍，哼哼几下，把疼都给哼出来，唔？"

一股暖意在心头动荡，她仍把他看作小孩……志高马上道："疼死啦！"

又道：

"姊，你给我来点吃的。我饿。一顿胖揍，肚子里又空了。"

听得他有要求，红莲十分高兴。

丹丹道："切糕哥你歇着，我得回去跟苗师父师娘说一声，晚点才来看你。"

"晚了不好来！"志高忙答。

"收了摊子我们来。"怀玉与她正欲离去，门外来了个偏着头，脖上长了个大肉疙瘩的男人。

志高楞住了。

怀玉冷眼旁观，二话不说，扯了丹丹走。幸好丹丹也看不清来客。

志高见这矮个子，五短身材，颈脖方圆处，有老大一块肉茧，好像是随人而生，日渐的大了，隆起，最后长成一个肉瘤子了，挂在脖上，从此头也不能抬直。腰板也不能挺直，原来便矮的人，更矮了。

那大肉疙瘩，便是因一个天上伸出来的大锤子，一下一下给锤在他头上，一不小心，锤歪了，受压的人，也就生得更不像样。

这矮个子，倒是一脸憨笑，眼睛也很大呢，在唤着红莲时，就像一个老婴儿，在寻找他的玩伴。

志高忍不住多看一眼。

"先回去。"红莲赶他。

"什么事？"

"叫你先回去。——我弟出事了。"

"出了什么事？"

“别管啦，打架，现在才是好点。”

志高在里头听见红莲应对，马上装腔：

“还疼呀——腿也麻得不能抬，哎——真坏事，沉得噜。唉——”

“你过三天来。”红莲悬念着志高。

“过两天成不成？”

“成啦成啦。”

“你弟，看我帮得上帮不上？”

红莲把他簇拥出门，他还没她高呢，哄孩子一般：

“去去去，狗拿耗子，我弟是乱儿搭，强盗头子，你帮不了。鲁大哈的，还来插一手。妈的，别拉扯！”

送走了客，红莲又回到屋子里，二人竟相对无言，各自讪讪的。若他不是伤了，也不会呆得这样久吧。她又只好找点活来干，弄点吃的去。

“贴张饼子你吃？”厨里忙起来。又传来声音：

“还是热几个窝窝头。呀不，饼子吧？有猪头肉，裹了吃。”

“省点事就是。”志高出其不意试探他娘：“那武大郎是干什么的？”

“是个炒锅的。”

“卖什么？”

“多喽，什么炒葵花子、炒松子、大花生、五香瓜子……最出名的是怪味瓜子。”

“脖子才是怪。”

“从前他是个窝脖儿的。”

“哦——还以为身体出了毛病。”

志高夹着猪头肉，给裹在饼子里，一口一口的，吃得好不快活。

红莲坐到他的对面，很久没仔细端详这个长大了的孩子。

他来吃一顿，隔了好一阵，才来吃另一顿——那是因为他找不到吃的。

红莲没跟他话家常，也没什么家常可话，只是绕在那矮个子的脖子上聊，好像觅个第三者，便叫母子都有共同的话儿了。

"你知道，干他们这行，总是用脖颈来承担百多斤的大小件，走了十几里，沿道不能抬头，也不能卸下休息。"

"哪有不许休息的？"

"搬家运送，都是瓷器镜台脸盆什么的，贵重嘛，东家一捆起来，摆放保险了，用木板给放在脖颈上，从这时起就得一直的顶着上路啦，不容易呀。"

志高想起他也许是长年累月地顶着，买卖干了半生，日子长了，大肉疙瘩便是折磨出来的——又是一个哈腰曲背的人。多了个粗脖肉瘤，那是老天爷送的，非害得他更像武大郎了不成，推也推不掉。

"武大郎姓不姓武？"

"啐，什么武大郎？"志高不提防娘啐他 下，想起小时候，有一天，她坚决地打扮着，插戴了一朵花。志高向她瞪着小眼睛。娘朝他啐一下："小子，瞪什么？要你爹在，你怎么会认不得娘？"说着夹了泪花千叮万嘱："以后就叫我姊，记得吗？叫，叫'姊'！"

"姊！"

"唔？"红莲应，志高神魂甫定，只好问道："姓什么的？"

"姓巴。"

"巴？"志高笑："长得没有巴掌高的'巴'？"

"别缺德了。"

"好怪的姓。没我的姓好。"

红莲不知心里想着什么，忽尔柔柔牵扯一下。踌躇着，好不好往上追溯？只是她不知道他跑到哪里去。一个男人不要一个女人，她往往是在被弃之后很久，方才醒过来，但没明白过来。这世界阴沉而又凄寂，仿佛一切前景转身化作一堵墙。

"你姓好，命不好。"红莲对志高道："我是活不长了，只担着心，不知你会变成个什么样儿的。唉。"

"过一天算一天，有什么好担心？别说了。"志高不愿意重复前一阵方才刁刁叨叨，束手无策的话儿。他最拿手的工夫是回避，马上想以一觉来给结束了前因后果。

红莲喊他进房里，他道：

"我睡这。"指指墙角落儿。有意的不沾床边。

"睡床上吧？"红莲又赔着笑，也不勉强："要不我也躺一会。"

好久没逮着这般的机会了，红莲像有好多话，待说从头。母子一高一下的对躺，稀罕而又别扭。志高一蜷身子面壁去。

"我也不想修什么今生来世。前一阵，四月八日不是佛祖过生日吗？庙里开浴佛会呢，我去求福了。我没敢进去，只在外头求，诚心就灵了。我求佛祖指点你一条明路——"

"不管用，狗头上插不了金花。"

"你会有好日子的。"

"好好好，要我有好日子，那你就不干这个了——"志高没说完这话。说不下去。哪有什么好日子？漫漫的一生，起步起得冒失，都是命，跟个灯篓风儿似的，一点儿囊劲也没有。比一个卖身的女人更差劲。志高想，唉，烂眼睛又招苍蝇，总之是祸不单行。

红莲倒是捡了这话："说真格的，要是不干这个，也不致饿死。我是对你不起。"

"你倒是让多少个男人睡了？"志高猛地回身问她。

红莲正思量该当怎么回答。

志高再问了："你倒是让多少个男人睡了？"

"怎的问起这个来呢？"

红莲迟暮的眼睛垂下来了，垂得几乎是睡死了，嘴角那微弯却是根深蒂固的，看清楚，原来这是天生的"笑嘴"。红莲也没看志高。儿子盘问起她的堕落经来了。

"志高，"她只得淡淡地道："你长大了，难道不晓得，我只跟'一个'男人睡了！要不怎么有你呢？也许，你是到死都不原谅我，那由你——"

"姊——"

"哎，没人，你就别喊我姊！"

"不，喊着顺溜了，改不了。"志高试探：

"那姓巴的，瓜子儿巴，对你倒是不错吧？"

"都是买卖嘛，零揪儿的。"红莲道："别胡说了。"

志高马上拿腔儿，装得欢喜轻松：

"喏，你当是为了我，别当为自己，对吧？你瞧你，擦了这许多的粉，还干巴疤裂的，打了这么多的摺子。嗳，再过一阵，穿得花巴棱登的，都不管用——"

"你看你这张损人的嘴——"

"不呢，我说的是真心话，你要是专门侍候一个，你想呢，哈，要不知道是谁得了美。我们都是断了腿的蛤蟆了——跳不了多高，我又没办法养活你……"

才在笑，打哈哈，志高没来由一阵心酸，这样的话，不知是什么话，志高说着，缓缓的把脸别过墙去。

生死桥

转一下身，轻轻打个呵欠，再用手掌掩一掩嘴，手顺势往眼角一抹，就这样，把那将要偷偷窜出来的泪水不经意地，也不着迹地，给抹掉了。

　　"我困了。"再也不搭话。

　　红莲看不出什么来：

　　"不再聊一阵？"好不容易母子聊了一阵话，他竟又困了。

　　志高一睡，解了千古忧困。

　　黄昏时分，丹丹一个人来了。

　　志高还没有醒过来呢。丹丹摇晃他，唤："切糕哥，天亮了，起来了！"

　　他接近软化的四肢，开始有点知觉，腰酸背疼的，也不知睡了多早晚，太阳确已西下，还是熬人的，背上也就汗濡一片。志高擦擦眼睛，又醒过来了，以为是一天了，谁知还没过去。见着丹丹，只一个人，问：

　　"怀玉呢？"

　　"还说呢，唐叔叔生气啦，骂你，怀玉帮他收拾烂摊子，还不巴巴的跟着回家去？"

　　志高听了，口鼻眼睛都烦恼得皱成一团，像个干瘪老头儿，无限的忧伤。怎么解决呢？

　　只好把汗臭的上衣给换了，披件小背心，领丹丹出来。回头跟红莲道：

　　"姊，我走了。"

　　红莲眼看一个大姑娘，跟自己儿子那么的亲近无猜，心中不无拈酸醋意，到底是什么人？她一来，他就呆不住了？也是个吃江湖饭的标致娃儿，轻灵快捷，几步就蹦出胡同口了。红莲目送二人走远。

　　"你姊真怪，不笑也像笑样。嗳，她瞪着我看，好愣，你姊怎么这么的老？那你娘不是更老了吗？你没娘，对吧？"

"丹丹——"

"什么？"

"没什么了。"志高回心一想，急急的说了，怕一迟疑，又不敢了："丹丹，我还是告诉你吧，瞒下去是不成的，反正你迟早都会知道，我非卷起帘儿来唱个明白——"

"你说吧，辔里辔嗦的，说呀。"

"好，我说。"志高坚强地豁出去了："刚才的，就是我娘。"

"哦？怪道呢，这么的老。"

"她是我娘，因为——她干的是'不好'的买卖，要我喊她姊……我此后也是喊她姊的。你就当给我面子，装作不知道。怀玉也是这样的。"

"好呀。"

"答应了？"

"好呀，我不告诉人家。我也不会瞧不起你们，你放心好了。"

"丹丹你真好。"

"我还有更好的呢！"

志高放宽了心，人也轻了，疼也忘了。自以为保了秘密，其实北平这么一带的，谁会不知道？不过不拆穿便了。亏志高还像怀里揣了个小兔子，一早晚怦怦直跳——也因为她是丹丹吧？

如今说了，以后都不怕了。

"你怎么不跟黄叔叔呢？你黄哥哥呢？现今下处在哪？来这呆多久？"

"哎，"丹丹跺足："又要我说！我呀，才刚把一切告诉怀玉哥了，现在又要再说一遍。多累！"末了又使小性子，像她小时候："我不告诉你。"

"说吧？"志高哀求似的，逗她："我把我的都告诉你了。"

原来丹丹随黄叔叔回天津老家去，黄叔叔眼看儿子不中用了，也就不思跑江湖，只干些小买卖，虽是爱护丹丹，但小姑娘到底不是亲骨血儿，也难以照拂一辈子的。刚好有行内的，也到处蠆竿子卖艺，便是苗师父一伙人，也是挂门的，见丹丹有门有户的出来，一拍胸口，答应照顾她，便随了苗家一伙，自天津起，也到过什么武清、香河、通县、大兴……大小的地方，现在来了北平，先找个下处落脚，住杨家大院，然后开始上天桥摆地摊去。

丹丹又一口气的给志高说了她身世。

"你本是黄丹丹，现在又成了苗丹丹。怎么搞的，越活越回去了？还是苗呢？过不了多久，倒变成籽了，然后就死了。"志高道。

丹丹嘟着嘴，站住不肯走了。

也不知是什么的前因后果呀。丹丹，她原来叫牡丹。"牡丹本是洛阳花，邙山岭上是我家，若问我的名和姓，姓洛名阳字之花。"——丹丹是没家的，没姓的，也配不上她的名的。花中之王，现今漂泊了，还没有长好，已经根摇叶动。真的，在什么地方扎根呢？是生是死呢？这么小，才十七，谁都猜不透命运的诡秘。志高被她的刁蛮憨住了。就像头憋了一肚子气的猫。明知是装的。

"你别生气，我老是说'死'，是要图个吉利，常常说，说破了，就不容易死了。"志高慌忙的解说。

"要死你自己死！"

丹丹说着，辫子一甩，故意往另一头走，出了虎坊桥，走

李碧华作品集

向大街东面。

"丹丹，丹丹！"志高追上去："是我找死，磕一个头放三个屁，行好没有作孽多，我是灰耗子，我是猪八戒……"

"哦，你绕着弯儿骂你娘是老母猪?"丹丹道。

"不不不。"志高急了，想起该怎么把丹丹给摆平？他把她招过来，她不肯，他走过去，因只穿件小背心，一招手，给她看胳肢窝，志高强调：

"我给你看一个秘密：我这里有个痣，看到吗？在这。嗳，谁都没见过的，看，是不是比你那个大?"

"嗳，真像个臭虫，躲在窝里。"

志高笑起来。

他很快活，恨不得把心里的话都给掏出来，一一的告诉了丹丹，从来没那么的渴望过。

真好，有一个人，听几句，抬杠几句，不遮不瞒，不把连小狗儿呲牙的过节儿记在心里，利落的，真心的，要哭要笑，都在一块……

咦，那么怀玉呢?

——忽地想起还有怀玉呀。

"丹丹，你先回家，我找怀玉去。"

志高别了丹丹，路上，竟遇上了大刘。他是个打硬鼓儿的，手持小鼓，肋夹布包，专门收买细软，走街串巷找买卖。许多家道中落的大宅门，都经常出入。

这个人个头高高，脸长而瘦，在盛暑，也穿灰布大褂，一派斯文。敲打小鼓儿，一边吆喝：

"旧衣服、木器，我买。洋瓶子、宝石，我也买……"

见到志高，大刘问：

"你姊在吗？她叫我这两天去看她的一只镯子。"

"不在。"志高回大刘：

"她不卖了。"

"'不卖'的是什么？"大刘乜斜着眼问。一种斯文人偶尔泄漏出来的猥琐。

"镯子。"

"哦——"

志高只想着，娘仅有一只镯子，猜是下落不明的爹所送。卖了，反悔了，难免日思夜惦，总想要回东西。志高估摸娘实是舍不得，马上代推掉了。然后心里七上八落。——钱呀，想个法子挣钱才是上路。

来到了怀玉的那个大杂院，远远便听得哭喊声，见一个呼天抢地的母亲，把孩子抱出来，闹瘟疹，死掉了。在她身后，也有四个，由三岁到十一二岁的。穷人就有这点划算，死掉了一个，不要紧，还有呢，拉拉扯扯的，总会得成长了几个，然后继承祖先的"穷"，生命香火，顽强地蔓延下去。

那伤心的母亲领了他兄弟姊妹，拿席子卷了尸首去——死了一个，也省了一个的吃食呀。志高心头温热，他竟是活着呢，真不容易。

敲了唐家的门子，一进去，不待唐老大作声，也不跟怀玉招呼，志高扑一下给跪下来："唐叔叔，我给您赔罪！"

唐老大气还没消，这下不知如何收拾他。

志高又道："对不起您，以后我也不敢搭场子了。"

说完了，起来逃一般的走了。

唐老大也不好再责怪什么了，看着他背后身影："这孩子就是命不好。"

怀玉跟他爹说：

"命好不好，也不是没法可想的。虽是谋事在人，成事在

李碧华作品集

天，也得去'谋'呀。——爹，我也不打算永远泡在天桥的，我明天跟李师父说去，让他给我正正式式踏踏台毯。"

"你去练功，我不数算就是，不过你去当跑龙套的，什么时候可以出头？连挣口饭吃的机会都没有！"

"我要去，不去我是不死心的。"

"你不想想我的地步？"

"爹，摆地摊吃艺饭又是什么地步？圣明极了也不过是天桥货。"

"没有天桥，你能长这么大？"唐老大气了。他也不愿意怀玉跟随他，永不翻身，永永远远是"天桥货"。但，怀玉的心志，原来竟也是卖艺。卖艺，不管卖气力卖唱做，都是卖。不管在天桥，抑或在戏园子，有什么不同？有人看才有口饭吃，倚仗捧场的爷们，俯仰由人，不保险的，怀玉。

唐老大要怎样劝说那倔强的儿？

"谁有那么好运道，一挑帘，就是碰头采？要是苦苦挣扎，扯不着龙尾巴往上爬，半生就白过了。"

他说了又说，怀玉只是坚持，强强老半天："千学不如一唱，上一次台就好！"

唐老大明知这是无以回头的。当初他跟了李盛天，早已注定了，怎么当初他没拦住他？如今只箭在弦上。唐老大一早上的气，才刚被志高消了一点，又冒了：

"你非要去，你去！你给我滚！"

一把推走这个长大了的儿子。

怀玉踉跄一下，被推出门去了。

唐老大意犹未足：

"你坍了台就别回来！"

然后重重的坐下来。孩子，一个一个，都是这样：以为自己行，马上就坍台了，残局还不是由连苍蝇也不敢得罪的大人来收拾么？早上是志高，晚上是怀玉，虎背熊腰的粗汉，胡子就这样的花白起来了。像一匹老马，载重的，他只识一途，只得往前走，缓缓地走着，是的，还载重呀，终于走过去。他多么希望他背负的是玉，不是石头。怀玉，自己不识字，恳请识字的老师给他起个好名儿呢，怀的是玉。没娘的孩子，就算是玉，也有最大的欠缺。唐老大想了一想，便把门儿敞开，正预备把怀玉给吆喝进来了。

谁知探首左右一瞧，那里还有他的影儿？作爹的萎靡而怆惶。

——孩子大了，长翅了。

从前叫他站着死，他不敢坐着死。

赶出门了，却瑟缩在墙角落，多么的拧，末了都回到家里来。

啊一直不发觉他长翅了。

他要飞，心焦如焚急不及待的要飞。孩子大了，就跟从前不一样了。

怀玉鼓起最大的勇气，恭恭敬敬地等李盛天演完了一折，回到后台，方提起小茶壶饮场。觑着有空档，企图用三言两语，把自己的心愿就倾吐了——要多话也不敢。他一个劲的只盯着师父一双厚底靴：

"——这样的练，天天练，不停练……不是'真'的呀。反正也跟真的差不多了，好歹让我站在台上，就一次……"

李盛天瞅着他，长得那么登样，心愿也是着迹的：要上场！

"哦，你以为上台一站容易呀？大伙都是从龙套做起。"

"您让我踏踏台毯吧，我行！"

"行吗?"师父追问一句。

"行呀行呀,一定行的,师父,我不会叫您没脸,龙套可以,不过重一点的戏我也有能耐,台上见就好。"

李盛天见这孩子,简直是秣马厉兵五内欢腾,颜面上不敢泄漏出来,一颗心,早已飞上九霄云外。

师父忍不住要教训他:

"你知道我头一回上场是什么个景况?告诉你,我十岁坐科,夏练三伏,冬练三九的,手脸都裂成一道血口了。头一回上场,不过是个喽罗……"

李盛天的苦日子回忆给勾起来了,千丝万缕,母亲给写了关书,画上十字,卖身学习梨园生计,十年内,禁止回家,不得退学,天灾疾病,各由天命。他的严师,只消从过道传来咳嗽声,师兄弟脸上的肌肉会得收紧,连呼吸都变细了——全是"打"大的。一个不好,就搬板凳,打通堂。

那一回夏天,头上长了疥疮,上场才演一个龙套吧。头上的疮,正好全闷在盔头里,刚结的薄痂被汗汇水洗的,脱掉了,黄水又流将出来。就这样,疼得浑身打颤,也咬着牙挺住,在角儿亮相之前,跑一个又一个的圆场……

怀玉虽是苦练,但到底是半路出家的,没有投身献心的坐过科。

比起来,倒真比自己近便了,抄小道儿似的。

李盛天没有把这话说出来,他不肯稍为宠他一点,以免骄了——机会是给他,别叫他得了蜜,不识艰险。

怀玉只听得他可跟了师父上场,乐孜孜,待要笑也按捺住。一双眼睛,闪了亮光,把野心暗自写得无穷无尽。这骗不了谁,师父也是过来人。好,就看这小子有没有戏缘,祖师爷赏不赏饭吃,自己的眼光准不准。功夫不亏人,功夫也不饶人。怀玉的一番苦功，要在人前夺魁，还不是时候；龙套呢，却又太委屈了。李盛天琢磨着。

"这样吧，哪天我上'华容道'，你就试试关平吧。我给班主说去。不过话得说回来，几大枚的点心钱是有，赏的。份子钱不算。"

——钱？不，怀玉一听得，不是龙套呀，还是有个名儿的脚色呢，当下呼啸一声……

"怀玉哥，有什么好高兴的事儿？"

在丹丹面前，却是一字不提。

对了，告诉她好，还是瞒着呢？

头一回上场，心里不免慌张，要是得了采声，那还罢了；要是像志高那样，丢人现眼的，怎么下台？还不知道会有什么结果？心高气傲，更是输不起的人。

不告诉她，不要她来看——要她看，来日方长呀，她准有一天见到他的风光。怀玉倒是笃定。在关口，别叫一个娘们给影响忾阵了。卡算着，就更不言语了。

丹丹跟怀玉走着路，走着走着，前面胡同处青灰色的院墙里，斜伸出枝叶繁茂的枣树枝来。盛夏时节，枣儿还是青的，四合院里有个老奶奶，坐在绿荫下，放上两个小板凳，剥豆角。

蝉在叫。怀玉伸手想摘几个枣儿来解渴。手攀不上呢，那么的高，只因太乐了，怀玉凭着腰腿，一二三蹦的站上墙头，挑着些个头大的，摘一个扔一个，让丹丹给接住，半兜了，才被奶奶发现："哎呀，怎么偷枣儿呢！"她忙赶着。

怀玉道："哈！值枣班来呢。早班晚班都不管用了！"丹丹睨着这得意非凡地笑的怀玉，正预备跳下来。

还没有跳，因身在墙头，好似台上，跟观众隔了一道鸿沟。丹丹要仰着头看怀玉，仰着头。真的，怀玉马上就进入了高人一等的境界了。心头涌上难以形容的神秘的得意劲，摆好姿势，来个"云里翻"。

　　往常他练云里翻，是搭上两三张桌子的高台，翻时双足一蹬，腾空向后一蜷身……好，翻给丹丹看，谁知到了一半，身子腾了个空，那老奶奶恨他偷枣儿，自内里取来一把竹帚子，扔将出来，一掷中了，怀玉冷不提防，摔落地上。猛一摔，疼得揪心，都不知是哪个部位疼，一阵拘挛儿，丹丹一见，半兜的枣儿都不要，四散在地，赶忙上来待要扶起他。

　　怀玉醒觉了，忍着——这是个什么局面？要丹丹来扶？去你的，马上来个蜈蚣弹，立起来，虽然这一弹，不啻火上加了油，浑身更疼，谁叫为了面子呀？便用手给拍掉了土，顺便按捏一下筋肉，看上去，还像是掸泥尘，没露出破绽来。忍忍忍！

　　"怎么啦？"

　　"没事。"怀玉好强："这有什么？"

　　"疼吗？"

　　"没事。走吧。"怀玉见老奶奶尚未出来拾竹帚，便故意喊丹丹："枣儿呢？快给捡起来，偷了老半天，空着手回去呀？快！"

　　二人快快的捡枣儿。看它朝生暮死的，在堕落地面上时，还给踩上一脚。直至老奶奶小脚叮咚的要来教训，二人已逃之夭夭。丹丹挑了个没破的枣放进嘴里：

　　"嘻，不甜的。"

　　怀玉痛楚稍减，也在吃枣。吃了不甜的，一嚼一吐。也不多话。

　　丹丹又道：

"青枣枣的，什么味也没有。"

见怀玉没话，丹丹忙开腔："我不是说你挑的不甜呀，哎，你别闷声不吭。"

"现在枣儿还不红。到了八月中秋，就红透了，那个时候才甜脆呢。"

"中秋你再偷给我吃?"

"好吧。"

"说话算数，哦？别骗我，要是半尖半腥的，我跟你过不去!"

"才几个枣儿，谁有工夫骗你?"

"哦，如果不是枣儿，那就骗上了，是吗?"

怀玉拗不过她，这张刁钻的嘴。只往前走，不觉一身的汗。丹丹在身边不停的讲话，不停的逗他："你跟我说话呀?"

清凉的永定河水湛湛缓缓的流着，怀玉跑过去在河边洗洗脸，又把脚给插进去，好不舒服，而且，又可以避开了跟丹丹无话可说的僵局。她说他会骗她，怎么有这种误会?

丹丹一飞脚，河水撩他一头脸，怀玉看她一眼，也不甘示弱不甘后人，便还击了。

玩了一阵，忽地丹丹道：

"怀玉哥，中秋你再偷枣儿给我吃?"

他都忘了，她还记得。怀玉没好气：

"好吧好吧好吧!"

"勾指头儿!"

丹丹手指头伸出来，浓黑但又澄明的眼睛直视着怀玉，毫无机心的，不沾凡尘的，她只不过要他践约，几个枣儿的约，煞有介事，怀玉为安她的心，便跟她勾指头儿。丹丹顽皮地一勾一扯，用力的，怀玉肩膊也就一阵疼，未曾复元，丹丹像看透了："哈哈，叫你别死撑！"

又道："你们男的都一个样，不老实，疼死也不喊，撑不了多久嘛，切糕哥也是——咦？我倒有两天没见他了，你见过他没有？"

"没有。平常是他找我，我可不知到哪里找他，整个北平都是他的'家'，菜市的席棚、土地庙的供桌、还有饭馆门前的老虎灶……胡同他姊那里倒是少见。"

"他的'家'比你大，话也比你多。你跟我说不满十句，他都是一箩筐一箩筐的给倒出来呢。"

"他嗓子比我好嘛。"

"这关嗓子什么事？——这是舌头的事。"丹丹笑："他有两个舌头！"

"你也是。"怀玉道。

二人离了永定河，进永定门，走上永定门大街，往北，不觉已是前门了。

前门月城一共有三道门，直到城楼的是前门箭楼。北平有九座箭楼，各座箭楼的"箭炮眼"，直着数，都是重檐上一个眼，重檐下三个眼；横着数就不同了，不过其他八座箭楼都是十二个眼，只前门箭楼有十三个眼。为什么会多出一个眼来？久居北平城的老百姓都不了了之。

正是多一事不如少一事了。

悠悠的走着，又过了半天。

忽然，前边也走着一队来势汹汹的人呢。说是来势汹汹，因为是密密匝匝的群众。还没看得及，先是鼎沸人声，自远远传来，唬得一般老百姓目瞪口呆，在没搞清楚一切之前，慌忙张望一下，队伍操过来了，又马上觅个安全的栖身之所，只把脑袋伸张一点——一有不对，又缩回去了。"弹打出头鸟"，谁不明白这道理？都说了几千年了。

怀玉拉着丹丹站过一旁，先看着。

都是些学生。是大学生呢。长得英明，挺起胸膛，迈着大步。其中也有女的。每个人的眼神，都毫不忌惮地透露出激奋和热情，义无反顾。

大家站到一旁，迎着这人潮卷过来。

队伍中，走在前头的一行，举起一面横布条，上面写着："把日本鬼子赶出东三省！"后面也有各式的小旗帜、纸标语挥动着，全是："反对不抵抗政策！"、"出兵抗日！"、"抵制日货！"、"还我中国！"……

人潮巨浪汹涌到来，呼喊的口号也震天响至，通过这群还没踏出温室的大学生口中，发出愚钝的老百姓听不懂的怒吼。

"他们在喊什么？"

"说日本鬼子打我们来了。"怀玉也是一知半解的。

"怎么我们都不知道呀？"丹丹好奇问。

"听是听说过的，你问我我问谁去？"天桥小子到底不明国事。

"唐怀玉！"人潮中竟有人喊道。

怀玉一怔，听不清楚，估道是错觉。

在闹嚷嚷的人潮里，跑出一个人。是一个唇上长了几根软髭的青年人，面颊红润，鼻头笔直，眼神满载斗志。

怀玉定睛看看这个头大的学生，啊原来他是何铁山。

"何铁山，认得吗？小时候在学堂跟你打上一架的何铁山呀！"

怀玉记起来了，打上一架，因为这人在二人共用的长桌子上，用小刀给刻了中间线，当年他瞧不起怀玉呢，他威吓他："你别过线！"怀玉也不怕："哼！谁也别过线！"

后来是谁过了线？……总之拳脚交加了一阵，决了胜负。怀玉记起来了。目下二人都已成长。何铁山，才比自己长几岁，已经二十出头吧。他家趁有点权势，所以顺理成章的摇身一变，成为大学生；自己呢，还是个没见过世面的雏儿。真的，谁胜谁负？

只是何铁山再也不像当年的幼稚和霸道了，少年的过节，并没放在心上。他英姿勃发，活得忙碌而有意义，读书识字，明白家国道理，现在又参加反日集会，游行示威。

因为家道比较好，懂的也比较多，真的，他变了——惟一不变的，也许是这一点执着：

"你别过线！"

谁"过了线"，他便发难。

何铁山递给怀玉一叠油印的传单纸张，道："唐怀玉，拜托你给我们派出去，请你支持我们，号召全国人民抗日，反侵略。你明白吗？现在东北辽宁、吉林和黑龙江三省，两百万平方里领土、三千万个同胞都已沦于敌手，很快，他们就会把中国给占领了……"他说得很快、很流利，自因不停地已宣传过千百遍了。只听得怀玉一楞一楞的。

何铁山一口气给宣传完毕，挥挥手，又飞奔溶入队伍中，再也找不着了——在国仇家恨之前，私人的恩怨竟然不知不觉地，一笔勾销。

丹丹犹满怀兴奋，追问着零星小事：

"你跟他打上一架？谁赢了？"

"你说还有谁？"怀玉道。

"哼，是那大个子赢的！"丹丹故意抬杠："你看是他跑过来喊你。"

"输的人总比赢的人记得清楚一点。"怀玉道。

"我不信!"

娘们爱无理取闹,你说东,她偏向西,都不知有什么好玩儿。怀玉只低首把那宣传单张浏览一遍。他觉得,这根本不是他的能耐,多可笑,"号召全国人民抗日",什么叫"号召"?"全国人民"有多少?怎样"抗日"?该如何上第一步?怀玉皱着眉,那横冷的一字眉浓浓聚合着。

丹丹偏过头望他,望了一阵,见他不发觉,便一手抢了单张去。

"我也会看呢。喏,这是'九一八',九一八什么什么,日本什么华,行动,什么什么暴露……"

"阴谋!"

"阴谋?是说日本鬼子使坏?是吧?他们要来了,怎么办?"

"呀,不怕,咱有长城呢。"怀玉想起了:"北方的敌人是攻打不过来的。"

"对——不过,如果敌人从南面来呢?"丹丹疑惑。

"没啦。不会的,南面的全是我们自己人嘛。攻什么?都是外头乱说的荒信儿,消息靠不住。"

当下,二人都仿佛放下心来。而队伍虽然朝西远去了,谁知措手不及地,竟又狼奔豕突,望东四散逃窜了,好似有人把水泼进蚂蚁的窝里,性命攸关。

"警察来了!警察来了!"

对,是来驱赶镇压的。手无寸铁的大学生们都只好把旗帜、标语一一扔掉了。"把日本鬼子赶出东三省"的横布条,被千百双大小鞋子给踩成泥尘。鬼子没赶着,警察倒来赶学生,从前当差的老对付书生,今天警察又爱打学生——看来只为赢面大。然而,输了的人总是永远记得的。比赢的人清楚。

未几，满世又回复了悠闲，"全国"都被置诸脑后，好像只发生过一场硬生生搭场子的评书。一个人讲完整个简单的故事。

一鸡死一鸡鸣，倒是传来清朗的喊声："本家大姑奶奶赏钱一百二十吊！"

原来自西朝东这面来的，是有钱人家抬扛的队伍呢。这是大殡，丧家讲究体面。有人敲着响尺，远远听见了。

抬扛的一齐高喊："诺！"

丹丹忙瞪着眼睛看那打执事的，举着旗、锣、伞、扇，肃静回避牌、雪柳、小呐。吹鼓手、清音、乐队也列队浩荡前进。很多人都尾随着围观。

本来街上那吹糖人的，正用小铁铲搅乱铁勺内的糖稀，两手拿起一点儿揉弄成猪胆形，预备在折口的管上吹儿下，小金鱼还没吹成，孩子们全都跑去看人撒纸钱了。

只见一辆人力车，拉着百十多斤成串的纸钱，跟在一个老头儿身后，老头儿瘦小枯干，穿一件白孝衣，腰系白布孝带，头戴小帽，两眼炯炯有神，走在六十四人扛的大殡队伍前面，取过一叠厚纸钱，一哈腰，奋力一撒，撒上了半空。

这叠白色的圆钱，以为到了不能再高的位置，却又忽地扭身一抖，借着风势，竟似一只一只圆圆的中间有个洞洞的大眼睛，飘远飘高，风起云涌，迄自翻腾，天女散花，在红尘中作最后一次的逍遥。

人们看他撒纸钱，依依不舍，万分的留恋，这盛暑天的白雪，终于软弱乏力地漂泊下堕了，铺满在电车轨上，没一张重叠。

队伍寸进，丹丹瞥到那老头儿，下巴颏儿有一撮黑毛。丹丹情不自禁地扯着怀玉："看他的毛多怪！"

"这是鼎鼎大名的'一撮毛'呢！他撒纸钱最好看了！"怀

玉道："绝活儿！"

人人都来看，因为"好看"，谁又明白丧家的心意呢？逢遇庙宇，穿街过巷，一连串的撒，为的是要死者来世丰足。然而他生未卜，今生却只是一些虚象。打执事的，现钱闲子，反而是因着领"现钱"，便更加落力吆喝。

那清朗的喊声又来了：

"本家二姑奶奶赏钱一百二十吊！"

气盛声宏，腔尾还有余音，这不是他是谁？怀玉和丹丹马上循声给认出来了：

"切糕哥！""志高！"二人几乎是同时地唤着。

天无绝人之路，志高不知如何，又给谋得这打执事的差使。跟他一块的，都是年纪差不多的十几二十岁的男孩，打一次执事，可挣几吊钱，要跟了一撮毛爷爷后面呢，打赏还要多一点，志高因为嗓子好，被委以重任。看他那副得意劲，仿佛是副领队。

怀玉过去，在大殡行列旁，捶他一下："好小子！真有瞧头！"

在人家的丧事中，两个人江湖重遇了，又似长大了一点——怀玉更是无法敛着了，他撇开丹丹，向志高低首沉声的讲了他的大志：

"李师父说……"

志高一壁把厚纸钱递予一撮毛，一壁跟怀玉二人犯彪了的笑将起来。

别看一撮毛是个老头儿，他的眼神可真凌厉，一瞥着志高不专心，瞪他一眼，暗道：

"你别混啦，吓？要有点道德，人家办丧事，咱要假科子可得了？"

怀玉识趣。志高跟他打个眼色，二人分手了，怀玉才记起丹丹等在一边。

丹丹追问："嗳，你跟他抹里抹登的，有什么瞒人的事？"

"没有呀。"

"有就是有。你告诉我？"

"没有就是没有。"

"人家跟你俩这么好，你都不告诉？切糕哥什么都告诉我的。"

"以后再说吧。"

"你说不说？我现在就要知道，说嘛——"

"毛丫头甭知道得太多了。"

"说不说？真不说了？"鼓起腮帮子，撒野："真不说？"

丹丹说着，又惯性地辫子一甩，故意往大街另一头走去了，走了十来步，以为怀玉会像志高般，给追上来，然后把一切都告诉她，看重她、疼她。在她过往的日子里，她的小性子，往往得着满意的回应。

咦？一点动静都没有，她垂着长睫毛，机灵的黑眼珠偷偷一溜。

这个人！哦？眼看自己拧得没边儿，不搭理啦，只摇摇头，就昂然走了。

丹丹恨得闹油儿，他恼撞她了！

演义小说中，关公面如重枣、卧蚕眉、丹凤眼。李盛天揉了红脸后，眉勾蚕，眼勾凤，并无其他花纹，只脑门有一冲天纹，暗示他日后为人所害，不得善终。又因唱戏的一直敬重关公，不敢真像其貌，故在鼻窝旁边点颗痣，名曰"点破"。

李盛天净身焚香勾脸后，在后台便不苟言笑，一字不答，任从身边人来人往，只闭目养神。

今天上的是《华容道》。三国时，群英会集，尔虞我诈，孔明定计借东风，火烧连环船。至东风起时，周瑜差人杀之，亮由赵云接应，返回夏口，并命赵云张飞劫杀曹军。曹操败走华容道，为关羽所阻，操知关喜读春秋，素讲信义，以此动之，关义释曹，自愿回营请罪。

怀玉第一次在广和楼登台，他今天要演的是关平，关平乃关羽之子，也是个有名有姓的。怀玉老早就到了后台，挑了一双略为合整合脚的厚底靴，用大白刷好，又整理他的软靠——因与关公配合时，关平不扎硬靠。也好，总是一身的"靠"，还有腰间一把宝剑，头上一顶荷盔。这行头，怀玉摩挲了老半天。拎了又放，放下又拎。

管箱师父见了不耐烦，粗气地问：

"你演什么呀？"

"《华容道》！"

"这个我当然知道，是什么脚色？"

"关平。"

"哈哈哈……"他仰头笑起来："你这小子，我还以为你不是曹操就是关羽呢，才关平！去去去！站过一旁凉快去，一会儿有你穿的。"说完又忙他的了。

管箱师父一番无心的话，直刺进怀玉心底，他咬着牙，屈辱而又无奈地，只得站过一旁了。

看那李师父，龙冠上绒球儿如火焰，手把上偃月刀泛青磷，金杆光闪闪，气度寒凛凛……

上了场，角儿们在采声中给演完一台戏。那关平，即使他扮相多么的俊，就一直抱着个印盒，站在关公身后，动也不动，等到幕下。

台上的情情义义，聚聚散散，一切于他，似是莫名其妙的身外事。

在三国戏中，小小一个关平，只是各路英雄好汉中间的陪衬品，为了画面好看，才有这个人。一身的银蓝，衬以黄绫裹着的印盒，抱着它，极之架势，在台的一角，静观台上演着的戏。一时间自己也不过是个观众。

因为如此的空闲，刚上场还有点紧张，慢慢的就发觉：他是不重要的，没有人会特地留意他的表现。他虽没有欺场，只是却有工夫放眼台下众生了。

一张张大长桌顺着舞台成行摆放，桌旁分放两条大长凳，看客们对面而坐，分别将头向左或向右扭向舞台看戏，时间一长，他们不免向反方向转动转动，否则脖子就太吃力了。他们喝茶水嗑瓜子，卖糖果的小贩在穿梭，手巾把儿在他们头上扔来扔去，满场飞舞……志高，他的把兄弟，正在墙边一角，交架着手，盯着自己呢。

"唉，上场上场，就光是上了场，老老实实的足足儿站了半天，我看着也拘挛儿。"

下场的时候，志高不客气地，又损了怀玉一顿："在地摊子上作艺，好歹也是站在场中间，局局面面的。"

怀玉不答他。心下也是七零八落，颜面上又抹不开。只好坚持。

"我是头一回嘛，先亮个相。"

"宁为鸡首，才不作牛后呢。"志高不忿。

李师父过来了，问：

"你觉摸着是怎么个滋味儿？"

怀玉马上站起来："我还是要演下去的！"

"好！"李盛天点点头："什么脚色都得演，观众心里总是有底的，别想一步登了天。"

待李盛天一走开，志高朝怀玉会心一笑：

"你呀，就是想一步登了天，别以为大伙不知道。"

怀玉只叮嘱："今天踏台毯的事，不要告诉丹丹。"

"哦?"志高笑："怕丢不起了你?"

怀玉把油彩给抹掉了，他又回复天然。扪心自问，一切自是因着师父的成全。他来到李盛天的座前，道：

"师父，不管你要我演什么，我都上。我会饮水思源。"

"成! 有这个心就好了。"

怀玉瞥到彩匣子旁，有一本《三国演义》，翻开了的，字里行间还有许多红道道。师父顺他眼神看去，便问：

"现在还看书不?"

"有空也看，不过字认得不多，一边看一边猜，大概也有点准儿。"

"这就是了，怀玉，"李盛天道："唱戏的叫人瞧不起，就是因为欠点书底子。咱科班里出身的孩子，读书少，你要是多求知识，多写几个字，揣情度理，就会比别人强。"

每一个丧失读书机会的老人家，巴不得他的下一代多翻几页，把自己失去的，又给补偿回来了。爹这样说，师父也这样说，怀玉顶着上一代的冀望做人，怀玉不是不明白。不过对志高来说，读书比较奢侈，填饱肚子是真理。他问："喂，你分头大吧?"

"没什么。"

"没?"志高怪叫："起了半天云，下不了几点雨，这种傻差事也肯干?"

怀玉回到家里，一言不发——谁知唐老大暗地里已到场看了，心里有数：

"上场倒是矩矩的，没有忙爪儿。"

怀玉一听，知道爹并没固执到底，当下眼睛一亮，道：“爹，下回吧，下回一定更好的！”

赢了爹的体谅，怀玉却也不宽心，因为，丹丹生气了。

这三天，不管在天桥，在陶然亭，在虎坊桥，即便是小摊子上喝茶汤吧，那人刚用高大的红铜水壶给冲了一碗用白面加牛骨髓油炒的茶，并放入芝麻、松仁、核桃仁等，烫烫一大碗，端起来，见丹丹走过，喊她，递上去，丹丹正眼不瞧一下，转身扬长而去。

怀玉捧着茶喝，呆了半晌，不知如何是好。

怀玉只道自己没错，又没得罪她，怎的惹她生气来了？不瞅不睬的，怪难受。只不过少说几句话吧，不定什么都得让她知道了？只好由丹丹去。

——但，这样的过了三天，三天里见不着她音容，若有所失，若有所待。

怀玉肺腑辗转着，似被扰乱了。

幸好今天夜戏里，师父着他演马僮，有点造功，岔了不宁的思绪。

李盛天的项羽，闻得幕后“挑子”喇叭声，吹成马嘶，霸工已是末路，见马亦悲鸣，忙着马僮牵马举鞭上场。怀玉来至“大边”的台口，一轮急牵力扯，把马镇住，待项羽于虞姬身畔，强忍难过，唱散板：

乌骓它竟知大事去矣，因此上在枥下咆哮声嘶……

然后抚马恋马，不舍。最后，不得不让马僮给牵下去了。

怀玉出下场门，他的戏演完了。把马鞭小心地放好，然后闷闷地嘘一口气。

魏金宝，这与怀玉一同长大的男孩，分行之后，专攻旦角。金宝比他长几岁，今年也二十出头了，风华正茂，在班里也成角儿了。当年他不过是"四五花洞"里头真假潘金莲之一；熬了七年，终于成了《拾玉镯》里头惟一的孙玉姣，真不容易。

也许戏演多了，平素也忘记了自身是谁，总是翘起兰花指，用小牙刷蘸牙粉，把他匣子里的头面，仔细地仔细地刷一遍，无限爱恋。缤纷闪亮的，尽是泡子、耳环、太阳花、顶花、正凤、边凤、上中下廉、耳挖子、双面簪、十簪、泡条……像是虚妄的仙境，寄住的。

金宝爱护着嗓子，镇日说话都不动真气，只阴阴细细。怀玉的行当是武生，跟金宝不一样。金宝倒是跟他投缘，每当有人取笑他娘娘腔，总是逃到怀玉身边。虽则怀玉也是小脚色，可因寡言沉实，不论是非，相安无事。

金宝关心地问："怎么啦？心里不痛快？"以为是嫌戏分少。

"你是好料子，学艺全靠自用功，师父是引路人。再熬一阵，就成啦，到那个时候我跟你合演一台。"

"不是的。"怀玉的心事只有自己知道。是不痛快，不过……

"你告诉我吧，别憋在心里了。"金宝凝望着他："如果是志高那小子——"

怀玉心想，怎的每个人都要听他心里的话呢？到底心里有没有话？简简单单的一桩事儿，自家的事儿，那有什么？世上各人都爱小事化大。怀玉也不是个一点点就瞎拉呱的人呀，当下只推却了金宝。

"金宝哥，我没事。"

李碧华作品集

228

魏金宝以眼角送怀玉离了广和楼。

志高倒是数落了他一顿：

"你当然得罪她！她恼你对她不好，三拳打不出一个闷屁来。龙套就龙套，谁没当过龙套？有人一辈子还是龙套呢。明天一大早请罪去！"

早晨，太阳还没有来得及亮相，由志高出面把怀玉押送到丹丹的下处——杨家大院去。

这大杂院里有十多间房呢，住上了很多家子，坷坎儿吗杂儿都是跑江湖、做买卖。有卖布头的、收破烂的、卖故衣的、变戏法的，还有耍猴的。一进门，就有一只猴儿翻个筋斗，给他俩作揖来了。志高像是志同道合，给它还礼，喊了声："兄弟你早！"

练功的，出门到陶然亭去了。卖豆汁的，也开始把大缸中先储存了一天一夜的绿豆汁，经过沉淀，撇出浆水，放入砂锅中熬煮，待它煮阵，酸甜适度，便给挑出去卖……

每家每户每个人，都忙着。苗师父等几个摔跤好汉，正预备出门。没有丹丹份？好生奇怪。志高问：

"丹丹呢？"

苗家不认得二人，只是站住。

怀玉有点大舌头了：

"——我们找丹丹有事。"

其中一个抖空竹的师妹想起来了：有一天，这两个男孩跟丹丹打过招呼，说都是行内的。小不点先瞅二人会心抿嘴，然后跑至北屋檐下，又笑："丹丹！"

呀，原来她一清早洗头发。辫子散了，披了一身，正侧着头，用毛巾给擦干梳好。二人满目是块黑缎，吓了一跳。

黑缎。

怀玉简直为丹丹的一头长发无端地惊心动魄了。他从来都没想象过，当她把辫子拆散之后，会是这样的光景。浓的密的，放任地流泻下来，泛着流光，映着流浪。几乎委地，令他看不清她的本来面目，这恍如隔世仿似陌路的感觉，非凡的感觉。

真的，怀玉已来不及细看她，他竟然拒绝堂堂正正的跟她的眼神对上了。在清晨的微风中，纵有千般燠热，因这奇特的流光，令他年轻的心，跳了又跳。

在怀玉简单的生命里，十九年来，他第一次完全见不着志高，只见着丹丹。迷糊、浮荡——但又是羞耻的。他的心，跳了又跳，跳了又跳。

只听见志高跟丹丹的小师妹道：

"我们来看病，听说丹丹病了。"

"她没病呀。"

"有。她是闹瘟，病重了，认不得人，她都认不出我俩来。"

"哼，谁说认不出？"丹丹嗔骂。

"药给送来了，你别嘴硬。"志高掏出一个八卦形的小锡盒，写着"长春堂"三个字，硬递给丹丹看，还顺口溜："三伏热，您别慌，快买闻药长春堂，抹进鼻子里通肺腑，消暑祛火保安康！"

唱着打开盒盖，用食指蘸上一点儿白色的避瘟散末，拇指食指一捻，再往鼻孔一揉，闭口深吸气。

来自天津的姑娘家，哪里知道这前门外鲜鱼口长巷头条北口的长春堂避瘟散？小师妹忙学志高一吸。丹丹好奇，也蘸一点儿。

但觉一股清凉从鼻而入，沁入肺腑。丹丹玲珑的双目紧闭时，长睫毛俏皮地往外卷，那么煞有介事地闻药，好像马上会上了瘾，永世戒脱不得。

志高取笑："说闹瘟就是闹瘟，这下可好了点吧？——送你。"

"不便宜吧？"

"才几枚铜板，救人一命，胜造七级浮屠。只要你见了我俩，特别怀玉哥，嗳，扭身走了，就是给脸不要脸。"

"哼，"丹丹又朝怀玉一瞪："这个人才是给脸不要脸。往后你有什么事，看我问不问？才不理呢。我跟你又不亲。"

果真扭身便走，一旋之下，黑发罗伞一般乍张乍聚，怀玉急了，一揪便揪住，疼得丹丹哎唷一声。

怀玉道："丹丹，别走，我告诉你好了——"

"我不听，你放手！"丹丹嚷。

怀玉缩了手，歉意更深了。呆看着自己的手，脸热起来。本来不粗的手，练功过度，结了些茧，被那柔柔的长发掠过，这种感觉，不管在什么时候，都会得记起来。

志高在一旁恨恨，眼看摆平了，又来一趟暴力斗争，怎么结局呢？

便也手忙脚乱的给丹丹探探。问：

"疼吗？"

"疼呀！我这样吊辫子，脑仁儿常疼的，一闹起来，像个锥子直往骨头里钻。"丹丹诉苦。

"……我让你打我一顿来消消气吧。"怀玉窘道。毫无求和的经验。

"那敢情好，你自己送上门的——"话还未了，丹丹果然就给怀玉一个耳光。响亮的，不太疼，但也不能说不疼。怀玉不虞有此，不知所措。

丹丹也没想到说打就打，还下卯劲，只好打圆场：

"好，仇也报了。我不生气了。"

心底倒是十分不忍，慌乱，嗳，怎的真打了呢？撅他二十句不就完了吗？

当下，二人便言归于好。

丹丹忘了追问怀玉瞒人的事儿了。只把半湿的长发，给扎成紧密辫子。等干透之后，又是上场作艺的时候了。生命系于千钧一发之间，于她也是等闲。

志高二人闲坐无聊，在院中就丹丹的长发来搭话，方知她打七岁起，十年来也没修剪过，由它长着。天天的扎。天天的吊。

"这营生真不好，天天把脸皮往后直扯，日子久了，脸皮都扯松了，二十岁就得打折子。唉，这么年轻的花就谢了，唉，好苦呀！"志高夸张地欷歔。

丹丹强了："苦什么？好花由它自谢！"

"什么叫'好花由它自谢'？"

"谁知道。反正是我好不好，用不着你们担关系。"

"这话可就不算是你说的，听回来的对不？"志高道。

"对呀，落子馆里听回来的。"

怀玉没什么话说，只顾游目丹丹这杨家大院，虽则是简陋而又杂乱，但那木窗上，也糊上了冷布，还挂了旧竹帘子呢，日头上了，云天朗朗，麻雀自檐头跳下来觅食。檐下种上一两架藤萝花，看上去甚是繁茂。早春的花缨还是嫩绿，慢慢才变了颜色，到了盛夏，阳光照耀下，它一串串、一簇簇，放出昏暖的香，淡紫的，牵缠的小花。蜜蜂在上头乱飞，忽见金光一闪，原来有极小的蜘蛛拖着极细的游丝，自架上坠下来，闪耀在日影中……岁月便一闪一闪地，过去了。怀玉昏昏暖暖。

北平一年到头少雨，不过在夏末，雨水总是淋涝不断，几乎一年的雨，都集中到这两个月来了，来势汹汹，下水道不及疏通，便到处积水，胡同里、院子里，常是一个个的小池塘。

如果那雨是午后才下，不消一会定是雨过天青；但若是一早便下的，多半会下足整天。

才开摊子不久，西北天边一丝雨云，凉风一卷，马上发作了，雨开始自缓而急。天桥因这一阵雨，各地摊子不得不散，有的赶紧回家去，有的拎了家伙，找个地方避雨去，便聚到落子馆。

行内的几伙人，不免于此坤书茶馆中碰上了，苦笑着打个招呼：

"辛苦了！唉，看这雨，真不知下到什么时候！"

天桥一带有很多茶馆，清茶馆、戏茶馆、棋茶馆、书茶馆。

客人都是茶腻子，或有来饮茶消磨时光的、或有打鼓儿的来互通收买旧货情报的、或有来放印子钱的……不过更多是没业的，沏壶茶，吃点大八件、糟子糕、糖豌豆，就着桌上长方条画上棋盘的薄板来对弈，纸上用兵。

忽闻一轮急鼓，敲击动了一众神魂。

这些个失意的官僚，老去的政客，或人海中微末不足道的百姓，一齐扭过头来，看这"聊聊轩"中小小的台子，一幅画板，绘着漫卷祥云，上面又贴了张告示，不知是什么告示，只见得"风、火、毒、热、气"等五个大字，每个大字，下面又有四个小字，反正都是说道茶的好处。

唱京韵大鼓的是凤舞。穿一袭月白洒灰、蓝花的土布旗袍，不烫发，梳个髻，耳畔是一颗眼泪似的珠坠子，三十来岁。才一上场，拿起鼓箭子，急攻密敲，配她的是弦子，一时间，全场马上屏息了。

怀玉跟爹也是半湿了衣衫坐在茶馆靠西，来晚了，座位很后。

凤舞的大鼓书词是《隋唐演义》。一自隋主根基败坏，冷落了馆娃宫、铜雀楼，沦落至寂寞凄凉的田地，猛地风雷乍响，英雄豪杰改朝换代……她唱了：

> 繁华消息似轻云，不朽还须建大勋。壮略欲扶天日坠，雄心岂入驽骀群。时危俊杰姑埋迹，运启英雄早致君。怪是史书收不尽，故将彩笔谱奇文……

总是这样，从一声轻叹，开始了另一回合的是非功过。真命主、狠英雄、奇女子、奸小人……情义纷纭，魂游三界。把一本蒙了薄尘的演义本子，檀口一吹，漏出一隙净土，仔细诉说从头。

唱的是家国恨，儿女情，有刚有柔。凤舞最擅长的是颤音，即使是多么汹涌繁华的事儿，到了她口中，最末的一句，便总是盛极而衰，缘尽花残。只一个鼓箭子，一副竹板子，是男是女，亦忠亦奸，千秋百世集于一身。

怀玉爱听的，是"他"唐朝故事。志高不喜欢，"他"的宋代，全是忠良被害、佞臣当道，帝主苟安。

一段唱罢，茶客都给一两文，也有戳活儿，额外加钱。

苗师父着丹丹递予事先兑换的小竹牌。她站起来，怀玉才见着。二人指指天雨，作一个无奈的落道的表情。

隔着茫茫人海，袅袅茶香，怀玉只见到丹丹。她连皱眉都跟其他人不同。怀玉怨天的表情，渐渐不可思议地转化成一朵笑容，他看着她，也实在太久了——幸好她不知道，怀玉待要把目光移开，万分的不舍。唐老大拍拍他："你干什么？"

正在这个时候，台上的凤舞姑娘，又开始了另一段，不知如何，是这样的一段：

> ……好花应由它自谢，雨滴愁肠碎也。美哉少年，望空怀想，渺渺芳魂乍遇，暗怨偷嗟……

哦，原来丹丹偷了落子馆《红梅阁》中的词儿。想这李慧娘，乃平章贾似道之妾，随船游西湖，偶遇书生裴舜卿，李失口一赞"美哉少年"，贾妒恨中烧，归府后立斩李慧娘于半闲堂，又诱裴生入府，困禁红梅阁，伺机暗杀。……不过少年恋慕，一一便遭了杀身之祸，好花由不得谢，总是受摧残，难怪连鬼也在嗟怨。

凤舞唱这大鼓，换了另一种柔肠回转的腔口，缠绵而又远送。让听的人总在自恨，好花，要护呀。

余音又被风雨吹送至茶馆檐下了，避雨的也有卖布头儿和绢花纸花的，也有卖烟叶的，很细意地护着他们的货品，情愿自己身子遭点雨打，也不肯让生计受湿。

有个剃头挑子歇着，一头是火盆，上面放着铜脸盆热水；另一头是个带抽屉的小长方凳。剃头的正跟一个人在议价，那人道：

"你闲着也是闲着。剃个头，给你一半的钱，好吧？你看，反正下雨天，不肯就拉倒！"说着说着，他也只好肯了。

那人一屁股给坐到凳子上，翘了二郎腿在抖，待剃头的在小抽屉中拿出剃头刀和木梳子来。

顾客转过半脸来由人动剃刀，原来是志高。很得意，才半价，七八个铜板，真是捡便宜了。

一场苦雨，大概会直下到黄昏。摆地摊的，一天就白过了。挣不到几个钱，也得付租金。

远远望去，灰蒙蒙，雷走远了，风也弱了，但雨并没有止住的意思。

大伙看着势色不对，只得意兴阑珊地回家转了。

丹丹随苗家出来，一眼见到志高，头剃了一半，便道："嗳是你，好体面呀！"其实是取笑他。

志高有点尴尬，顶上就是这个滑稽样，只好解嘲："你信不信，头发也有鬼魂的，全给跑到你头上去了。"

"我才不要，去你的！"

"它要找你，你不要也没办法啦，还是快点逃吧。"

志高实在不乐意让丹丹看见他这副怪模样儿，只一个劲叫她走。

纵然是暑天，如此大雨瓢泼，天也凉了，檐下各人趑趄着，走不走好？丹丹猛地打了个寒噤。身畔忽递来一杯热茶。怀玉正是靠近门口，看着丹丹：

"给你渥渥手。"

丹丹接过，也趁势喝一口。怀玉很乐。

是这一次夏雨！雨点太大，太重。雨下得远近都看不清，天河暴注，人间惨澹。

这雨一下便断续下了一季。

直至云收雨散，天也凉了。知了罢叫，蜻蜓倦飞，萤虫也失明了。凉意不知是顿生，还是悄来，总之每下一回雨，凉意深一重。纵使郊原如洗，远山妩媚，但屈居城内天桥里外的老百姓，日复一日，年复一年的过。过了小暑大暑，便立了秋，不觉已是处暑、白露时节。

志高剃过了的头又给长满了，在这小小茶馆檐下，却没再捡到便宜，只是听评书听说相，还是靠边一站，打个招呼，就听上老半天。他喜欢一些浅易而又是玩笑的故事。人人鬼鬼吃吃喝喝又一场。有说评书的讲《聊斋志异》，这样开头：

今天说的是一个极小的小段，《劳山道士》，这件事儿在山东。那一府？那一县？就别追究啦，反正离着崂山近。只不过，怎么近？步行也得有好几天的行程。这个人姓王，大概排行第七，所以叫王七……

——说了等于没说，但日子过了也就过了。

八月，北平到处飘漾着一种甜香，桂子花虽不美，味却是浓郁的，闻到桂花的香气，就知道中秋快到了。

东四牌楼、西单牌楼、前门大街直达天桥等热闹街道，早已列开果摊，卖鲜货，有红葡萄、白葡萄、鸭儿梨、京白梨、苹果、青柿、石榴、蜜桃……

端午、中秋、除夕是三大节，孩子们看着高兴，大人们却不见得高兴呀。因为这中秋，是要给算了一夏天的账的，平时生活日用，赊下的，中秋要还了。最令唐老大烦恼的，便是付了地摊上的租金、分账，房子也得算账，剩不了多少，眼看就过冬了。而且这个夏天，雨下多了，只挣作艺钱，怀玉上上场，也没多大帮凑。

节，将就总得过。男不拜月，女不祭灶。怀玉跟志高的节目只是逛东安市场去。在王府井大街上，根本看不到什么"不景气"，这里暂时没有皱眉的人，只因目不暇给，赶不及皱眉，马上给牵引住了。

因为这是比较繁华和高级的一个市场，正街上，商店一家连接一家，卖的东西都是时髦的衣料、高等化妆品，就是日用百货都是考究的。像日用百货，就是直接从上海、广州等地采购进时新的商品了。

丹丹尾随怀玉来此开了眼界，在店铺摊贩间穿梭，看见很多奇怪的东西，像开酒瓶的瓶起子、绣上珠花的拖鞋、银盖钮、暖瓶塞、玻璃杯盖，还有赛璐珞的肥皂盒子。最奇怪的，是一边卖梳头用的刨花、网子，另一边，却是外国人的胭脂口红雪花膏。古老的跟时新的，都在一块招展了。

穷家孩子多是看看，也心满意足了。

走了一阵，丹丹见到市场中左右都是这种泥人儿，人脸，嘴是兔唇，头上有两根大耳朵，有大有小，大的高约三尺，小的也有四五寸。全是披蟒扎靠的，骑在麒麟、老虎、狮子、骏马上，威风凛凛。丹丹问："这是么玩意？"

怀玉递她一个，嘴唇活络，一拉线就乱动。"兔儿爷。我这嘴巴不停动，叫作刮打嘴兔儿爷。"

丹丹也拿在手中把玩，对，一拉中间的线，它就巴搭巴搭的，像在说话儿呢。

丹丹笑："这是切糕哥，他也是刮打嘴兔儿爷。"

才想了一想："他叫我们来会他，怎的还不见？"

怀玉道："我们来早了，不如先带你逛一逛，你知道兔儿爷的故事吗？就是古时候，大地发生了一场瘟疫，只月宫里有这仙药——"

"为什么只得月宫里有？"

"故事是这样说的。有个青年不畏艰辛，冒险进了月宫去盗药——"

"他怎么上月宫去？"

"他终究上了。被天兵天将发现了，布下天罗地网要抓他，危急之时，月宫里善良的玉兔不惜牺牲自己，剥下皮来——"

怀玉道。

"剥了皮不是要死吗?"

"它剥皮披在青年身上,让他逃出来,把仙药带给老百姓。"

"哦,所以大家就供奉起它来了? ——它怎么这么笨,自己把药带到大地就成了。何必依靠一个中间人? 或者它不敢?"

怀玉气坏了:"故事嘛,哪有寻根究底的? 不说了。"

"说吧说吧。"丹丹又见一份份的纸,上绘太阴星君,下绘月宫玉兔,藻彩精制,金碧辉煌,便问:"这又是什么?"

"不知道呀。"忍着笑转身走了。

小贩忙招徕:"大姑娘要买'月光马'?"

丹丹追着怀玉:"怀玉哥,给我说月光马的故事。"

一个前一个后的走,真好比穿过一条麦芽糖铺成的甜路,火腿五仁提浆月饼给围成的圈圈。

市场里杂技场内,原来也挤满了各式各样的游艺项目呢,像小天桥一般,也唱戏、玩十样锦、耍武术、说相声……

人群围了一个个一丈五见方的地盘,各自被吸引了。听听,有破灯谜呢:"此物生来七寸长,一头有毛一头光。出来进去流白水,捽干之后穿衣裳。"——哎,大伙哗笑,真荤!

"这不好猜!"他们都起哄:"这不是……那话儿吗?"都不好意思讲了。

"嘿,我说的东西,人人用,人人有。真的,男人有,女人也有!"

"这倒新鲜!"

"我说的是牙刷子,牙刷不是七寸长吗? 哪会两边有毛? 都一头光的。你们刷牙不用牙粉牙膏吗? 进进出出流出白水白沫来了,还有,捽干之后——"

"我不用牙刷套的呀。"人群中反应。

"你不给牙刷穿衣裳，那你刷完牙，自己也得穿衣裳，对吧？"

这荤破素猜的灯谜果然吸引了不少观众呢，都在等这小子又说什么荤相声来。

原来志高又搭了个场子了："好，我再来一个！"

也是鸟。不过这回不学鸟叫了，他清清喉咙，一人扮了甲乙两声。单口说起相声来——

甲："你那鸟叫得好听，什么名儿？"

乙："百灵。"

甲："我也养了一鸟，就是不叫。"

乙："你得溜呀。"

甲："我溜啦，天天溜弯儿，走到哪里它跟到哪里。"

乙："那还不叫？奇怪，你得喂它，给它水喝。"

甲："它呀，不吃不喝，还常吐水呢！"——

正在此时，丹丹跟怀玉发现他了，马上跳起来挥手，人太挤，挤不进去。二人既是行内，也不叫志高分神，就闪身争取个好位置，看他什么新鲜玩意儿。志高见二人来早了，自己还没收摊子，说相声说到一半，脸都热了，忙止住，向丹丹拱手："姑奶奶您请过那边溜达去！"那批汉子见姑娘家，也是不好听的，窃笑起来，也帮腔："对呀，这不是人话呢。"

志高江湖起来："姑奶奶，赏个脸，请请请。这满嘴喷粪呢，拜托拜托，怀玉，你带她去呀。"

怀玉会心一笑，扯她走。

志高方肯继续。观众提醒他："吐水呢！"

乙："你拿什么养活它？"

甲："口袋。"

李碧华作品集

乙："挺特别的。那鸟多大？"

甲："我多大它多大。"

乙："岁数可不少啦，难怪不叫。毛色可好？棕色的吧？"

甲："不是棕毛，是黑毛的，也有一两根白的。"

乙："个子大吗？"

甲："平常，这么个大。有时蹦的，哎，这么个大——"

乙："哎唷！我的爸爸！"

甲："对，就是这名儿！"

志高一鞠躬。他的单口荤相声在哄笑声中给挣来不少铜板呢，大家都乐开了，给钱给得爽快。

不过都是旁门左道，丹丹哪有不晓得？但听下去，都抹不开，反随怀玉再逛一阵吧。丹丹呶起小嘴：

"他呀，他最坏了！"

怀玉不说是与非，只笑一下。不知他想着什么，丹丹好不疑惑。这个人，摸不透。丹丹又气了："你跟他是一伙！"

便见有人在前面摊子上卖皮球，木箱堆着圆滚滚的皮球，有两个孩子想买，问："多少钱？"

他说："一个铜板！"

哗，这是多么便宜！原来不是"卖"，是"抓阄儿"，一个铜板抓一个纸卷，上面写上"有"，皮球就归他了。

孩子放下书包来抓，两个人，抓了三四次，都是空白的。小贩忙随手抓出几个阄儿来，五六个里头，倒有一个"有"。孩子想，皮球那么贵，要是抓中一个多好，马上屏住气，闭住眼，终于抓起一个——结果又是空白的。身上铜板都没有，急得泪水也快流出来。

丹丹过去，道："我给你们抓一个！"付过一个铜板，丹丹一抓，这回竟中了。那人无奈，只好送孩子一个皮球。他们得意地拍着球，谢天谢地的走了。

丹丹拉着怀玉，在他耳畔道："这是骗人的，我最不喜欢他骗小孩子了，所以破了他的法。"

她挨得那么近，第一次那么近，声音就在旋绕，随着八月的桂香。怀玉竟什么也听不清了。

志高搭这场子，要荤的有荤的，难不倒他。场主原是个唱戏的，不过落难了，连《四郎探母》也给洒盐花，观众乐么滋儿的扔下不少，志高跟他四六分账，也捞了一票。

时候不早，怀玉跟丹丹还没回转，志高左右一瞅，这东安市场最带"洋"气，其士林和国强的奶油蛋糕都很出名，不过他比较爱国强，因为这家的伙友待客热情，身穿白大褂，干干净净，志高盯着做得漂漂亮亮的奶油蛋糕良久，下不定决心，算计一下，不便宜，有红樱桃果的那种就更贵——把心一横，掏出一大把，要了两件普通的，那是自己跟怀玉吃；一件有红樱桃果的，不消说，孝敬丹丹去。

拎着三件奶油蛋糕，蹲在咖啡座的旁边等着。怎么还不来了。肚子咕咕响了，先自把一件干掉。过了一阵，擦身过尽千帆都不是，便把怀玉那件偷吃了一半。吃着吃着，心里想：待怀玉来了，就让他俩分吃一件好了，反正没人晓得。不免心安理得，连尽两件。

东华门大街的真光戏院今天上的是什么电影？散场了，来吃咖啡、可可的人多起来。国强的伙友送往迎来："您来呢，里边请！"、"您走啦！吃好了！"……

志高忍不住，伸出手指头，把奶油挖一点，匆匆塞进嘴里，然后把附近的拨好，若无其事。人还不来，是他自误，一拈便把红樱桃果给吃掉了——一发不可收拾，终于在他踌躇满志地擦擦嘴角舐舐唇皮时，丹丹喊他："切糕哥！又说送我们特别的东西？是什么嘛？"

是什么好呢？志高搔着头，手指头上的一点奶油便给揩在头发上了，他犹不觉。眼珠一转，有了有了有了，连忙掏出三张明星相片来，装作是一早预备的礼物，掩饰了他的馋态。

"这是谁？"

"女明星呀。你看看，都是烫了头发的。"

怀玉也凑过头来。

丹丹笑："她不是演卖花女吗？卖花女也烫头发？不像话。"

怀玉取来一瞧，念：

"段娉婷、程莉莉、凌仙，咦，都是《故园梦》的女主角呢。你从哪里得来的？"

"她们在真光随片登台表演歌舞，我央人送我的，现在送给丹丹。"

"这两个不好，段娉婷好，挺漂亮的。"怀玉说完，还给丹丹。

丹丹听得他夸这女明星，心里有点不高兴，马上沉下脸，道："不漂亮！"不要了。

志高看见丹丹的脸，像马一般往下拉，说不出的嗔怨。趁她不觉，看了又看，忘形道：

"女明星都得靠打扮，丹丹可不呢，不打扮一样的漂亮。丹丹最好看了！"下意识这样说了，志高不知怎地，张口结舌了。

丹丹轰的红了脸，捂住往后转，一根大辫子对准了志高，丹丹道："不许看！不许看！"心蹦蹦的跳，害怕碰上他的眼睛。很久很久，也不晓得该怎样把捂住脸的双手放开来。

切糕哥最坏了，刚才他还说荤相声呢。丹丹脸更红。

时间骤然的停顿，怀玉明白了一点，也怀疑一点。只是，三个人还得逛市场去。怀玉道："走吧。"

草草的恢复了常态，镇定了心神。

云团也及时的移开了，被吞没一阵的满月乍涌，银白的一片，轻洒向这热热闹闹的市场，华灯绿树，众生芸芸。东安市场上的行人，竟是分不清春夏秋冬似地，老太太们已穿上扎脚的棉裤了，但摩登的小姐们，依然隐露着肌肤。

志高指给丹丹看："瞧，这'密斯'脚上穿的是玻璃丝袜。"

"哼，你道我看不出来么？"

"我送你玻璃丝袜？"

"我才不穿呢，怪难看，穿了等于没穿，光着大腿满街跑。"

"不要白不要。"志高忽地灵机一触，跑到一间店铺前，若有所思，然后偷偷的笑了。怀玉和丹丹不知他什么葫芦卖什么药。

那是一间卖化妆品的店铺，唤"丽芳"。柜台上两个巨型的玻璃瓶，一个装梳头香油，一个盛雪花膏。柜台内陈列着双妹牌花露水，有大瓶的，也有小瓶的，是上海广生行出品。还有香料和香面，名贵的装瓶子，散装的洒在棉纸上，并有精致的小石磨、木锉、铜勺、筛子、漏斗等出售。各式各样的绣荷包点缀其中。

店家见志高来近，用小铲铲些香面向他一吹一撒，是茉莉花的味道呢，随风四散，店家问："要买香面送大姑娘吗？"

志高神秘地笑：

"不，我要买香水。"

"嗳，大主顾呢，这边请看。"取出来三瓶，其中一瓶十分华贵，他洋洋地介绍："这是本店最好的香水，日本来的。"北平的市场中，以东安市场洋货最多，英国货法国货德国货瑞典货都有，不过这时局，日本货往往占了上风，充斥市面，很多人都不爱用土产，所以最体面的，反而是日本货品。

怀玉忙道："别买日本货！"

志高倒是买不起，倾囊只购得一小瓶双妹牌花露水，一长条红棉纸胭脂和口红。买好了，叮嘱店家给他用印了花样的纸包好。袋中所赚得的钱，全给换来这礼品包。店主的脸色也不比当初。

丹丹见他神秘莫测，便问："送谁的？"

志高只腼腆："……这话说着兜嘴，别问啦。不是你就是。"

眼看是送给大姑娘的礼品呢，还在装模作样，他送的人是谁呢？丹丹不好作声。他新近认得了谁？这样吞吞吐吐？平常他有什么话，都像母鸡生蛋咯咯叫，生怕人家不知道。现今收藏了，送的人是谁？丹丹倒有点醋意，人各吃得半升米，哪个怕哪个？——送的人是谁？

"你说呀！"声音都僵起来。

怀玉也想知道，不过见形势不妙，便道："他不说别逼他。等一会他自己就急着要告诉你，骗不了多久。"

"你们谁也别想骗我！"丹丹猛地扯住怀玉："怀玉哥，你说中秋再偷枣儿给我吃？"

抓他小辫子了。趁势也让志高晓得。

怀玉苦笑，他们都拿她没办法。

她总是要要要，而他们，又总是："好吧，你要什么就给什么。"——从来不觉得为难，一来她的要求是可爱的；二来，她的人是可爱的。如果轻易地可令她快乐一点，他们都十分愿意给她。

只是，倒真把枣儿给忘掉了。

怀玉只好安慰她："改天吧，一定的，算我欠你！"

"好，看你逃得过！谎皮瘤儿可得掉牙齿！"

志高拎着他的瞒人礼品包，先走了两三步，忽地嚷嚷："丹丹过来看！"

原来附近有几个卖药的摊贩，一个卖牙疼药的，摆着药瓶和一些简单的拔牙用具，还有搪瓷盘，一盘子是拔出来的病牙，志高指着那盘子："看，这全是怀玉的牙齿，他可常说谎话儿的，你数数！"

丹丹笑得弯了腰，怀玉狠狠捶了志高一记。揪着丹丹辫子，着她转过头来。

旁边的一摊是点痦子的。痦子是生在脸上隆起的痣，虽不疼不痒，但不好看，于是常找点痦子的给去掉。这摊上，编绘了一张满脸痦子的人头像，说痦子长在什么地方主何吉凶。怀玉揪住丹丹来这边：

"你的痣主凶呢，是泪痣，现在给你点去。"

"我不我不！"丹丹挣扎："他是火烧火燎的，我怕疼！"

"不疼的，"摊贩忙道："不过是生石灰掺碱面，没多少镪水，点一次不成，过两天再点，三遍就去掉了。你的痣长什么地方？"

丹丹逃也似的："我不！"

隔老远就骂怀玉："把我眼睛点瞎了，谁还我？"

原来丹丹当了真。她从来都不当怀玉是假。迳自在算账："你还我呀？"

"好，真瞎了我还你！"

志高也道："他不还我还。"

"去你俩的大头鬼！"丹丹不怒反笑了："还我四只眼睛，可多着呢，还得捎到市场上卖去！"

中秋过了，秋阳反常地厉害着，晒在人身上，竟似火辣辣地，虽然早晚凉快，但日中心时，穿件背心还要出汗。大伙便道：

"要变天啦！"——真的，听说东北地方现在也挂旗，不过挂的是大红狗皮膏药的日本旗呢。

平日常经的那茶馆，倒没挂上什么旗，因为好像没临到头上来，只悬了一"秋色可观"，真是意想不到的雅言隽语，秋色是指斗蛐蛐，可观的乃有利可图。这大红纸馆阁礼的帖子，像面国旗般招展呢：看似文绉绉的，也是斗，人在斗，虫在斗，不知谁胜谁负，也许到头来都赔上了心血和时间。只是抱着蛐蛐罐来一决雌雄的，倒真不少。

随着秋意渐深，萧瑟金风纷飞黄叶都在蓄锐待发。

这天，怀玉在场子上要了一阵红缨枪，正抛枪腾空飞脚，歇步下，枪尖在下戳，忽地跑来一个人，边唤：

"怀玉，怀玉，"喘着气："李师父着你马上上场去！"

"发生什么事？"

"走！先救场再说。救场如救火。"——原来金宝还没回来，失场了。

金宝怎么了？师父怎么了？

怀玉无暇细问。只向爹说一声，便飞奔直指广和楼。

剧场外，一向放了几件象征性的切末，熟人一看，就心里有数。放上一把大石锁，就是上《艳阳楼》，放上青龙刀，肯定是关公戏。忽然有变了，也来不及出牌告示。演员不同呢，就看造化，没些戏缘，观众会起哄的。怀玉根本没工夫担忧。

正正式式的上了《火烧裴元庆》。

观众不知就里，见不是李盛天，有点意外，起了暗涌。怀玉耳畔嗡嗡响，什么都听不见，只是要把这戏演好。起霸亮了相，先耍一轮锤花，压住了阵再说。

大家见是个新来的小伙子，举手有准谱儿，落脚有步眼。扮相俊逸，身段神脆，渐渐也肯给他采声，谁知到了顶锤，高抛之后，心一慌，落下时更不住。待要被喝倒采……

不，怀玉马上给场面的师父一个眼色，暗点个头，再来。观众见他要再来，便也屏息地等。锣鼓一轮急催，锤再往高抛，半空旋转一圈——

丹丹和志高，躲在下场门外，用神地盯着，丹丹的手心都冒出冷汗了。紧握拳头，咬着嘴唇，在祷告："锤呀锤，你得有灵有性，不要拿乔了！"只怕它冒儿咕咚的又给失手了，怎么办？怀玉将就此一败涂地。

怀玉也知危急存亡的关键，每个人只有一次这样的机会，再来，要好好儿的赢它一局，不然，这台上就没有自己的立足之处。紧张得呼吸也停了，天地间一切的律动也停了，连锣鼓也停了。死一般的凄寂，万一他死了……像过了一生那么久。

那锤，眼看它在半空旋转了一个圈，再一个圈，然后往下坠，险险的，只差一线，手中的锤，顶住空中的锤。

这回没有失手，全场一块大石落了地。采声四方八面的，毫不吝啬地送予他。

怀玉勉定心神，就把后来的戏给演好了。年少气盛的裴元庆，勇猛慓悍，不单双锤功耍得，还凌空抢背、云里翻、摔叉，最后不免死于骄横傲世，身陷敌方火阵，送了一命。死的一刹，还来个躺僵尸。——总之，他所学，悉数用在一朝。今朝不用，千载难逢。拼着用尽了，被观众的热烈掌声采声给送回后台去。

他们爱他，真的，这是求之而不可得的"缘"。

第一眼便见到丹丹了。她站在下场门，迎着他，等他眼神一跟她接触，她就避开了。趁他不觉，偷偷的再瞟一眼，惊弓之鸟一样。隐蔽的，谁也想不到，就在前一刻，她曾如此的目不转睛。啊，他多高大，因穿上了厚底靴，一身的靠，背虎壳上还插了四面三角形的靠旗，整个人，层层的鱼鳞，泛了银蓝色的光彩，天将天兵，高不可攀——她要仰着头才看得见，比任何时候更倾慕。

他吐气扬眉了，他要她看到他的风光。他要整个天桥来来往往的扔他铜板的人，都看到他的风光。

唐老大过来，用力的拍打着他："怀玉，不错，不错，有瞧头，不错呀！"都不知说什么好了，见到儿子成长了，熬出头来，刹时间眼睛竟红了，说来说去是"不错"。

志高也重重的紧紧的互握他的手，志高道："好小子，有出息！"

再补上一句："将来可别忘了哥们。"

怀玉佯装气了："什么将来？今天也没过。"

想起此番上场，来不及问到师父，四下一看，李盛天等五人匆匆回来，只问：

"还可以吧？没出错吧？"

他注意力竟没集中到怀玉身上来，只管把金宝往后台厢位里照应着。

怀玉见师父像是有事在身，满腹疑团，只得一旁下妆去。除下盔靠，便要抹脸。丹丹呆在他身后，只自镜中窥看，丹丹道："怀玉哥好本事呀！"

又忍不住："以后你天天演，我都要来看，好不好？"

"天天看？"

丹丹不语，只怕一语道破了。

忽地听得金宝的呕吐声，把吃的东西，全还出来了。金宝呼号：

"我不要活了！"

广和楼上下都知道事情的不寻常，风风雨雨的传出去。一直以来，六扇儿门的马司令对魏金宝是"另眼相看"的，不单包了票子捧场，也送来水钻头面，金宝的一身行头，总比别人要体面。他不敢收，也不敢退，在人屋檐下，总是低低头便过去了——昨儿个晚上他逃不过去了！马司令请了酒席，着金宝去陪着，席间倒是露了点口风。吓得金宝忙推了：

"马司令的好意，我是心领了。马司令不是已经有人了吗？——"

马司令听了，冷冷地站起来，拔出手枪，就把席间相陪的一个美少年给毙了。这美少年也是唱戏的，一出《游园惊梦》中演丽娘，水袖轻拂，拂去他三魂，马司令收了进门，他侍候他，不再唱了——金宝见扬眉之间，活活的人，就血染紫罗长袍，脸色刷地白了。

马司令曾这么的疼着他呢，给他穿上等丝织品，长袍上的花朵，晨起是蓓蕾，中午成花苞，到了夜晚，侍候主人的时候，便是盛开着。如此的装扮着，布料全在瑞蚨祥定织，有时下个令，苏州的高档绸缎马上送过来挑选……他可以栽培他，也就可毁弃他于一旦。

马司令一枪之后，又冷冷地命人把这被忘了名姓的"像姑"给抬出去了。只道：

"我这不是已经没了吗？今儿个晚上只有你啦！"

……金宝被困在马司令府中，他不放过他。即使他失场了。大伙只道他吃酒席去了，大概也掂量过，他早晚逃不出色劫。在这样的恶势力底下，一个唱戏的，两个唱戏的，唱唱也就唱到他手掌心去，成了玩物。

金宝回来的时候，李盛天等人找不着了，倒见他身体受了创，心也受了创，寻死觅活，有人只劝道：

"算了吧，豁出去算了。多少人都这样。"

还有什么话好说呢？劝时，自有一点儿瞧不起，这也难说，到底是沦落了。

马司令也做得漂亮，闹嚷间，手下就给送来一个首饰匣子，都是意想不到的头面呢。一递搁上金宝厢位上，谁知横里被人一手摔掉，砸个破烂。

怀玉一听这样的事儿，心想，金宝也是班里的，这样的被欺负了，还要来个"买"的架势？

手起拳落，凶猛的欲把来人揍上一顿，后台几下打斗，镜裂钗分，事态未算严重，李师父已不敢让他造次，见他年少而不智，不识时势，忙制住，怒喝："怀玉！不要得罪官爷们！"

那两名手下是见惯场面的人，当下阴沉不露，并没发作，只狠狠把怀玉看上几眼，寒声道："看你有能耐管闲事？"

后台一众，敢怒不敢言，晓得一搭话后患无穷。洪班主追上去安抚，好话说尽，希望小事化无。回来之后，也有点忐忑，向怀玉："你要在班上演就别闹事，你惹不起！"

班主洪声也是势利的，眼看唐怀玉初上场，挑帘红，他倒不会攮他，还要留下来挣钱呢。所以只着怀玉别闹事，别管一切的闲事。唱戏就唱戏，份子钱少不了——但也不多给，他知道他新，还不懂算计。他有留他的手法。

魏金宝见怀玉为他出的头，也许他误会了：怀玉是向着自己。金宝的一份特殊感情，却因这般的不可收拾，千言万语，从何说起？金宝只把一切抑压在心底，如此，便将过了一生——怀玉是永远都不晓得了。金宝把一张脸背住灯光，想起过去也想到未来，莫测的，他没希望了，他连怀玉都配不起。他只幽幽地道：

"怀玉，你别管了，真的，你我都惹不起……"

忍，总是要忍。在他唐怀玉还没有声望之前，他就没有尊严。地摊上的流氓，戏班里的班主，六扇门儿的官爷，层层的欺压。还有外国人，外国人欺压中国人，中国人又欺压自己人，哪里才有立足之处？不，他要壮大，往上爬，不容任何人踩上来，他要倒过来指使，站得更稳——多么的天真，然而这是他惟一可做的呀。人人都有自己的心事。

丹丹还是第一回见到这后台的情景，这比她跑江湖吃艺饭危险而复杂多了——有些事，原来不是"钱"可以解决的，要付出"人"。

有人帮金宝收拾四散在地上的首饰，匣子被怀玉砸个破烂，头面倒是贵重的。人都赔上了，连一点实在的物质都不要？这是没可能的，自己跟自己过不去，好歹总要收拾残局，如常地活命——不会不要的。谁这样白牺牲？都是羽毛缎子盖鸡笼，外面好看里面空。在贫穷的境地，自尊如落地那面镜子，裂了就裂了。

就在众人忙着打发，丹丹瞥见一只又瘦又脏的手，自墙角箱底伸出来，颤抖着，把一个金戒指悄悄的轻拨到身边，正欲偷去，师兄弟们发觉了，抓住他，揪出来，劈头盖脸就打，不留情面，一壁骂道：

"昨天才饿得偷贴戏报的浆糊吃，不要脸！现在又来捡便宜？"

原来是个抽白面的，抽得凶了，一脸灰气，没有光彩，连嗓子都坏了，亮不起来。这就是当年跟魏金宝一起演"四五花洞"的一个小花旦。金宝成了角儿，却失了身。他成不了角儿，反得了病。大家都恨他，骂他贱。但是坐科的兄弟们，打了他，见嘴角流血，趴在地上喘气，可怜哪，好好一个廿儿岁的小伙子，一点骨气都没有了——但他还可以干什么呢？倒又同情起来。金宝把那金戒指扔给他。

一时间，志高、丹丹和怀玉都楞住了。璀璨的舞台，背后原来也是如此的龌龊。分不清是男盗女娼？抑或女盗男娼？反正是一趟浑水。三个人，心头有点儿热丝忽拉，说不出来的灼疼，没有一个活得好好儿，一不留神，就淹没了，万劫不复。

丹丹真心地对怀玉道，千叮万嘱化成一句话："怀玉哥，你不许抽烟卷，真的，学会了抽烟卷，就抽上白面了！"

怀玉听进了这话，他没答。他的眼光一直落在更远的前方，他要红，他要赢，就得坚毅不屈，凭真功夫。观众是无情的，演了三千个好，只出一次漏子，就倒下去了。

他点点头，过去："李师父，您放心！爹，您放心！"

志高没等他说上了，故意接碴儿："不用说啦，我放心就是！"

——措手不及，唐怀玉红起来了。

风借火的威，火借风的势，广和楼出了一个叫座的武生，局面很火爆，有时观众给他吆好，谢幕四五次才可以下台。

唐怀玉刚冒头，演的戏码除了《火烧裴元庆》外，就只有《杀四门》、《界牌关》、《洗浮山》这几出·匆忙的红，一点儿准备都没有。幸好观众还是爱看他的绝活儿，就是耍锤。他很清醒，觉得不够，练功更勤了。

志高和丹丹有时一连好几天都见他不着。

晚上，志高非要逮他一回不可。到夜场演罢，志高着怀玉到胭脂胡同去。一进门，只见志高在"写字"。志高不大识字，只把两个字，练了又练，半歪半斜的，怀玉趋前一看，写的是什么？

原来是"民宅"两个字。

志高见他来，便问：

"这'民宅'还见得人吧？"

"真鬼道，怎么回事？"

志高喜孜孜地："怀玉，告诉你：我姊要嫁人啦——不，娘要嫁人。这可没办法，天要下雨，娘要嫁人……"

"真的？"

"哼，骗你是兔崽子！她终究肯嫁给那瓜子儿巴啦！"

志高便絮絮地把他要她找个主儿的事给怀玉道来了。那尖瘦的脑袋也开始晃动着，越说越自得，因为这是他的煽风点火，娘才"肯"跟了一个男人，从此不再卖了。

——嫁人也是卖，不过高贵一点。她还可以干多久呢？趁那大肉疙瘩姓巴的愿意，他怂恿娘去专门侍候他一个，脱离了苦海，不过要两顿饭一个落脚处，还天天有炒锅儿的瓜子吃。志高笑了——他连把娘嫁出去，也是不亏嘴的。

"明天她就出门了，今儿个晚上跟她饯一顿。"

怀玉问："人呢？"

"带丹丹到前门外西河沿买螃蟹去。那儿螃蟹好，都是胜芳和赵北口来的。"

哦，怀玉听了，原来丹丹已经跟他们这样的亲了……丹丹还给他买菜……

志高又埋首练他的字，一回比一回写得用心。怀玉建议："'良宅'吧，良宅比民宅又好一点。"

"对，人人都是'民'，不过我们是'良'，好！嗳，'良'怎么写？"

怀玉便先示范一个，志高摹了，虽不成体，到底很乐，就给贴在门楣上了。

"怀玉，以后这是我'家'！"志高指道："我姊会常来看我。你们也要常来坐坐。"

"你有家了，"怀玉不带任何表情地试探："不是要好好儿的成家吗？"

"才不！谁娶她来着？她是头凶猫！"志高嚷。

怀玉一怔。此时，丹丹也回来了，提着一串螃蟹，个儿不大，不过鲜。她问："谁凶？"

"没，我说螃蟹凶。"志高忙指着她手中那串。原来买的时候，讲究"对拿"，一尖一圆，两个一摞的用马连草捆好，论对买，不论斤买。虽捆好，但因鲜，一按上，那有柄的眼睛忙乱摆动。

红莲着丹丹帮凑一下，大水一洗，解了马连草，一个一个给扔进锅里头了。

胜芳的螃蟹，是晚到高粱熟时节，才最肥壮。家里吃一次，也没什么繁琐的，不像那正阳楼，一整套的工具，什么小木头锤子、竹签子、小钩子。敲敲打打，勾勾通通。家里是最随便的了。

螃蟹在沸水里，最先不住鲜蹦乱抓，张牙舞爪的要逃出生天，你践我踏，卡卡的响。丹丹一时慌了，唤："切糕哥！"

志高忙把几块红砖取过来，一块一块，给压在锅盖上，重，终于螃蟹给蒸好，它们的身体，由黯绿变成橘红。死了，指爪无穷无尽地狂张，直伸到海角天涯，一点也不安乐。

红莲说话有点沫儿，也不知该怎么的招呼——说到底，原是因为儿子给自己钱送出门的。

还没开始吃，志高已掏出他的一份礼品包来了。呀，就是那回在东安市场买的，丹丹一见才宽了心。

"姊，你拆来看看，拆呀——"

"手上都腥膻的。"

"不怕，马上给辟了。"

志高把那双妹牌花露水，洒洒洒，洒了红莲一头脸。红莲又是打又是骂，笑：

"浪费嘛，你这女里女气的，把娘们的东西胡搅瞎弄，你有完没完？"

斗室中都漫着清香，老娘从未有过这样的好看——明天她就是人家的人了。

明天她就改姓巴了。她要出门，连轿子也没得坐，只收拾好一个包包，把生平要带的都带去，还有那只镯子，铺盖倒是留下来的。她这一走，今后，是巴家的媳妇儿，要是死了，她怎能不是巴家的鬼？而自己呢，他已经没爹了，只为她好好活着，连娘也给送出去。

啊这样的香，人工的香，盖过螃蟹的香，一切都是无奈的，志高道："来来来，趁热干掉。"

怀玉把螃蟹翻转，先把那尖尖的脐奄给掀起，蟹壳脱出来了。见丹丹因为烫，还没弄好，便顺手把自己的推给丹丹。

志高正把蟹身掰开两份，要黄有黄，要膏有膏，真不错，把一半分给红莲，逼她：

"快吃快吃！"

螃蟹倒是圆满的。道："到了那姓巴的家，也要好好儿的吃。对吧，他对你不好，我不饶他！"又道："就是没有酒，也没有什么菊花，妈的，在馆子里头吃，还要对牢菊花来吟诗呢。不过我们在家里头，都是亲人，不必……"

说着说着，太累了，再也支撑不住了，一个人强颜唱了大半出戏，怀玉帮他一把："那东安市场的五芳斋，到了季节，就开始卖蟹黄烧卖，改天——"

突然，不由自主地，志高凄惶而不舍，心中只念：明天娘就改姓巴了，明天……她就是人家的人了。再也不堪思索，软弱地："娘！"哇哇的，哇哇的，哭将起来，泪水涕泗横直地交流，把那螃蟹，糊得又咸又腥，又苦。

这门楣上黏了"良宅"招纸的小小房子，门严严关好。胭脂胡同仍是像个黑白不分明的女脸，给湿上一点水，然后用棉条的胭脂片，在脸上揉擦，未几，艳艳的上市了。而红莲，她明天晚上就可以不卖了。

当志高带着又红又肿的眼睛蹲在檐下闷闷的看蛐蛐时，怀玉跟丹丹都陪着他，他又不是不明白这种道理。

只是，小罐里头的两只微虫，唤"蟹壳青"，正在剑拔弩张，蓄锐待发，竟挑不起志高的兴头来了。志高无言，怀玉就更无言了。丹丹把一根头上绑上鸡毛翎管和杂毛的细竹篾，往志高头上撩拨，志高头一扁。

丹丹道："哦，'蛐蛐探子'都不管用了。"

怀玉道："你可不能一点斗志都没有。来，给我。"他取过那"探子"，细毛一触蛐蛐的头，它就激怒了，露出细小而锐利的牙，开始在沙场效命，拼个你死我活。

怀玉也明白志高的心事，不过，干坐在那儿嗟怨是没用的。不卜阵又怎么知悉命运里神秘的作为？也许——

怀玉见此战场，马上道：

"志高，你看这蟹壳青，以为输了，就好在后腿有劲道。对，他是先死后生！"

"我可是生不如死。"志高嚷。

"那我呢？"丹丹道："难道我是死不如生？好死不如赖着

活，切糕哥，你要是一早认输，还会有希望吗?"

"不，"志高自卑："我肯定是生不如死。像怀玉，他是高升了。像你，要找个好婆家，也就不论什么生死。倒是我——"一顿："我没有本事，运气也不好，现在只剩下一个人。"

"你有一副好嗓子嘛。"怀玉劝勉："不要浪费。要是正正经经的唱戏——"

丹丹也附和："你先在地摊上唱，唱好了，再上，你听我说，是不是?"

"是!"志高答："是是是，是是是是是!"把正抖动触须的蛐蛐也吓呆了。

丹丹给逗笑了："好，那么现在唱一段给我听。"

"才不，唱一段要收钱的。"志高道："我教你一个——"

然后他就捏着鼻子唱了：

桃叶儿尖上尖唉，桃叶儿遮满了天……想起我那情郎哥哥有情的人唉，情郎唉，小妹妹一心只有你唉……

"什么歌儿?"

"窑调。姑娘儿们最爱了。"

"哼，这里没有'姑娘儿'，永远都没有!"丹丹道。

怀玉正色："我们三个不管将来怎么样，大家都不要变!有福同享，有难同当!"说着把手伸出来，让三人互握着。彼此促狭地故意用尽力气，把对方的都握疼了，咬牙切齿，志高犹在打哈哈：

"我呀，多半是享你们的福，你们来当我的难。"

"又来了！"丹丹狠狠地瞪他一眼，志高心花也开了，只觉曙光初露，前景欣然。

丹丹忽省得："改天我们找王老公去好吧？说他不准，要他再算。这回非要他泄漏天机！"

"我们真的好久没见他了。"

"别放过他啊！"丹丹笑。

闹得很晚，怀玉才回到家去。唐老大在数钱，算算可换得多少个银元。一见怀玉，便喜孜孜唤住："怀玉，刚才班主来了，赏了些点心钱，不太多，只说意思意思——不过看他的意思，是要你给他签三年，他就好好的捧你。"

怀玉掂量："三年？三年只唱一个戏园子？"

"你才刚提上号。"

"爹，我还要跑码头，红遍大江南北才罢休呢！"

唐老大笑叱："怎么？站都站不稳，还跑？你可得量量力，别白染这一水，你还小，够火候吗？再说——"

怀玉道："光在北平，谁甘心？"

"你多学点能耐才大江南北吧。能跑遍是你的奔头，跑不出去，也不要'打顺头'，灰心。"

"您就瞧我的吧，要在戏园子唱出来了，技艺到家了，其他的城市就会来找我，要红到上海才算是大红！"

"你就是属喜鹊的——好登高枝！"

怀玉不理，只顾起霸，走了个圆场，在爹跟前亮个相，威武地唱：

俺今日耀武扬威英雄逞，裴元庆哪个不闻？快快的束手被擒，俺手中锤下得狠——

唱未完的，道："谁肯让班主胡签三年？谁知道三年之内我是什么面目？"

"怀玉——"唐老大还想讲什么的，怀玉已止住他了："爹，我要您吃乐饭。地摊子让志高去唱。"

"志高？"

"对，我跟丹丹都劝他要练出本事，不怕挨栽，再唱。别吊儿郎当的，熬到这份上还不定砣。他姊找了主儿，他就单吊儿。"

"看志高跟那丹丹倒是一对，两个人算没爹没娘管教的，可什么地方都活得过去。他俩是拉腕儿的朋友？"

怀玉别过头："不知道。"

"我真的不知道呢。"丹丹忙辗转翻身过另一边，不跟她同炕的小师妹说下去了。

"什么不知道？到底喜欢的是谁呀？"

"谁都不喜欢！一个拧，一个坏。"丹丹一被盖过了头。在被窝里，倒是羞红了脸，一动也不敢动。仿佛身动了，她的心也动了，人家就知悉她的秘密。

真的，是怎么开始的呢？

往往，总是开始了才知道。忽然地，发觉自己长大了，更好看，身子绷得很紧，胀，有一种特别的气息，令自己羞赧，不安。一时骄里骄气，一时又毫无自信。迷惘如踏入雾海，一脚轻，一脚重，下一步怎么走，还是想不清。想的时候，是两个都一起想的。

见到这一个，见不着那一个，都会千思万念。心中有无限柔情缠绕。

多么的新鲜而惊心。

小师妹犹在羞她："哦，要是苗师父要开拔了，到石家庄，你也不去了？"

"去，当然去：不去谁给我饭吃？"

两个女孩唧唧哝哝地窃笑。

丹丹实在无法想像，生活中的一切规律，何以骤然改变。如何重新安排？如何面对神秘的未来？只觉：

"不知道。真的不知道。"

窗纸上糊了一张"九九消寒图"。那是一株素梅，梅枝上共有八十一圈梅瓣。从冬至这天开始，每天在一瓣上点红，等到全株素梅都点红了，白梅成了红杏，春天就再来了。还没开始点呢，冬至日也快到了吧。那天起，每过九天算一九，一般到了第三个九时，天气最冷。丹丹想：

"到了三九，大概也有个谱儿？"

什么谱儿，深念一下，也就偷偷的笑。患得患失。怀玉说过，原来戏班里，每年腊月二十日以后，会挑一个吉日演"封箱"戏，聚餐后年前就不演了。等到大年初一开台，演员全得"喜份"，平时拿"小份"的，这一天红纸包得的钱，就比角儿们多一点。他会到大北照相馆拍一张相片——哦怀玉……

不过，天天见的倒只是志高。

志高认认真真的在天桥唱了，不再插科打诨，旁门左道。不拿假王麻子剪刀来骗人，也不在宝局的骰子上瞒天过海。

当他扮着吕布时，总爱插戴一副简陋的翎子表演。这"翎子功"的行当，说来也好笑，就是他从蛐蛐身上给学来的。什么喜悦得意时的"掏翎"；气急惊恐时的"绕翎"；深思熟虑时的"搅翎"；愤怒已极时的"抖翎"，还有涮、摆、耍、抹、咬……借一副翎子来表态，配合他的好嗓子：

那一日在虎牢大摆战场，我与桃园弟兄论短长，关云长大

力猛虎一样，张翼德使蛇矛勇似金刚，刘玄德使双剑，浑如天
神降。怎敌我方天戟蛟龙出海样。只杀得刘关张左遮右挡，俺
吕布美名儿天下传扬。

天桥上常走着四霸天的打手、一贯道的头子、警察局里的
密探、系统里的狗腿子……有势力的人，歪戴呢帽，斜叼烟
卷，横眉竖眼，白布衫，青褂子，长袖反白，黑裤大裆——裤
裆大，便于摆开架势，随时打架。

他们来到志高摊子面前，吆句好，志高会得给上香烟钱，
还道：

"请二爷多包涵！"

他也有个目标，他也学着忍耐。一下子他长大了，成熟
了，沉默了——他挣的是正道上的钱，他开始培育自己成为一
个有责任的人。是什么力量的鞭策，叫不再花末掉嘴儿？他不
想自己改性成为白费——他是差点也沦作流氓了。

在没人的当儿，再三思量，辗转反侧。都是不可告人的心
事。

每个人，心中总有一些说不上来的东西，温柔而又横蛮地
纠缠着、播弄着。像一只钩子，待要把那东西给钩上来，明明
白白了，末了却又无力，它消沉下去，埋在万丈深渊。每个人
都害怕，只落得满目迷离。

就如这天，等得怀玉休息一场，重临雍和宫，再访王老
公。听说，烧香参拜的人，多给点布施，喇嘛们会让你看看精
美无比的七宝镏金欢喜佛。而太年轻的，却不得入。三人偷偷
的趴在殿侧，伺机窥探。

谁知这"欢喜佛"是什么？听倒是听得不少，绘影绘声，
说的人，说到一半也就住嘴了。

此刻潜至偏殿，曲径通出重门深锁，带点"窥秘"的兴头，一睹乾坤。

也真是另有乾坤。

欢喜佛很高，面貌狞狰的是男佛，身躯魁梧伟岸，充满霸气。女佛呢，却是玲珑娇弱，若不胜情。这两个佛像，说是"两个"，毋宁说是"一个"。因为是相拥交合的。如此的"欢喜"，叫一知半解的人，不知如何应付了。

这就是阳阴双修吗？

有点发呆，神魂颠倒地，心剧烈地跳，脸上起了红晕，整个世界，视线之内便是佛。佛不是空，佛是跃动的生命。刹时间，孽缘种了，不能自拔。

雍和宫，世上为什么会有雍和宫？

丹丹头一个跑开了，她背向二人，隐忍着不可自抑的心绪，问：

"不知王老公还在吗？"

在。王老公还在。

已经七年了，再见他，他竟也不十分显老——他是早早便老定了，枯干了，故再也不能演变成另外一种局面。他的脸，依旧白里透着粉红，依旧永远长不出半根胡茬子，白骨似的一双手，依旧钳掣着一只猫。

真的，连猫群好像也不老呢。不过，也许这些猫，已是他们儿时所见的下一代了，也许是轮回再生。说来，王老公是不是前生的人，生生世世死守他那惟一的寄居？

怀玉唤他，声清气朗：

"王老公！"

"谁呀？"阴阳怪气的回应，然而更慢。在一室老人气味中旋荡。

他摇头。十分的陌路。

"我是志高。很久没见了，您身体好吧？这是丹丹呀。"

王老公一脸迷茫，前尘往事都似烟消云散，他不记得了，什么都忘掉。像一块浸洗了七年，完全褪色的布头儿，半点沾不上心间。

当大家仔细地看清时，方才晓得不知何时开始，老人已害了一种颜脸痉挛的病，总是不自觉地抖，簌簌地抖，抖一阵缓一阵，脸上的肌肉，很快便忘掉它曾经抖过，正在小休似的，准备下一场的磨难——有时像个表情活泼的快乐人。

丹丹试图引起他的回忆：

"老公，多年之前，我们三人来占上一卦呀，谁知我们的卦兜乱了，只道一个是生不如死，一个是死不如生，一个是先死后生。我们来算准一点。"

窥伺着，看他的思潮有没有一丝激动。没有，只见王老公烦厌地挥动着一只枯手，连手也禁不住在抖。道：

"不记得了，不记得了。"

嘴角笑咪咪地，原来也不是笑，只是开始又颤起来。忽地，直直地瞪着丹丹：

"你心里有人！"

然之后又冷冷地转脸去，看见志高，道：

"你心里有人！"

再睨向怀玉：

"你心里也有人！"

声音里不带任何的喜怒哀乐，像敲击两块石头，一种冷硬而实在的回响。

猫，毛骨悚然地来了一声"噢——"的悲鸣，划破了狼狈的静默。里头有一些古老而又诡秘的变异，不知谁给谁还债来。然而王老公就养育了它们三代四世，一路的繁衍，他还没成为过去——只是他忘记了过去。

就在大家都怏怏失望时，这个一步步走近黄泉的、洞悉一切天机的算卦人，又以一种难以置信的语气，指着这三个青春少年："你将来的人，不是心里的人。"

"你将来的人，不是心里的人。"

"你将来的人，也不是心里的人。"

当他这样一说完了，便坐倒："我累了！回去吧。"

一直不肯再说话了。

一直坐着，不消一刻，便沉沉睡去，魂儿不知游荡何方。连猫也累了。斗室益发的黯闷和凄寂。

三个人手足无措，便回去了。

只一出来，外面才是真正的堂堂世界。

往南走不远，正值隆福寺庙会呢。隆福寺每月九十都举行庙会。其他的，逢三是土地庙、逢四是花市、逢五逢六是白塔寺、逢七逢八是护国寺。热闹着，摊子挨着摊子，布篷挨着布篷……

却见这繁荣的庙会中，卖锅碗瓢勺的，卖鞋面子花样子的，卖故衣的……中间，也有个卖旧书摊子，怀玉认出了，那是当年在绒线胡同大庙私塾里头的老师，丁老师认不出他来。

当然丁老师更老了，学生们一个个的长大，样儿变了，见的世面也多了，全都脱胎换骨，学生们不先喊他，他总是认不出，谁是谁？

丁老师在卖旧书，其中也有他眼中珍贵的善本呢。看来他的生活更不堪了，也许教不上书，因为北平开设了好些学校，教会也办学了，渐渐的再没什么人上他的学堂。为了一口饭，不得已，只把他藏书一置于地上，求人采购。

只是逛庙的人多，却没有谁真正有买线装书的兴头，每每朝穷酸文人瞧上一眼，也就闹哄哄的过去了。

怀玉想喊他，转念他不一定认得他，认得也没什么话可说——只是也喊：

"老师！"

丁老师不搭理，坚决的不承认他曾经是"老师"，只一个劲低首在拍拍来往的人脚下翻起的轻尘，不让善本蒙污。他似是下定决心只担当卖书人了。

怀玉没法，便也离去。

志高跟他道：

"那是丁老师呀！他从前不是教你千字文吗？"

怀玉答：

"看错了。"

志高不解："没看错，他还戴顶圆帽呢，怎的离离希希的，瞧也不瞧我们一下？"稍顿，志高又发牢骚：

"妈的，一个两个都是老胡涂！怎么会？才几年，都害了怕生症，不认人——老而不死你看多受罪，还是快快——"

丹丹骂他："看，又犯劲！快过年啦，还老呀死呀的。"

"不死也要老的。你老了别那么无情！"志高嚷。

"我才不会！"丹丹嚷："笨人才认不得人，我一眼就得看穿！"

对，快过年喽，已经有人在摊子上摆上一些"福"字"寿"字的剪金纸花，还有印上金鳞图案的"吉庆有余"红鱼。

可怀玉，对逛庙的兴趣不比从前了，那些金鱼、风车、空竹，当然不再是他的玩物，也许"风筝哈"他们的人所糊的三阳启泰、蜻蜓、蝴蝶、虞美人、瘦腿子……和长达数丈的蜈蚣，还吸引到他的视线，看上一阵，因为五彩缤纷，末了又一飞冲天的关系。艳羡之情，写于脸上。

谁知刚驻足，身畔有两三个过路的，见了怀玉，一愕，交头接耳，竟窥望起他来了。走前两步，侧过来一看，认得了，欢喜地细语，一个道：

"是他，是他！"

一个问："真的吗？这是唐老板吗？没看错？咦，好年轻哦！"

唐老板！

唐怀玉也一愕，在这个游人如鲫的庙会，往来的过客中，有认得他的人呢。还没敢过来打招呼，只是偷偷的指证：是他，是他。呀，飘飘然的，倒似一只在半空翱翔的风筝了，心中的线，轻轻地抖，迎风远引，长长的蜈蚣，一层一层，一截一截，合成一整个的阵势，扇动清风，梭穿絮云。

但愿不要醒过来。

丹丹听得有人低唤怀玉，还尊称他做"老板"呢，多么新鲜的身分，高贵而又骄矜。

只是怀玉没觉察他身边的人有什么反应。他的脸有点热，隐忍了喜悦。骤来的虚荣，一下子把持不定——志高显得落泊了。

怀玉竟急步的走过。有足够的名声让人评头品足，不知所措地不敢久留。走得急了点，倒把丹丹跟志高抛远了三五步。

春风吹绽一树树的梅花，梅花如雪海般盛开了，年关也来了。

过去的日子中，有时年关难过，唐老大会和一些行内的贫苦卖艺人，因欠了粮食煤柴或房租，一时还不了，为躲避索债，总在除夕之夜，聚到德胜居这茶馆"喝茶"，相对默默无言，夜深，便伏案入梦。直到爆竹响了，东方既白，方吁一口气，互相揖别回家。归途中遇上了债主，也道个"恭喜恭喜"，他们只得苦笑还礼。这样子也过了几个年。

今年，因为怀玉的戏落了地，又得份子钱，老脸上的笑意才浓了。

当夜幕罩下古城，杨家大院中的苦瓠子们，也将就地准备过年了。孩子穿上稍登样的衣帽，在庭院中点烟火放鞭炮，"起花"、"炮打灯"、"钻天猴"，爆竹激烈地闹嚷，烟火像个血滴子迎头罩下，众争相走避，夹杂着"梆梆梆"的剁饺子馅声，催促旧年消亡。

苗师父对各人道："好，总算也是过年啦。你们都长大了，虽不是我的亲孩子，不过也跟着到处跑，吃江湖饭多年。今年压岁钱，胡子上的饭，牙缝里的肉，也没多少，好歹应个节。你们权当是一家人守岁……"

丹丹也守岁，每个三十晚上，她都通宵不眠。守岁的地方，也好像年年不同，不同的城镇，不同的邻舍，不同的檐下炕上。

往往听得附近有石奶奶在劝毛孩子，不准贴上《大闹天宫》的年画，孙悟空身着金盔金甲，金箍棒与天兵天将杀得难解难分……劝了老半天，毛孩子哭了，奶奶又不便怒骂，只费劲解释："你没看见？张大爷家去年贴了这么一张画，全家打了一年架？"他不明白什么是"杀气"，依旧努力地哭——丹丹只渴望有个把她骂得哭起来的大人，末了，又哄她疼她。

但没有。奇怪呢，她也不哭，总是要强。真是枉担了虚名，那是"泪痣"吗？

丹丹贴年画，是"老鼠娶亲"，许多抬轿的，吹喇叭的，穿红着绿的小老鼠，伴她一宵。

她在"九九消寒图"上，又点上了一点红。

正月初一，新春第一天演戏，是不开夜场的，这天除了打"三通"、"拔旗"之外，还要"跳灵宫"。台口正中摆一个铜火盆，象征聚宝盆，里面摆上黄纸钱元宝和一挂鞭炮，跳灵宫后，便焚烧燃点，有声有色地开了台。

过年演的都是吉祥戏，什么《小过年》、《打金枝》、《金榜乐》。

唐怀玉，担演《青石山》。

志高穿戴得很整齐，还是新袄子呢，喜气洋洋的先到了后台，朝怀玉一揖：

"恭喜，恭喜老兄步步高升，风吹草动，不平则鸣，儆恶惩奸，叮当四五，连生贵子！"

怀玉正在上油彩，不敢笑，只僵着脖子瞪着镜中的志高，道：

"你今天倒是戴帽穿衣——还算装得成人样。"

"大年初一，什么话不好说，嘿？损我？快来点吉利的！"

"还学人家忌讳呢。新鲜！"

志高见怀玉，咦？上了妆，还是关平。便伺机损他：

"道是演什么，还是关平？那个三拳打不出半个闷屁来的关平？"

是呀，不过时势不同了，时势造了英雄。这《青石山》，原是过年时戏园子必演的武戏，由第一武生担任。话说青石山下有个成了精的九尾玄狐，变了美女夫迷人害命，一家少主人被她缠了，几乎病死，老仆人请王老道捉妖，反被打伤。王老道只得去请师父吕洞宾，吕写法表请来伏魔神关羽，关羽命关平除妖去。关平持刀提甲，大展雄风。

三国戏中，关平是陪衬；但封神戏里，他是八月的柿子——就他最红了。

志高一听，又是妖戏，心花怒放的待要走了，怀玉喊住："看戏呀，怎的猴儿屁股，坐不住？"

"我是看戏呀，我去把丹丹唤来了，她就在那儿等我呢。"一下子窜了。

怀玉自上场门往下瞧，丹丹又是一身深深浅浅明明暗暗的红，等着。

好不容易，唐怀玉气象万千的下了场。在雷轰的采声底下。他终于盼到挑大梁的一天了。关平，华容道上的小关平，倒是火凤凰——成了仙封了神，方才出头。

原来这初一的首演，很多有头有面的人来看，他们看过了戏，又到后台来看角儿。跟角儿招呼、寒暄、道喜，什么都来，扰攘了半天，也不走。

怀玉周旋在上宾中间，笑脸一直堆放着，没有歇过。李师父一唤他，他忙又过去让人"看"，扎了硬靠，微微的招展。反正是世面。再也不是撂地帮了——但，他们爱在什么时候回去？谁敢流露一点不耐？等爷们看够了，谈够了，他们才肯走呀。

丹丹有点趑趄，不知上不上来好。志高只觑一个空档，来递他糖包儿。一看，是一层桃红纸头包的糖瓜和关东糖，上面还写着"旗开得胜"。

怀玉朝丹丹：

"我是灶王爷吗？用来黏我的嘴？"

"哼，苗师父祭了灶给分的，我把糖瓜放在屋外，冷得脆。你要不要？不要还我！"

"说什么冷得脆？"怀玉一逗，因在后台，人烟闷稠，遇了点热，这黄米麦芽冻成的糖，又成了黏黏的疙瘩。丹丹一听，借意抢回，怀玉只把糖包一收，都不知收进他大袍大甲的哪部位去了。

有人又来给怀玉送上美言，怀玉只谦辞：

"都是大家看得起！谢谢！"热闹一片。

丹丹向志高："切糕哥，我们先走了，让他神，见人扬扬的不睬！"

志高欺身上前，扯怀玉一旁，先叮嘱丹丹："好，你在下边等我。"又冒猛对怀玉道："怀玉，咱可是'先小人，后君子'。"

"什么？"

"我把话说在前面，不是冒泡儿——"志高道。

怀玉不耐，追问："说呀。"

"我要丹丹。你别插上一手可好？让我呀！"

"——"怀玉跟志高面面相觑。

"嗳，正月里头第一遭，别拉硬屎，说话不算数。"

"谁插上一手？胡说八道。"

"你说不是就好。"志高一眨眼睛："哥们说一不二。告诉你，王老公说我将来的人不是心里的人，我硬是不信邪。"

"不信？你最信了。"怀玉道。

"我才慌，怕事情这下子要坏了。"

"别慌了——"

志高握着怀玉的手，很牢很牢。怀玉的手也上了彩，此刻沾到他手上去。莫名的一滩白。狼藉而又纷纭，不成样。志高有点狠，也有点不安。

"平常我话多了像得痨，这一回可不是二百五，没分寸。你将来要什么的妞儿都有，我不比你，丹丹倒是要定了！"

怀玉冷静地一笑：

"丹丹知道吗？"

"就是不知道。"志高远远地瞅她一下："咱哥儿们的暗令子，怎么可以让娘们知道？你我都别说破了！"

志高一脸诚恳，也许是，一脸卑鄙，怀玉怔怔的。不好了，他先说了。

"怀玉！"他没来得及应对，志高又道：

"怀玉，我们走啦——你没工夫说'不'。"

他抽身而退：

"我实在是怕你说不。这小人，老子做定了。欠你的，再还！"

一溜烟的，赶喘地，走了。二人各奔前程。人人都走了，干白儿只剩怀玉一人在那儿似地，一脚落空，满盘落索。

——不，人人都在，声音四方八面包围着他，中间还挂念着他名儿。李盛天与班主在说话，班主吹腾：

"……有三个码头最难唱：天津、汉口，还有上海。"

"科班的兄弟没问题，只是怀玉嘛——"李盛天说。

怀玉不问情由地振作："我去！"

座落于前门大街的"北大照相馆"今天开业十周年庆祝呢，生意很好。老板知道顾客们最爱拍戏装的相片了，所以专门收买旧戏装，小生、老生、花脸、青衣、小丑的角色都有。

也有拍其他相片的，譬如结婚的凤冠霞帔和长袍马褂，可以租来穿。

六个化妆房间中，有一个，正是整装待发的唐怀玉。

怀玉收了喜份，急不及待的要来拍照。听班里的人说，北大的相片，清晰美观呢，所以对镜照了又照，扬眉瞪眼，先准备一下关目。

站到布景前，那是半块的幔幕，还有画上假石山和花草的画，有点儿紧张，人也僵硬了。摆一个架势，良久，等待照相机后的人指挥：

"站过一点，对。您眼睛请往这边瞧，这边……"

竟有客人在镜头旁偷看他，多么的近，又多么的远。咔嚓一下，他的魂儿就被摄进箱子里去了。末了冲印成一张张的相片，黑白的，给小心涂上了颜色，画皮一样。

他的魂儿遍散在人间。

"看，这是唐怀玉。"

"广和楼唱戏的！"

窃窃私语。到处都是认得的人……

不一会，他的影儿给定了，他的命运给定了。今生有很多散聚，一下子，跟既定的毫无纠葛，他永远都是风采烁烁当今一武生。

老板认出怀玉来，马上上前："唐老板，其他客人给照的，都是黑白相片，不过您的可特别一点，是棕色的，保证可以存放几百年，也不变质，也不变色！"

怀玉道："谁知道几百年？这几天就要。相片给修好一点。"

"唐老板用来悬在戏园子，一定好样。"老板说。

"什么戏园子？跑码头的。要到上海去！"

"恭喜恭喜。来，请抓张彩票。"原来因庆祝纪念，凡来光顾的，都抓彩。

"呀，您抓的是第一号呢！"

一般抓到的，都是不值钱的东西，什么绣荷包、小耳环。

不过当怀玉把抓到的彩票交给老板以后，他忙收起来，把另外一张第一号的亮着，再强调地喊：

"唐老板，您的运气真好，抓到是一只金戒指！您这回跑码头一定火上浇油红上加红！"

很多人围拢上来了。楞楞的又笑又看。

老板又张罗给怀玉拍照留念。一个当红武生，在北大的戏装相片，拎住一只金戒指，傍着个笑吟吟的老板……以后一定给利用来广作宣传了，说不定就放大了，张悬在店前，每个路过的人都看到，这真是花花轿子，人抬人。

怀玉也乐于这样干了。他想，有利用价值是好的，少点本事，也就不过是八仙桌旁的老九，站不到这个位置上。当下又洋洋自得，问：

"够了吧？拍得够多啦！"

面对群众的不适，与日俱减，他又渐渐的，十分受用，还是装作有点烦："哎，都拢上来看了，不拍了！"回身到化妆房卸妆。

又回身转到志高和爹跟前去。

晚上，扯了志高来帮他说项，开口便是大道理：

"志高也看到的，那是丁老师。爹，读书识字也不过如此。现今时势不同，也没官儿可当，没什么前景。还养活不了自己呢——"

"我不是不高兴，我是不放心。"唐老大听得他要随班子跑码头去，父子拉锯半天没拿砣："你还不扎根呢。"说来说去是不舍。

"爹，如今不流行这个了，机会是不等人的，我跟着李师父，还怕丢人现眼不成？——您让我去，我当然去；您不让我去，我也得去！您放我出去，三年，三年一定给立个万儿，在上海红不了，我不回来见您！"

"红不了也得回来！"

"您这是答应了？"

唐老大自然明白，他是一天一天管他不住了，怀玉一天一

天的远离他了。他怎会想到呢，他调教他这么大，末了他还是
凭自己本事冲天去了。

怀玉眼中只有一桩事儿：当他远走高飞，趁势也把一切都
解决了。志高也许对，自己什么都可以有；而他，目下只能如
此了。难道自己还要与他争么？志高在他沉默之际，马上拍胸
许诺：

"唐叔叔，您放心好了，怀玉是什么样，您怎会看不出？
而且，说到底还有我在。"

"志高，你照顾我爹，照顾丹丹。弄得不好，三年之后回
来，要你好看!"

门外响起丹丹的喊声：

"呀，叫我来了，又在我背后装神弄鬼！你们——"

怀玉把丹丹带到院子去，他面对着这个凝着一脸笑意的姑
娘，千言万语，只好草草的说了真相，不加掺杂。

志高自门缝往外瞧，听不到二人说的什么，不，只得怀玉
一人说了，隔着远远的怀玉的背影，他见到丹丹的七分脸，本
来的笑意，突然的变成一副滑稽怪相，嘴角一时间无措得不知
往上拉，还是往下撇，脸上肌肉都紧张了，有点哆嗦，七情都
混沌如天地初开，分辨不清，她僵住了，头微微的仰看着她身
前的男子，耳朵只余一片嗡嗡的声响，像采得百花成蜜后的蜂
儿，自己到底一无所有——她比蜂儿还要落空，她连采蜜的过
程也是没有的。

志高心头突突乱跳，十分的惊惶，行动不能自如，是上前
去劝慰？抑或在原地候复？才这么简单的一桩，不过是《话
别》吧，他话的是什么别？他有没有出卖他？他……

后来，丹丹只肯让泪光一闪，马上交由一双大眼睛把它吞
咽了，再也没有悲伤，强道："怀玉哥，祝你一路顺风!"

一扭身，急不及待的走了。走前成功地没有悲伤，她不哭给他看。

志高上前，满腔的疑问，不放心：

"说了？说什么？"

"没什么。"

"真的？——"

怀玉搭着志高的肩膊，道："你闭上眼睛。"把东西往他袋中一塞，志高一看，呀，是一只金戒指！——他抬头。

志高拎住那只金戒指，抬头半响。他明白了。他真窝囊，他欠怀玉太多。

突然他记起了，小时候，在他饿的当儿，怀玉总到了要紧关头，塞给他一把酥皮铁蚕豆来解馋——怀玉太好了，像自己那么的卑鄙小人，本事不大，又爱为自己打算，他这一生中，有给兄弟卖过力气吗？

就在前几天，他还念着：怀玉到上海另闯天下，他蹲在天桥扎根，各得其所，正中下怀。他还有个丹丹……在他怂恿他之际，难道不是因着私心？

志高自恨着，他从来都没这样的忠诚和感动，几句话也说得支离破碎：

"怀玉——日后不管什么事，你只要，一句话，我一定，就算死——"

"你真是，我这是一去不回吗？我临危托孤吗？才不过三年，真的，一晃过去了。待我安顿好，一定照应你俩。"

怀玉心念一靖，又补上了：

"希望你俩都好！"

及至志高得知那金戒指，原来不是买的，是怀玉以他今日的名声换的，更觉是无价宝物。人人都买得到金戒指，不是人人都赢这面子，也不是人人都有这情分。

哥们都默然了，一瞬间便似有了生死之约。在这样的初春，万物躺在半明半暗半徐半疾半悲半喜春色里，各自带着滚烫伸延，觉不着尽头的一份情，各自沉沉睡去。谁知道明天呢。

丹丹更是没有明天了。

世上没有人发觉，在这个大杂院外，虽然没一丝风息，但寒意引领着幽灵似的姑娘，凄寂地立在危墙之下。

有生命的在呼吸，没生命的也在呼吸，这种均匀的苦闷的节奏，就是神秘的岁月。天地都笼罩她，然而却没有保护她，只是安排她在圈儿中间，看她自生自谢。她承受得了。只忖量着怀玉的门儿关严了，她站在门外。都不知道为了什么？就在风露之中，立了半宵，一言难尽。

只取出一个荷包，和针线，作法似地，虔敬而又阴森，喃喃叨念："唐怀玉！唐怀玉！唐怀玉！"

记得那天，她杨家大院附近的石奶奶，最信邪了。毛孩子一困，要睡了，她马上给放下针黹，这样道："一个人睡着了，魂儿就离开身子，你要动针线，一不小心，把他魂儿给缝进去，他就出不来了……"

丹丹就着半黝月色，唤了怀玉魂儿三声。好了，也许他在了，便专注地，一针一针，把荷包密密缝好，针步又紧又细，生怕他漏网。

她傲慢地，仿佛到手了，她用她的手，她的力气，去拥抱那幻象蜃楼。虽然周遭黑暗漫过来，她在天地间陡地渺小，但她却攫住一个魂呢，等他人远走了，魂却不高飞，揣在自己怀中，怦然地动。

真的，这荷包好像也重了点——也许，一切都是不管用的，不过。她总算尽了最大的努力。

说不出来的，先干了再算。

只是，干了又能怎样？他也是要走。心念太乱，只觉是凶。泪便滚滚奔流，隐忍不作声，竟还是吵醒了。

眼看被揭发了，马上把荷包藏好，唐老大和怀玉披衣一看，不知何时，门外来了这丹丹呢，好不惊愕。丹丹也就管不了，只望怀玉：

"怀玉哥，你不要走！"

大眼睛浸泡在水里，睫毛瑟瑟乱抖，迸尽全力，化成恸哭：

"你不要走！"

十多年来都未曾如此的惶惶惨惨，爹娘不在的时日，因不懂人性，甚至不懂伤心。但如今，绝望而急躁，心肝肺腑也给哭出来，跌满一地。

大杂院中也有人被吵醒了，掌了灯一瞧，认得了，各有议论：

"就是那个吊辫子的妞儿，好野。"

"早晚爱跟小伙子泡在一起，早晚出事了。"

"没爹娘管教，爱怎么着就怎么着。干嘛哭得唏里花啦……"

丹丹一概不理，任性妄为。父子二人吓得僵不噬的，急急扯进屋里去，一院子的讲究非议，由它见开儿了。

怀玉安慰道："别哭别哭！"一双手，不知如何是好。思前想后，刚才她也未曾如此的激烈，如今是撕心裂肺的哭，明明地威胁着他，举步维艰。

他估道自己已经长大了，不能那么没分寸。何况又与志高有约在先呢。跟班主也有约："丹丹，你听我说，我已经给签了关书，卖个三年。你跟志高在一块，他答应过我，好好照应你。"

"我不要，我……"

怀玉硬着心肠："你真是小孩脾性，净掉歪歪的——"

丹丹猛地一仰首，逼视着怀玉：

"我不是小孩！我跟你走！"

才说罢，自己反被吓倒，一头栽进这可怖的不能收拾的局中，忘记了哭。

私奔？

这不是私奔吗？

怀玉也被吓倒了。不，且速战速决，只好浅浅一笑，临危不乱：

"真会闹。你跟我跑到上海去，能干些什么？你搬得动大切末？"

大局已定，不可节外生枝，生怕一时心软，狂澜便倒。只回房里取出一张相片，交到丹丹手中：

"看，这原是明天才送你的。"

丹丹见这一开口便是错，哭累了，再也不敢跌份儿。大势已去了。

唐老大着怀玉送她回家。后来一想，悠悠众口，不妥当，自己也披衣一同出门。父子陪着她走夜路。丹丹更觉绝望：好像父子二人，都不要她似的。

顿觉此是白来了，又白哭了。迫不得已，要挖个深坑给葬掉才好。然而满心满肺的翻腾，不让人知——他们都不要我。

你走吧！

走不走，节也是要过的。苗家师父师娘，便领了手底下一众没爹没娘没亲没故没家没室的师兄弟妹妹，正月十五，元宵看灯去了。

长久以来都闹灯，自汉唐以来便闹灯了。到了今日，灯竟黯然。

不是灯黯然，只是心事蒙上一层灰，那管九曲黄河，一百零八盏灯，闪闪灼灼如汪洋大海，纷纷纭纭，缭乱迷醉，不似人间。丹丹心中没有灯。

天桥北面，是前门、大栅栏、琉璃厂……于此新春最后的一个大轴节令，拼了命的热闹着。过了元宵，喜节又是尾声，一春曲终人散，不，留住它留住它。

比丹丹大的师兄姊，一个劲的研究，这荷花灯、绣球灯是怎么弄的？牛角灯、玻璃灯、竹架纱灯哪一盏更亮？比丹丹小的师弟妹，又流连花炮棚子，看，"金盘落日"、"飞天十响"、"竹节花"、"炮打襄阳城"、"水浇莲"、"葡萄架"……一街一巷亮灿灿。

小师妹高喊：

"丹丹，来，这有'线穿牡丹'。你怎的被线给'穿'了呢？嗳，疼不疼？"

丹丹笑："不疼！"

小师妹倒真的买了一盒"线穿牡丹"花炮来燃放了。

苗师父跑江湖，能征惯战，不免也为大栅栏的华丽所感动了："这大栅栏，果真庚子大火烧不尽！"

小师妹问："你念这'栅'字，念得真怪！在舌头上打个滚就过去了？"

一路笑笑嚷嚷，穿梭过了楼下檐上那一块块金字大匾，什么"云蒸霞蔚"、"绮绣锦章"。

除了瑞蚨祥这最大字号外，还有茶叶铺、珠宝、香粉、粮食、鞋帽的店号，都悬了细绢宫灯，工笔细画西厢红楼，人间情爱。

丹丹徒拥太多的情，却不是爱。

她其实不想要太多的情，只要一个的爱。既是得不到，领了其他的情，也罢，否则便一无所有。

一伙人又围坐一起吃元宵了。这摊子是现场打元宵的，用筛子现摇现卖，一边又支起大铁锅煮着，白滚滚的元宵，在沸水中蒸腾翻舞，痛苦挣扎，直至一浮成尸。枉散发出一种甜香。

苗师父见他们埋首吃上了，便问：

"你们可知道？从前呐，元宵不叫元宵，叫汤元。"

有个摔跤好手大师兄吃过一碗，又着那摊主添上了："个大馅好，再来！"

苗师父叱他："问你！"

他塞了满嘴："谁知道？那时候还没做人来呢。"

一想，也是。"真的，差不多廿年了，在袁大头要当皇帝的时候，他最害怕，听得人家叫卖元宵，总觉得人家说他袁世凯要在人间消亡了——"

有的在听，有的在吃，只有丹丹，舀了老半天，那元宵便是她心头一块肉，渐渐的冷了，也软塌了。

苗师父怎会看不出呢？只语重心长：

"丹丹，白鸽子朝亮处飞，这是应该的，不过虚名也就像闪电。是什么人，吃什么饭。你们虽没一个是我的姓，不过我倒是爱看你们究真儿，安安分分。"

见丹丹不语，又道：

"你若找个待你有点真心的，我就放心。你看，上海可不是咱的天下，花花世界，十里洋场，那种世面——"

"我也见过呀。"

"你没红过。"

一语堵住丹丹。

是没红过，穿州过省的卖艺，从来没有红过。谁记得她是谁？她是他什么人？他没表示，没承诺，她便是件不明不白不尽不实身外物。

虽则分别那日，怀玉对她和志高许下三年之约。怀玉想，三年是个理想的日子，该红的红了，该定的定了，该娶的娶了……

火车自北京出发到上海去，最快也得两天。怀玉从来没有出过门，这一回去了，关山迢递，打听一下，原来要先到天津，然后坐津浦铁路到浦口，在浦口乘船渡江，然后又到南京下关，再接上另外的火车头到上海去。辗辗转转的，一如愁肠。

车厢又窄又闷，只有两个小窗户，乘客都横七竖八席地而坐。火车一开动，劲风自车门缝窗户隙灌进来，刮得满车厢的尘土纸屑乱飞，回回旋旋上。

"冷？"李盛天问。便把一件光板旧单皮袄铺在地上，大家躺好。

"你这样不济，还没到埠就念着家乡的，怎么跑码头呢？"大伙笑了。怀玉也笑着，用力摇摇头，好摔开一切。呀箭在弦上！

有个乘务员给点火烧茶汤壶来了，一时间，晃荡的车厢又烟薰火燎，措手不及，呛得一车人眼泪横流，连连咳嗽。随着左右摆动着的煤油灯，咳嗽得累了，便困得东歪西倒，不觉又入夜了。

怀玉自口袋中掏出那只金戒指来，金戒指又回到他手里了。

都是志高，送车时又瞅巴冷子还他。怀玉奇怪："出门在外，带这个干么？"

"哎，这是给你'防身'用的！"

"防身？"

"对呀，要是你跑码头，水土不服，上座差劲，眼看势色不对，把它一卖，就是路费。"志高说。

"这小小的一个戒指，值不了多少。"

"买张车票总可以的吧，这防身宝，快给收好了。当然我会保佑你用它不着。"

怀玉气得捶了志高几大下："净跟我耍，幸好我不忌讳。"

把金戒指放在手里掂了掂，怀玉小心地又放进口袋中。而口袋重甸甸的，是爹在临行前硬塞的五个银元。唐老大积蓄好久，方换得十个银元，本来一并着怀玉带了。怀玉执意不肯，他想：到了上海，还愁挣不到钱？只肯要三个，爹逼他要七个，这样的推，终于要了一半——他一挣到钱，一定十倍汇过来。

民国廿二年

春

上海

想尽所有的人，最后不得不是丹丹。本是故意硬着心肠，头也不回。只是，她在送火车的时候，没什么话说，挨挨延延，直到车要开了，还是没什么话说。火车先响号，后开动，煤烟蓬蓬，她目送着自缓至急的车，带走了她心里的人。

丹丹一惊，王老公说过："你将来的人，不是心里的人。"她记起了——这无情的铁铸的怪物，我不信我不信。

她忽地狠狠地挥手，来不及了：

"怀玉哥！你要回来！你不回来，我便去找你！"

太混杂了，在一片扰攘喧嚣中，这几句话儿不知他是听见还是听不见？也许她根本没有说出口——只在心里说过千百遍，到底被风烟吞没了。她追赶着，追赶着，直至火车义无反顾地消失掉。是追赶这样的几句话么？是追赶一个失踪的人么？只那荷包在。

她怀着他的"魂"，如一块"玉"。真的，莫非怀玉的名字，在这一生里，是为她而起的？

志高陪着丹丹回家去。丹丹把怀玉的魂带回家去。

一路上，只觉女萝无托，秋扇见捐。志高亦因离愁，话更少。他长大了，他的话越来越少。

怀玉就在这又窄又闷的车厢中，苦累地半睡半醒半喜半惊。

此番出来，班主洪声一早就跟他说好条件了，签了三年的关书，加了三倍份子钱。

跑码头时，先在上海打好关系，组这春和戏班，以"三头马车"作宣传：架子花脸李盛天、武生唐怀玉、花旦魏金宝——班主私下又好话说尽："唐老板，要不碍在您师父，肯定给您挂头牌。"现在班主跟他讲话，也是"您"，他唐怀玉可抖起来了。

不要紧，到底是师父嘛，他这样想。然而也犯彪，到底长江后浪推前浪，到了上海，哈哈，还怕摆不开架势？火车轰隆轰隆的，说两天到，其实也要两天半。

一到上海，马上有接风的人。

呀，上海真是好样，好处说不尽，连人也特别的有派头。

一下车就见到了。一个廿来岁的青年，单眼皮，有点吊梢，头发梳得雪亮，一丝不苟。面孔刮得光光的，整张脸，文雅干净得带冷。穿的是一身深灰色条子哔叽的西装，皮鞋漆亮照人。怀玉留意到他背心口袋里必有一只扁平的表，因为表链就故意地挂在胸前。

一见洪班主，迎上来。

"一路辛苦了。"

"哪里。我们一踏足上海，就倚仗你打点了。"

"好，先安顿好再说。"

班主一一的介绍，然后上路。虽那么的匆促，这人倒好像马上便记住了一众的特征和身分，一眼看穿底细似的。

史仲明，据说便是洪班主的一个远房亲戚。这回南下上海等几个码头，因他是金先生的人，所以出来打点着。看他跟洪声的客气，又不似亲戚，大概只是照例的应酬，他多半不过乃同乡的子侄，是班主为了攀附，给说成亲戚了。因在外，又应该多拉点关系。

史仲明把他们安顿在宝善街。宝善街是戏院林立的一个兴旺区，又称五马路。中间一段有家酱园，唤作"正丰"，他们住的弄堂便在这一带。似乎跑码头的，大都被史先生如此照应着，这从四合院房屋蜕变过来的弄堂房子，便是艺人川流不息去一批来一批的一个宿舍。

他已经了解到，谁是角儿谁是龙套，心里有数，当下一一分配妥当。

东西两厢房，又分了前后厢，客堂后为扶梯，后面有灶披间。上面还有较低的一个亭子间。客堂上层也有房子。他们住的这弄堂已算新式，外形上参照了西式洋房，有小铁门、小花园。比起北平的大杂院，无疑是门楣焕彩了。虽不过寄人篱下来卖艺，倒是招呼周到的。

史仲明道："我给你们地址，明天一早来我报馆拜会一下，再去见过金先生，等他发话。"——金先生？听上去是个人物。

待他走后，洪班主议论："史仲明倒真是有点'小聪明'，他跟随金先生，我们不要得罪他。"

原来史仲明不单是金先生的人，还是《立报》的人。虽则不过在报上写点报道性的稿件，却有一定的地位——是因金先生面子的缘故，作为"喉舌"，《立报》自有好处。而且这不算明买明卖。

听说过么？有个什么长官衔的闻人，妻妾发生艳闻了，读者最爱这些社会新闻，不过当事人害怕见报，便四出请托，金先生肯管了，派史仲明把它"扣"下，讲条件、讨价还价之后，总是拿到一万几千元。除了孝敬先生之外，也给报馆打个招呼，说是原料不准确……

金先生业务多，也需要各方的宣传，史仲明在报馆中，又非缠夹二先生，门槛精、口齿密，故一直充任"文艺界"。

洪声一早便与李盛天、唐怀玉、魏金宝等人，来至望平街。因来早了，于此报馆汇集区，只见报贩争先恐后向报馆批售报纸，好沿途叫卖去，紧张而又热闹。《立报》是与《申报》、《新闻报》鼎足而立的报纸。

这三份报纸，各自拥一批拜过门的人，在帮的都不过界。

史仲明还未到，他们便坐在会客室中等着。看来史是搭架子。

怀玉拎起一份立报，头条都是战争消息，自一二八与日军开战后，天天都这样报道着：

"浏河激战我军胜利"、"退抵二道防线"、"日军如再进攻，我军立起反抗"、"伤兵痛哭失声"……

奇怪，一路上来倒是不沾战火，报上却沸腾若此？翻到后页，有热心人的启事："昨日火烧眉毛急，今朝上海炮声远。我军依旧为国血战，本埠同胞就此可高枕苟安么？一腔热血从此冷了么？"

严正的呼吁，旁边却卖着广告："辣斐花园跳舞厅，地板更形光滑"、"花柳白浊不要怕"、"西蒙香粉蜜"、"人造自来血，每大瓶洋二元，每小瓶洋一元二角"。

——人造自来血？怀玉满腹疑团，正待指给师父看，史仲明来了。

班主有点担忧："这战事，可有影响么？"

史仲明牵牵嘴角：

"你们会打仗么？"

怀玉只道："不会呀。"

"你们不会，有人会。"史仲明道："这世界，会打仗的人去打仗，会唱戏的人去唱戏，各司其职，各取所需，对吧？"

末了，又似笑非笑：

"前方若是'吃紧'！后方也没办法'紧吃'的。"

倒像是取笑各人见的世面少了。怀玉有点不服。不过出码头演戏，总是多拜客、少发言，这种手续真要周到，稍为疏漏，在十里洋场，吃不了兜着走。便噤声随他见过一众编辑先生。

史仲明道："待会他们正式上台了，我还得写几篇特稿呢。"

"反正在金先生的舞台上演出，有个靠山是真。"编辑先生道。

听了他们的话，师徒二人心中也不是味儿。难道一身工夫是假不成。

然而当他们来到"乐世界"，马上被唬得一楞一楞，目瞪口呆了。别说听了两天金先生金先生的。金先生是怎么个模样还不清楚，但这门面已经够瞧了。

怀玉只像刘姥姥初进大观园。以为天桥是个百戏纷陈百食俱备的游乐宝地？不——

来至这法租界内，洋泾浜旁，西新桥侧的一个游乐场，进门，已是一排十几个用大红亮缎覆盖着的木架子，不知是什么东西？中间横亘了彩球彩带，若有所待，各式人等都不得靠近。似是必有事情发生……

还没工夫细问，眼前豁然开朗。房屋尽是三四层高，当中露天处有空中飞船环游，四周全是彩色广告，大大小小的剧场，看不尽的京剧、沪剧、淮剧、越剧、甬剧、锡剧、扬剧、曲艺、评弹、滑稽、木偶戏、魔术表演。还有电影室、乒乓室、棋室、拉力机、画廊、茶室、饮食部、小卖部……九腔十八调，百花在一个文明的雄伟的游乐场中齐放，这样的穷奢极丽，亘古繁华，原米也不过是花花世界中一个小小"乐世界"而已。

乐世界里头，哥尔福球场往左拐，有一个"游客止步"的地方，唤"风满楼"，原来便是金先生的办公室。

史仲明引领他们内进，又是未见人。

怀玉游目这个办公室，四周悬挂了名人书画，还陈列了彝鼎玉雕。最当眼的，是堂前供奉了关羽像，燃烛焚香，这关圣帝君，旁边还挂着一副对联，上联书："师卧龙，友子龙，龙师龙友。"下联书："兄玄德，弟翼德，德兄德弟。"——在帮的如此崇拜关帝，看来是看重他的义气。

正看着，魏金宝扯扯怀玉衣角，方回头，史仲明一早已立起来。

金先生还没进来，空气已无端的深沉不安，就像一头兽，远远的泄漏一点风声，没来得及思量，它已经到了身边。

来的是个五十上下的男人，身段有点胖，不过仍是潇洒的架子，可以猜想他的风光岁月。他穿了一件狐皮袍子，外加皮背心。

一进来，史仲明马上上前接过了皮包，他这般一貌堂堂的人，此时却也不坐了，只随侍在侧，向各人引见。

正是一山还有一山高。

"金先生。"

金啸风坐定了，向他们点个头。

脸盘是长方的，有个非凡的鹰钩鼻，一双兽眼，乌灼灼，只消向怀玉一望，便道：

"成了。"

在他对面的人，总有种被看穿了的不安。是吗？我是什么分数，难道已写在脸上？

金啸风只对李盛天热切点，听起来也不是客套废话，只道：

"欢迎你们来，闹猛一下，我就是爱听戏。你们走过了台，我定当来欣赏。角儿来乐世界献艺玩玩，便是天然的广告。仲明有跟你们谈过么？"

那史仲明当下便补充了："金先生的意思，你们夜场当然上凌霄大舞台，日戏来乐世界，算是我们把戏台借给你们，让你们把技艺介绍给观众……"

说了半截，洪班主也就明白了：

"不过日场的事儿，当初也没交待过。"

史仲明不理他：

"我们乐世界还可以义务代你们接洽堂会，也不要你们扣头，跑码头也不外是挣碗好饭吃，堂会多了，收入自然可观。而且我们其实只要你们每天在台上弄得热闹，就是重复的剧目也不打紧。"

说了这么天花乱坠一番话，原来是让他们把日戏的包银自动减少，换句话说，在乐世界的演出，就等于"孝敬"，轧闹猛。

李盛天也是见过世面的人，却笑道：

"可我倒是没准备日戏上游乐场的——"

正待推头，金啸风也笑道：

"让年轻的徒弟们上好了，也不偏劳师父。难道他们拂逆你不成？不是掂他们斤两，这个档口这个场，我也不是随便让人乱轧，上座空落落，只怪到我眼光不准来了。"

好像已告一段落，没啥余地。

金啸风向史仲明一抬眼：

"仲明，待会带李老板他们白相白相去。三天后上演，你把宣传弄好。"

史仲明答应一声，又报告：

"昨天来了个招生广告，是位中央委员办的中学，他们不是邀您担任董事长么？如今用了您的名字大字招徕。这稿我还没发，您的意思——？"

"闲话一句，让他们登好了。以后这种小事不必说。交易所那儿送来的一份礼，不中我意，这徒是不收了。退回去。"

"他们——"

"你做事体也落门落槛，教教他们吧。要没空，叫仕林去。"

"我去好了。"

正要领着他们离去，史仲明忽转身：

"金先生，段小姐下午三点半才到。玛丽来个德律风，说拍完了戏，一睡不肯起床。"

只听了"段小姐"三个字，这张深沉的脸乍亮。

才一闪，已回复原状了。

出了风满楼，面对这缤纷多姿的乐世界，真不知打哪儿白相起才好。

游客开始多了，他们买一张票，才小洋二角，十二点钟进场，一直可以玩到深夜。

史仲明客气地引路，什么共和阁、共和台、共和厅、共和楼……上的都是不同的戏，也是有名声的角儿呢，这地方真不简单，谁敢不买账？

"各位老板，日戏还没上，不若到京剧场看看。明天才走台。"史仲明说。

到了舞台，工人正在放着布景。

怀玉见了奇怪：

"咦，怎么你们用的是软布景？"

"哦我们早就不挂'守旧'了，现在流行的是在一张张软片上画上客堂、房间、花园、书房什么的，换景时下面一喊，上面一放就是。"

李盛天问："什么是'守旧'？"

史仲明一念，北平跟上海，真是相差了十年廿年光景呢，便淡淡笑道："大概是狮子滚'绣球'的误会吧，反正胡里胡涂的，就文明了。"

正为"不文明"有点脸热，忽闻：

"师哥！"

李盛天一怔，忙循声认人去。有个布景工人过来。李盛天记得了，这是他师弟朱盛塈，当年也是学武的，因练功过度，倒呛后不能唱，只会翻，出科之后却一直跑龙套，学搭布景。未几就离开北平。

"怎么你到上海来了？"

"师哥，我现在不上台了，专门'改台'。你知道吗？搭布景的吃得开呢，我除开在戏院，还画电影布景。"

"他们倒成了天之骄了！"史仲明道。

李盛天见师弟有出息，也很快慰：

"看不出呀，你从前像个毛脚鸡似的，如今拍起电影来了？"

"这上海滩，就是搞电影的发财。此中花头不少，改天带你们参观参观。"

"电影唤什么名字呢？"怀玉问。

"《夙恨》。喏，女主角一会给剪彩来呢。"

在乐世界正门入口，已围满了人，盯着一排十几块大红亮缎，窃窃议论着：

"那是什么呢？"

"来了没有？"

"别挤别挤！"

忽起了一阵骚乱，一条小路像被只无形的魔手一拨一分，现了出来。

带头的是两个男人，然后是两个女人，后面又跟了两个男人。

头一个女人，长得聪明端丽，陪同照应着，带引着女主角。她是她的"女秘书"。也没什么秘书的工作可做，不过是跟着出入交际场所，玛丽笑吟吟道：

"不算太晚吧？"

男人陪着笑。

"才不过迟了一点，不到两小时，没关系，没关系。"

群众开始闹哄哄了，他们见到了段娉婷。

段小姐笃定地走着，笃笃笃一双紫缎高跟鞋，往纤足上瞧，一小截紫缎旗袍的艳色轻轻掩映，因为全身被一袭极深的紫貂重裘给裹住了，这样的密裹，你还可以从她走路的姿态当中，发挥无穷的想象，里头是怎么一幅风光。

即使她的毛领子翻起了，钳熨好的头发，三七分界，三分按兵不动，七分浮荡的波浪正惺惺忪忪地轻傍着，不用把它拂过去，她的眼神已像分帘的手，还没着一点力气，艳光四射出来。

即使垂着眼，什么也不看，她完全知道，她是被看着的——忒烦人。

金先生陪着段小姐在那横空一写的红彩带前站好，镁光闪了又闪，段娉婷金剪一挥，彩带彩球的坚贞忽被断送，乏力地瘫分倒地，大红亮缎掀起了——

一块又一块的着衣镜，呀，全都是凹凸不平，即使你是化人天仙，对镜一照，不是变得矮胖，便是扯得瘦长，面目依然，形态大变，不知是前生，抑或来世，大家哈哈绝倒。

乐世界的这批"哈哈镜"，号召力是惊人的。剪彩过后，也就交由小市民去传诵了。段娉婷往镜前一站，见自己变得奇形怪状，也很惊讶，碍于身分，风华绝代的桎梏，只抿嘴一笑。镜中也现了另一个丑陋影子，无意地亮一亮，马上又不见了。

段娉婷回过头来，刚好是俊朗的怀玉，是镜中人的脱胎换骨。

史仲明介绍着："段小姐，这是唐怀玉唐老板、李盛天李老板、魏金宝魏老板。都是北平的红角儿，这几天要来演出了。"

段娉婷一一轻盈地握手。目中没什么人，所以感觉得出，也没什么力气——甚至没什么正视的意思呢。一双如烟的眼睛，只不经意地这个掠一下，那个掠一下，朦胧而又敷衍。水光粼粼，益发的无定向，白的比黑色的多，看上去是：她根本不要知道你是谁。你与她毫无瓜葛，彼此陌路背道，再不相逢。

怀玉一看，他认出来了，当下冲口而出：

"呀！我是见过你的!"

"见过？"

怀玉只觉自己失态，不好意思了。

"——你那个时候来北平登台——"

"对，我们在真光表演歌舞。玛丽，是哪一部电影？"竟记不起来了？

"是《故园梦》。"

"唔，这位——啥先生？"又故意地记不住，再问。

"唐先生。"玛丽十分胜任地当着女秘书。

"唐先生有来看么？"

怀玉脸更热了，那时他身在微时，不过是天桥小子，只好支吾：

"——我是看过你们的相片。好像除了段小姐，还有……?

名儿给忘了。"

段娉婷不动声色，浅笑：

"嗳，我都奇怪，怎的配角都给印相片送人呢？真是！"

怀玉没见过此等气焰，一时忍不住：

"也不能这样说，光一个人也演不来一出戏的吧！"

娉婷面色一沉。

城隍庙是道教的庙。道教供神最多了，天上有玉皇，地下有阎王，还有城隍、土地、龙王、山神、雷公、雨师……甚至门神。各司各法。谁有本事，谁就可以立足了。

在上海，老少皆知的南市豫园和城隍庙，一直是游逛胜地。庙内外吃食小店林立成市，风味多样。朱盛堃正介绍大伙来尝一种上海的名点，唤南翔馒头，虽不过是包点，不过形态小巧玲珑，皮薄半透，开笼时，蒸汽氤氲，全都胀鼓鼓的。

朱盛堃是个没什么耐性的人，也不跟他们客气，便道：

"快趁热吃了，入口一泡汤，这卤汁好呀。"

先自挟了一个，蘸了姜丝米醋。

一边吃一边数落怀玉。

"你刚才得罪人，你知道不？"

"我就是看不过，她是香饽饽，那与我无关，何必跟她折这个脖子呢？"

"女明星嘛，她观众多着呢，那么的受捧，自然气焰，概其在的都惯她，也就爱显了。"

"她也实在目中无人了，"李盛天护着怀玉："才刚介绍过，马上说记不起。"

"看，师父都帮我。"

朱盛堃很毛躁，一口又吃了一个馒头。眼睛也不瞧他们，只顾权威地道：

"这段娉婷，说不定是金先生的人——不过也许不致于，要不金先生不会那么的着紧，若到手了，自淡了点。肯定在转念头，你们看她那股骄劲儿。"

怀玉不屑："女明星都是这样的吧。"

久久没发一言的魏金宝有点忧疑：

"在上海滩，电影界都是女人的天下了，这舞台上——"

金宝是旦角，自是念着他的位置。原来惶惶恐恐，已憋了半天。上海毕竟是上海呀。

"哦，几年前在华法交界民国路靠北，早已建了'共舞台'了，挂头牌的是坤旦。台上男女共演，北平还没这般的文明吧？"

呀这也真是切肤之痛燃眉之急了。

自古以来，舞台上的旦角都是男的，正宗的培育，自分行后，生旦净丑末，都乾坤定矣，谁想到风气又变。魏金宝倒有些惆怅。

朱盛堃看不出一点眉梢眼角，还侃侃而谈如今上海画报上给捧出多位的"名门闺秀"来。这"共舞台"，原来也是金先生的伟大功绩呢，有个汉口来的坤旦，才十九岁，长得好看极了，金先生看中了，为她建了男女共演的舞台，露凝香挂上头牌，唱《思凡》、《琴挑》、《风筝误》……卖个满堂，不会的戏，请师父一教，临时学上去，即使钻锅，也生生的红起来。

"这还不止，后来上海画报举办了'四大坤旦'选举，每期刊出选举票，读者们剪下来投入票柜，忙了三个月，自是露凝香登上了后座。"

怀玉不屑："金先生捧人，也真有一手！"

"不止有一手，还有一脑，他底下谋臣如云，花头不少。看，今儿段娉婷给哈哈镜一剪彩，这几天报上准沸腾好一阵。"

魏金宝念念不忘那坤旦：

"那么露凝香下场如何？"

——下场？

总是这样的，他要她，她就当道。他要另一个，她不得不自下场门下去了。

好像每个地方总得有个霸王，有数不尽的艳姬。魏金宝只觉他的日子过去了，原来他不合时宜了。也许上海是他最初和最后一个码头。他既不是四大名旦，也不是四大坤旦，他是一个夹缝中，情理不合诚惶诚恐的小男人。

怀玉朝李盛天示意，师父拍拍他：

"金宝，我们是以艺为高！"

为了岔开这不妙相的话题，李盛天打探起金啸风身世来了："这金先生到底是上海闻人，怎的对艺行的女孩子老犯迷瞪？"

"闻人？谁不知道他出身也是行内？"

"也是唱戏的？"

"不，是个戏园子里头的案目吧。还不是造化好？"

迎春戏园是五马路最出名的一个戏园子了，廿多年前，金啸风出道不久，还不过是十名案目中的一名。交一点押柜费，便开始他的招揽生涯。他们引导生熟客人进场看戏，每张票可以拿上个九五折，看这数目，好处不大，不过外快很多。公馆中的太太奶奶们看戏，不免要吃点心吃好茶，而商家们招待客人，往往不一定当天付款，积了三五趟一起收，这"花账"便给得阔气点，有时数目报上去，多了一点，谁都没工夫计较。殷勤的案目吃得开，会动脑筋的呢，打一次抽丰，就有赚头了。

金啸风正是十名案目中众口一辞的"大好佬"，别管他用了什么手段，反正他精刮，这似是螺蛳壳里做道场，也能脱颖而出。

当他成了个一等的案目后，更左右了老板邀角的行动，他要这个，不要那个，老板为怕全体案目告退，张罗不出一大笔的押柜费相还，他便听他们的了。

金啸风的父亲，原不过开老虎灶卖白开水，衙堂人家来泡水，一文钱一大壶，谁料得那个守在毛竹筒旁豁朗朗收钱的孩子，后在十六铺一家水果行当学徒，再在小赌场、花烟间卖点心的小伙子，摇身一变再变……

"好了好了，说了老半天，也得吃点点心吧？"朱盛堃说着，领了自城隍庙九曲桥走过，到了对面的另一家小店。

一进门，便嚷嚷：

"有什么好的？百果糕？酒酿圆子？鸽蛋圆子？——"

看来真是春风得意。

李盛天道："师弟，你在上海倒是混得不错呀。"

"上海是个投机倒把的地方，不管哪一行的买卖，冷镬子里爆出热栗子来。从前我想都没想过有今天。"

说时不免亦踌躇满志，脚也摇晃起来了。所谓"暴发"，就是这般嘴脸吧？

怀玉问：

"那金先生倒也是暴发。金太太是什么人？"

"金太太是个哑谜！"

"她在不在上海？"

"不知道。"

"那么，在什么地方？"

"在不在人间都不知道呢。"

大伙好奇了：

"究竟有没有这个人呢？"

"不知道，也许压根儿没有，也许她不在，也许还在，不过是个秘密——我也希望知道。"

"没有人见过么？"怀玉追问。

"太多人说见过，不过闲话多得像饭泡粥，全没准，都瞎三话四。两年前一份小报玩噱头，影射一下，三天之后，就坍了。"

"影射什么？"

"说是个唱弹词的苏帮美女。"

哦，说小书。

然而这个美女，怎的在人世间如此的被传说着，而传说又被人为地中止了？

她是谁？

金先生的身边有没有这样一个人？

这些，都不是怀玉所能了解的，正是初到贵宝地，举目尽是意外，人物一个一个登场，目不暇给。

连吃食也跟北方不同呢。

吃过鸽蛋圆子，还买了点梨膏糖，这糖还是上海才有的土产呢，花色的内有松仁、杏仁、火腿、虾米、豆沙、桂花、玫瑰……另一种止咳疗效，还和了川贝、桔梗、茯苓和药材，配梨煎熬成膏。小店中还有冰糖奶油五香豆、桂花糖藕、擂沙圆、猫耳朵、三丝眉毛酥、猪油松糕、八宝饭……

——若是志高来了，这岂非他的天下了？一看到吃食抛海，不免惦念着志高。两个人，一气儿啃一大顿。不，三个人。不——怀玉马上抖擞着问李师父。

"明儿什么时候走走台？"

"上午到乐世界，下午到凌宵。"

重要的是凌霄大舞台。好不容易才踏上凌霄的台毯呢。三天后，他就知道，这个可容两千人的舞台，这绮丽繁华的大都会，有没有他一份。

立报上出现了的宣传稿件，用了"唐怀玉，你一夜之间火烧凌霄殿！"为标题，给《火烧裴元庆》起个大大的哄。

凌霄大舞台在四马路，是与天蟾齐名的一个舞台，油漆光彩，金碧辉煌，包厢中还铺了台毯，供了花，装了盆子来款客。

舞台外，不止是大红戏报，而是一个个冠冕的彩牌，四周缀满绢花，悬了红彩，角儿的名字给放大了，在马路的对面，远远就可以看到。晚上，还有灯火照耀着，城市不会夜，好戏不能完。

头一天，上的都是各人拿手好戏，《拾玉镯》、《艳阳楼》、《火烧裴元庆》、《霸王别姬》……

怀玉在人海中浮升了，金光灿灿的大舞台，任他一个人翻腾。到了表演摔叉时，平素他一口气可以来七个，这回，因掌声采声，百鸟乱鸣，钟鼓齐放，他非要来十二个不肯罢休——观众的反应如暴雷急雨，打在身上竟是会疼的。

原来真的"打在身上"了。

上海观众们，尤其是小姐太太，听戏听得高兴，就把"东西"给扔向台上，你扔我扔的，都不知是什么。

斗志昂扬的怀玉，只顾得他要定这个码头了。

末了在后台，洪班主眉开眼笑，打开一个个的小包，有团了花绿钞票的，有用小手绢裹了首饰，难怪有分量。

他把其中一个戒指，放嘴上一咬，呀，是真金。

递予一身淋漓的怀玉：

"光这就值许多银洋了！"

再给打开另一个，是块麻纱手绢，绣上一朵淡紫小花，藤蔓纠缠。

忽闻惊叹：

"咦，这是什么宝？"

——是个紫玉戒指，四周洒上碎钻，用碎钻来烘托出当中整块魅艳迷醉的石头，那淡紫，叫怀玉一阵目眩。不知是谁这么的捧他呢？

"唐先生。"

怀玉循声回身一望。

这个人他见过，也得罪过。

段娉婷今儿晚上先把发型改变了，全给抹至脸后，生生露出一张俏脸，额角有数钩不肯驯服的发花相伴。

怀玉第一次正正对准她的眼睛，是一种说不出名堂的棕色，在后台这花团锦簇灯声镜语的微醺境地，那棕色变了，竟带点红色。

她道：

"原来是这样的，光一个人，也演得来一出戏！"

望着似笑非笑的段娉婷，怀玉心虚了，莫非她记恨？因为他那般直截了当的说了一句不中听的话，她便来回报？

他分辨不出自己的处境。

是的，这个女人成名得太容易了，人人都呵护着，用甜言蜜语来哄她，在她身上打主意。自己何必同样顺着她？人到无求品自高，怀玉也是头顺毛驴，以为她找碴来了，受不得，不免还以心高气傲：

"舞台当然比不得拍电影，出了错，可不能重来的。"

"你倒赢了不少采声。"

"在台上我可是'心中有戏，目中无人'。段小姐请多指教。"

段娉婷伸出玉手，跟怀玉一握。虽仍是轻的，却比第一回重了。

放开时手指无意地在怀玉那带汗的掌心一拖，盈盈浅笑便离去了。

他什么都来不及。

来不及回应，来不及笑，来不及说，她便消失了。

只余那只碎钻紫玉戒指，在梳妆镜前巧笑。

怀玉的心，七上八落。

那位永远的女秘书玛丽小姐，往往及时地出现，朝怀玉：

"唐先生，段小姐请你一块消夜去。她在汽车上。"

怀玉一慌，忙拎起戒指：

"请代还段小姐。"

"你怎么知道是谁送的？不一定是段小姐呀。"玛丽促狭地道："有刻上名字么？还是你一厢情愿编派是她礼物？"

只窘得怀玉张口结舌。

"怎么啦，要说唐先生自家跟段小姐说。"

"……我不去了。"

"开玩笑。还敢不赏这个脸？别要小姐等了。"玛丽笑。

怀玉回心一想，没这个必要，陪小姐去吃一趟宵夜干么？也不外是门面话。就是不要发生任何事件——事件？像一个幻觉，在眼前，光彩夺目，待要伸出手去，可是炙人的。他也无愧于心。故还是推了：

"对不起，明儿还要早起排练，待会要跟班里的聚一聚。我不去了。不好意思，让你挠头了。"看来真不是开玩笑。

不一会就听到外面汽车悻悻然的开走了。谁推搪过她？

一个初来乍到的外人，不识好歹。初生猛兽，没见过世途，所以不赏这个脸。就是连没感觉的铁造的汽车，也受不得，故绝尘急去。班里一伙人不知道来龙去脉，连怀玉也不知道来龙去脉。

卸了装，行内的便带他们消夜去。一路都很高兴，因为卖了个满堂。

在路边吃鸡粥、茶叶蛋，还有出名的硬货排骨年糕。一块排门板，上面有红笔写上"排骨大王"，门庭如市。排骨是常州、无锡的猪肉造的，年糕是松江大米，放在石臼里用木榔头反复打成，文火慢慢的煨，又嫩又甜，五香粉的特色令人吃了又吃。

"来，怀玉，多吃一点，你刚才卖力气啦。"李盛天把一大块香酥的排骨挟给他。又笑："——而且，连小姐的约会也不去了。"

怀玉含糊地道：

"还是这样的宵夜吃得痛快。"

第二晚，盛况依然。

会家子通常都听第二晚。因为台走熟了，错失改了，嗓子开了，人强马壮，艺高胆大。金先生见头场闹过，他坐在包厢中，前面一杯浓茶，手里一枝雪茄，身畔一位美人。

"好！今晚上，就到大鸿运消夜去。"

因是金先生请的宵夜，谁也不敢推。开了两桌，点的菜肴是莼菜鸳鸯、金钱桃花、群鸟归巢、红油明虾、竹笋腌鲜、还有大鱼头粉皮砂锅。全是大鸿运的拿手特色。

金啸风问：

"李老板是科班，'盛'字辈。唐老板呢？可是真名字？"

"他只不过是半途出家的。"

怀玉也回话："怀玉是本名。"

"这名字好。"金先生举杯："好像改了就用来出名的。"

"谢金先生的照应。"怀玉马上道。场面上的话也不过如此。

待多喝了两三杯，金啸风朝段娉婷问："段小姐本名是啥?"

"不说。"嘴一呶，眼一瞟："忒俗气的，不说。"

"说呀，越发叫我要知道了。"

"说了有什么好处?"

"你要什么就有什么。"

"我才不图呢。我什么都有。"

"算是我小小的请求吧?"金啸风逼视她："我也有秘密交换。"

"得了。我原来唤'秋萍'，够俗气吧?"

同桌有个跟随的，一听，马上反应："哈，还真是个长三堂子里头的名字!"

段娉婷蹙了眉，就跟金啸风撒娇：

"金先生，你听听这是什么话?"

"嘿，你这小热昏，非扣你薪水不可。段小姐怎的给联到长三堂子去? 你寻开心别寻到她身上来。"

唬得对方忙于赔罪，段娉婷则忙于佯嗔薄怒。史仲明看风驶舵，便问："金先生另有别号，大伙要知道么?"

"仲明，你看你——"

"金先生别号嘛，嗳，真奇怪，他唤'蛟腾'，听说是人家给他改的。"

"谁呀?"段娉婷问。

"反正是女人吧。不是段小姐给改么? 哈哈哈!"举座大笑起来。

举座这样的笑，暧昧而又强横。直笑得段娉婷杏脸桃腮不安定，五官都要出墙。一漫红晕鲜妍欲滴，仿佛是一块嫩肉，正在待蒸。

怀玉见公然的调情，竟也十分腼腆。段娉婷斜睨怀玉一眼，这个推拒她的男人，不免施展一下，便把嘴角往下一弯：

"谁有这么闲工夫？怕不是城隍庙那生神仙给改的，叫你好转运，别惹了风。"

"什么都惹得，就是你，惹不得。"

段娉婷不动声色，然而她知道，在桌下，金啸风的手，放在不该放的地方。她要怀玉明白，她也不是省油的灯，从来没有失手过。

"金先生，前几天收到你的帖子，说是生日，请吃寿酒，呀，早一个多月就发帖子，打抽丰么？"

"怕请你不到。"

"暖寿我不来，正日才到。"

"好好好。"

"可收到礼物了？"

"我早已让他们欣赏过了。"

果然有吹牛拍马的给说了：

"那只苏帮的玉雕三脚炉可真是珍品，金先生打算放置在风满楼上呢。"

"三脚炉？"史仲明又推波助澜了："是暗示金先生别要是三脚猫吧？"

"男人谁个不是'三脚'猫？"段娉婷嗤笑。

说来说去，围绕着男女之欢。兵来将挡，暗藏春色。旁人无法插上一言半语。只叫李盛天唐怀玉魏金宝坐立不安，都是陪客。怀玉想不到上海滩的女人会是这样的——好好的一个姑娘家……他深深地看着段娉婷，也许她的哀愁有点分明了，她浓密的睫毛，漆亮的眼线，马上要设法把自己的哀愁全掩藏起来。意兴阑珊地换个话题，竟正派得着意了：

"最近忙什么？"

金啸风一双如兽的眼睛，带着灼得人疼痛的威严，即使他回答得多么正派，还是叫女人心悸："钱!"

"你怎的永不知足？"

"有钱没人，当然不知足。"

然而有钱还怕没人么？

任何一位经济学家都说，全球的地皮，无论在哪一国哪一方，地价总是一天天地涨，决不会跌的。因为地就只得那么多了，地只能种钱，钱可不能种地。

金啸风的"娱乐事业"只是他的一种姿势，他的主力在地皮、银行、乐世界里头，还有家证券夜市交易所，就是上回要拜师的，跟他们拉锯一阵，收了这徒，就吃进了。

市上的交易所只在上午举行交易，如今乐世界既可营业到晚上七时，那些想发投机财的人，还不涌到这里来？早晚买进卖出，涨跌之间，有人倾家荡产，有人暴发狂富——都逃不出金先生的算盘。在他手掌心打滚。

金啸风握住段娉婷的手，讶然：

"那只紫玉戒指呢？"

"太小了，不戴。"

金饶有深意地看她一眼，自口袋中掏出一个小锦盒来，啪一下打开了，女人不免有点意外，然而若无其事。

"三卡拉钻石，不小了吧？"

"呀，太紧了——"

金先生附耳讲句话，段小姐没太大的反应，只顾道：

"太紧了。"

她向他揶揄："是我不好，指头长胖了呢。"

"哈哈哈！"金啸风狂野地笑了："漂亮的人做了什么错事，特别容易得到宽恕。"

众正忖量他的意思，段娉婷当下不免妙目一横：

"什么错事？指头长胖了也不许？"

说着便奋力的把男人桌下的手一拨。

金啸风挑了这个晚上，来表演他的功力。意犹未尽，只面面俱到地向久未发言，坐在对面百感交集的怀玉道：

"唐老板，你们瞧，若是犯了桃花，可不知会不会影响正运呢？"

怀玉只淡漠一笑，也不搭话。

段娉婷无端的气恼了：

"我走了。"

送段小姐的是司蒂倍克轿车。

说是"送"，其实是"接"。

一直接至法租界巨籁达路金先生的公馆去。

她太明白了：

金啸风要她，她便是他眼中的西施，心头的肉，掌上的珠，玻璃橱里头一座玉雕——但她不可能吊他胃口太久。

他也太明白了：

一个坚贞的女人，尚且不堪长期支撑，何况一个不够坚贞的女人呢？——世上也有不屈的女人，但太难了！一般总是屈服于金钱、厚礼、虚荣之下，甚至甜言蜜语……真有不屈的女人吗？

在烟笼酒熏下，人总是荒唐而又不便计较的。他的头发已夹杂了灰白，他不失潇洒的身体，摸上去到底也不堪设想了。

根本没有时间细想，段娉婷那黑色通花的底旗袍自肩头滑垂下地。

坚持到几时呢？他既是挑了今儿个晚上，就今晚吧。

终究有这一天，早晚有这一天，她是心甘情愿的。快刀斩乱麻。

堕落是痛快的，尤其是心甘情愿地肯了。一点也不委曲，从来没有怨天尤人过——她甚至有一种快感，她是一个"快乐的女明星"。如果她不是今天的她，不知会沦落到什么地步？家里是卖盐的，生了十个子女，有七个夭折，剩下二男一女……她是五卅惨案苟活的一个小女孩。她很满意。

"小满！小满！"

——真奇怪，她听得身上的男人在这个非常时期紧张的一刻唤着另一个名字。他醉了，眼睛里也充满了酒，贴得那么近，一边咆哮，一边用力抓住她的头发，逼令她的一张脸正正的对准他。她被扳，动弹不得。

他非要看着她，如此逼切而又愤恨，贪婪如兽，他专注于她分不清是痛苦或快乐的表情。这一刻，他知道女人是最爱他的——生理上、心理上。

他暴烈地耸动着狠唤着：

"小满！"

段娉婷连稍稍张开眼睛的力气也没有。她眼前一黑，堕落万丈深渊，一直的往下坠，有节奏地，万念俱灰地。不管是谁，不知是谁，在这束手无策之际，真的，这个男人她最爱，她需要。他是她毕生的靠山，她像丝萝般缠绕，身体挺贴向他，以便根深蒂固。

女人再也没有自尊，也没有拖欠。他在给予的时候，不也同时得到吗？谁也不欠谁。她开始呻吟……

如上海的呻吟。

上海是个没自尊不拖欠的地方，在中国，再也没有一处比这更加目无法纪道德沦亡了。不单无法，而且无天——天外横来一只巨手，掩着上海顶上一片天。

上海的女人，堕落已上瘾。

整个的上海，上海里头的法租界。这爱多亚路以南的法租界，比公共租界更混乱，一切的罪恶都集中到这里来了，鸦片烟馆、赌场、暗娟明妓、电影、舞台、乐世界、金公馆。她陡地不可抑制地嘶叫起来……

喧嚣的夜上海，谁也听不清谁的嘶叫。

不夜天也会夜。

大白天，朱盛堃领怀玉参观摄影场来了：

"这几天拍的《夙恨》，布景是我搭的。"

拍戏的长铃一响，导演出场了，是一张僵化了的胖脸，像冰镇的一块猪油年糕。趾高气扬地往帆布椅坐下。喊：

"开麦拉！"

机器开动，只拍摄着一个老妇的凄凉反应。拍了一阵，他不耐烦了，又喊："咳，咳！咳！"

摄影、剧务、道具、场务、杂务……面面相觑。助导向场记打个眼色，场记向导演的心腹小工咬咬嘴，不一刻，小工奉上小茶壶，导演一饮解渴。却原来茶里偷偷放了烟泡，顺风顺水的，他就顶了鸦片瘾。众人吁一口气。若再发作，又离不了场，他也许就会拿起一片面包，用小刀挑些烟膏涂抹当点心地吃。导演嗓门大了一些："娘希匹！怎的失场了两天？拆烂污！"

扰攘一阵，有人来通报：

"导演，段小姐来啦，正在化妆。"

既来了，导演的气焰也敛了。毕竟是现实：马路上掉下一块大招牌，砸伤三个路人，其中两个是导演。而明星，真的，明星只有她！

段娉婷被金先生"禁锢"了两天。

对镜一照，天，汪汪的眼睛，蒙了一层雾，眼底下有片黑影子，极度的"睡眠不足"。一种明明可见的罪孽似的烙记——还未爱弛，已然色衰。真的。

摄影场中尽惹来遐思风语，没有一个人胆敢拂逆她。只给她扑上香粉蜜，扑一下，抖一下，全然上不上脸。

"算了算了，横竖要拍，先拍自杀那场也罢！"

她憔悴了，更适合自杀。大伙只好听她的。遂又给更换了衣服。

从前，电影院里充斥着神怪武侠鸳鸯蝴蝶的片子，根本没出过什么明星，后来，影片的内容渐渐"进步"了，也开始干涉现实、反封建，好看得多，明星制度也产生了。

九一八、一二八，日本人肆虐，虽谓国难当头，电影业反而畸型发展，谁都没有明天，只有避难，电影院是避难所。大家躲进阴暗的空间悲哀痛哭。

《夙恨》中，段娉婷演一个败落的大家闺秀，父亡、母病，于是被逼赴舞场出卖自己，受尽苦难。她赚到的皮肉钱。又让一个男人骗了，声色犬马一番。她怀了孩子，他又跑掉。今天她自杀。

段娉婷拿着一瓶安眠药来了，本来还是有点歉意：因她两天没出现，整个摄影场的人便在等她，先跳拍了母亲的反应，跳无可跳。只一见到导演，他已忙不迭讨好："段小姐，慢慢来，没关系。要先培养一下情绪么？"

他既捧着她，遂不了了之。下颔微微一抬，表示要静一静。谁知一瞥之间，便见搭布景的身畔，站了叫她恨得牙痒痒的唐怀玉。

他要看她表演了。他看出什么来？他那种鄙屑冷笑，是在嘲弄自己的淫贱吗？

实在也是一个贱女人。

段娉婷把一页对白递还给助导，然后独自的静默了。

大伙都在等她进入角色。她漫不经意地，把感情掏出来，放进这个女人的身上了。只一示意，机器轧轧开动，眼神起了变化，泪花乱闪而不肯淌下。她对死是畏惧的，不过生却更无可恋。她近乎低吟地，念着对白：

"妈，我对不起您，不能养您终老。我是多么的希望亲眼看着您好起来，回到过去的日子，虽然穷，一家过得快快乐乐，不过一切已经迟了，我已经是一个不名誉的女人了，每天在跳舞场，出卖自己的身体和灵魂。我对爱情并无所求，只求一位爱我、体贴我的爱人，就该满足了，这不过是起码的要求，不过难得啊！当我打开了抽屉，发觉里头一无所有，妈，我真的一无所有。惟一有的，是肚中的孩子，但我不愿意让他来到这个丑恶的世界中受尽苦楚折磨，受尽玩弄，被这时代的洪流卷没，失去自己，妈，我要去了……"电影中，濒死的人往往需要卖力气念一段冗长的对白来交待她的前尘往事，一生一世。虽然一早已经拍过了，却不惮烦重复一遍，好提醒观众们，她有多痛苦！观众们听不见，但看得出。段娉婷的泪终流下来了。表演时她得到无穷无尽的快感，弥补了精神上的空虚。

整个摄影场中的苍生，都在聆听她的独白。不知是她的演技，抑或是这个虚构的老套故事，总之骗尽了苍生。

她拿起了安眠药，一片一片，一片一片的吞下去了。很多人的脸孔出现在眼前。男人的脸孔，有最爱的，也有最恨的——第一个男人是她父亲。在盐铺的仓库里，她十五岁，父亲强暴地要她，事前事后，都沾了一身咸味，至今也洗不掉。啊。也许因为这样，她竟是特别的爱洗澡，用牛奶洗，用浴露，用香水。奇怪，总是咸得闷煞人。

幸亏南京路发生了五卅惨案，一九二五年，她最记得了，工人学生们为抗议日本纱厂枪杀工人领袖，所以麇集示威演讲宣传，老闸巡捕房前开枪了，九死十五伤。有个路人中了流弹——他不是无辜，他是偿还。

段娉婷认定了是天意，巡捕代她放了一枪。收拾了父亲，早已丧母的二男一女便开始自食其力。两个哥哥坏了，混迹人海，很难说得上到底干了什么。自己这个作妹妹的，也坏了，但她却有了地位。

——地位？

她不过是当不惯荐人馆介绍过去的佣工，便毅然考了演员，过五关，睡六将……

她知道大伙并没真正瞧得起她。虽然这已是个摩登的时代了，不过，她让谁睡过，好像马上便已被揭发。

他们用一种同情但又鄙视的态度来捧着她。一个女人贱，就是贱，金雕玉琢，还是贱。

她一片一片的，把安眠药吞下去……

横来一下暴喝：

"停停停！她来真格的！"

便见一个旁观的他，飞扑过来，慌忙的夺去她手中的瓶子，世界开始骚乱。他用手指头往她咽喉直抠，企图让她把一切都给还出来。导演正沉迷于剧情，直至发觉她其实假戏真做了，急急与一十人等拢上去，助怀玉一臂之力。有人交头接耳的：

"又来了？真自杀上瘾了？"

怀玉喊：

"快，给她水喝，灌下去！"

他灌她一顿，又逼她呕吐一顿，他一身都狼藉。扶着她，搂着她。那么软弱，气焰都熄灭了，只像个婴儿。

直至车子来了，给送进医院去。

怀玉在乐世界的日戏失场了。

六时二十分，终于醒过来，玛丽唤怀玉：

"段小姐请你进去。"

怀玉只跟洗胃后的段娉婷道："没事就好，以后别窝屈尽憋着——"

段娉婷苍白着脸：

"我没憋着。你陪我聊聊。"

"我要上夜戏呢。你多休息。"

"一阵子吧？"

"改天好了。"怀玉不忍拂逆。

"哪一天？几点钟？什么地方？我派车子来接？哪一天？"

怀玉只觉他是掉进一个罗网。

他自憋憋囚囚的大杂院，来至闹闹嚷嚷的弄堂房子。然后，车子接了他，停在霞飞路近圣母院路的一座新式洋房前。

通过铁栅栏，踏进来，先见一个草坪，花坛上还种了花，是浅紫色的，说不上名字。她住在二楼，抬头一看，露台的玻璃门倒是关了，隔着玻璃，虽然什么都看到，但却是什么都看不到。

段娉婷一定知道他们在凌霄上了廿一天的戏，卖个满堂，为了吊观众胃口，故意休息七天，排一些新戏码，之后卷土重来。段娉婷一定知道他练功过了，有自己的时间，故而俘虏来——怀玉可以不来的，他只是不忍推拒一个"劫后余生"的小姐吧。也许需藉着这个理由才肯来。

很多事情在没有适当的引诱和鼓励下，不可能发生。唐怀玉，甚至段娉婷，二人在心底开始疑惑，那一回的自杀，究竟是不是命中注定的，连自己也无法解释的一次"手段"？

佣人应门，招待怀玉内进之后，便一直耽在佣人间内，不再出来。

"小姐请你等她。"

怀玉只见敞亮的客厅，竟有一架黑色的钢琴，闪着慑人的寒光，照得见自己的无辜。他无辜地踏上又厚又软的大地毯，是浅粉红色的，绯绯如女人的肉。踩下去，只羞惭于鞋子实在太脏了，十分的赵趄，不免放轻灵点，着地更是无声。

钢琴上面放了本《生活周刊》，封面正是段娉婷。一掀，有篇访问的文章：

"……段小姐的脸儿，是美丽而甜蜜的，充满着纯洁无邪的艺术气质。二条纤秀眉毛底下，一双乌溜溜亮晶晶圆而大的眼珠，放出天真烂漫的光芒。丰润的双颊如初熟的苹果。调和苗条的体格，活泼伶俐的身段，黄莺儿似的声调，这便是东方美人的脸谱了。

"段小姐的生活美化、整齐、有规律。清晨八时起身，梳洗后便阅读中英文一小时，写大小字数张。有空还常看小说，增加演技修养。晚间甚少出去宴会，不过十时左右便已休息了……"

刚看到"这位艺貌双绝的女演员，正当黄金时代的开始，他日的前程是远大光明的，她却说，最喜欢的颜色不是金，而是紫和粉红……"

难怪花圃是紫地毯是粉红。简直是一回刻意求工的布置，好好地塑造一个浪漫形象以供访问。

忽地耳畔传来一阵热气，吓得怀玉闪避不及。不知何时，段娉婷出来了。她穿的是说不上名堂的滑腻料子，披挂在身上，无风起浪，穿不进睡房，穿不出大堂，只似一条莹白的蚕，被自己吐出来的丝承托着，在上面扭动。

她洗过了头，头发还是半湿的，手中开动了电气吹干器，把它张扬着，呼呼的吹，秀发竟自漫卷成纷杂的云堆，掩了半只右眼。她自发缝间看着怀玉：

"我叫你唐，好不好？'唐'，像外国人的名字，TOM！"

"不，'唐'是中国人的姓呢。"

"唐，"她径自唤着："你在看我的访问文章？"

怀玉马上掩饰："不，我只在看这广告，什么是'人造自来血'？"

"上面有英文。你会英文吗？"

"不会。"怀玉稍顿："你会吧，说你每天阅读中英文一小时——"

"哈哈哈！"段娉婷笑起来："你说没看那文章的？没有，嗯？"

怀玉脸红耳赤的，窘了一阵。

"那补品是金先生干的好事，报上的广告用上了英文，是洋货。唬人的，大家都来买，他也就发了一票大财。我是从来也不喝的。你要喝吗？"

"金先生——"

"不许问啦！"段娉婷马上便道："你要咖啡？我给你调一杯。"

"不必麻烦了。"

"不麻烦，有自来火。"

趁势跑开了。

待怀玉开始呷着他此生第一口的咖啡时，段娉婷忽地责问："你干么跟我搭架子？"

"是你先搭的架子。"

"我红嘛！"

"那与我无关，而且不想知道。我现在也红。"

"上海是我的地方呢。你真的不知道我有多受欢迎？你看过我电影没有？"

段娉婷不服气了，他竟然不知道她的地位？他竟然三番两次的瞧她不上？忿忿然只说得满嘴"我我我"。

"电影还没拍好。"

"哎你这土包子。我拍过十部电影了。那《夙恨》，这几天我才不要拍。"

"那怎么成？"

"我身体虚弱嘛，你洗过胃没有？你不知道有多苦。我要休息。唐，你陪我休息。"

"段小姐，我怎么就有你那么闲？你身体差劲，那就好好躺一回吧。我来一趟，也没什么好聊的，倒像耽误你了——"

段娉婷听得怀玉这般的倔，忍不住仰天格格大笑！道：

"唐，你真可爱，一点也不滑头。"

笑的时候，身体往后一摊，胸脯煞有介事突出了，都看不清里头是什么，隔了最薄的一层，还是看不清——怀玉一瞥，骇然。在这初春，室内的暖气竟让他悄悄地冒了点汗，他忍不住又一瞥，想不到这样的贪婪。

段娉婷只觉诱惑一个僧人，也没如此费力过。她问。

"你几岁？"

"廿一。你呢？"

"嗳，你问小姐的年龄不礼貌。"

"是你先问的。你几岁？"

"跟你差不多。"

"比我大还是比我小？"怀玉拧了，好像她既一意在耍他，所以非得穷追猛打不可。

"哎呀，穷寇莫追啦。"

——心想，真笨，不回答，自是比他大。场面上的圆滑竟半点也沾不上。眼睛十分纵容地瞅着他。怀玉没回避她的眼光，只耿直问：

"你实在找我干么？"

"你是我救命恩人嘛。待我换件衣服逛街去。"

段娉婷换了袭灰紫色的旗袍，故作低调，那衣衩在腿弯下，走起来有点不便，但因为难期快速，倒让人把下摆的三列绲边都看清了。人家不过单绲双绲，她却是三绲，手工精致得不得了，泛了点桃色艳屑，末了用一件浓灰的大衣又给盖住了。

正要出门，她又道：

"不，我要另换一只口红。我不用平日那只——为了你的。好不好？"

果然换了一只清淡的，怀玉哪敢说不好。

司机把二人载至南京路，小姐着他等着。便走进惠罗公司看布料去，什么月光麻纱、特罗美麻纱、桥其丝麻纱，都不甚中她意。只管对怀玉道：

"一想着要换季，就觉着头大。"

见他没什么反应，一把挽着他的臂弯：

"哦？闷煞你啦？惹毛你啦？——这可不是你陪我，是为了答谢，我陪你的!"

"不，我只是怕出洋相。"

"真是! 只有付钞票的是大爷。来，你到过永安么?"

听倒是听过的，一直没工夫来一趟，而且这些南京路上的百货公司，卖的都是高档商品，英国的呢绒、法国的化妆品、瑞士的钟表、法国的五金机具、美国的电器、捷克的玻璃器皿，甚至连卫生纸，也是印着一行洋文，标志着舶来品。

——光顾的客人，不是外国人，便是"高级华人"。

招待的都是打扮得漂漂亮亮，笑脸迎人的"花瓶"，斑斓的旗幡凌空飘舞，洋鼓洋号，吹吹打打，十分唬人。怀玉只觉自己是刘姥姥。

段娉婷原来真是个洗澡狂。到了化妆品柜台，买了大包小包的沐浴香珠香露香皂，用的是公司所发的"礼券"，随手一扬，都是巨额，不知从何而来。柜台的花瓶们认得她，招待十分热情讨好。

怀玉溜到一旁，忽见一张大型彩色相片。

正是段娉婷。她斜倚着，拎着一块香皂的广告相片。因为是洗净铅华似的，变了另一个人。上面还有一段文字：

"力士香皂之特长，不外色白香浓与质细沫多，以之洗濯，不独清洁卫生，而且肌肤受其保护，可保长久娇嫩细腻。"

末了签个龙飞凤舞的"段娉婷"。

二人买好，转身走了，柜台上方有窃窃私语："嘿，不管她用什么洗澡，就是'脏'!"

"身畔的是谁? 不像是户头。"

"不是户头，就是小白脸!"

"也不像。蛮登样的。倒是她巴结着他。什么来头?"

逛完永安逛先施，反正这般又谋杀了大半天。段娉婷非常的满足而疲倦，到了先施公司顶楼的咖啡室，便点了：

"冰淇淋圣代！"

怀玉忙劝止："你身体还没好，过几天还要拍戏，不要吃冷的。"

"我偏要！"她有点娇纵地坚持着，目的是让他再一次关心地制止和管束。

——谁知他只由她。

这样的又撒手不管了？怨恨起来，便骂道：

"你虽然救过我，不过对我也不怎么好！"

"也不全为是你。在那种情形底下，谁都一样。你怎么可以糟蹋自己？听说不止一次。自杀又不是玩的——"

"你先说是为了我，我才跟你说话。"逼他认了方从详计议，娉婷比较甘心。

"是——"

"好了，我满意了。不过我今天不说，改天再说。这是送你的。"

然后拿了一份包裹得很精美的礼物出来，一个长型的盒子，拆开一看，是管自来水笔。

怀玉忍不住笑了："你们上海，什么都是'自来'的：自来血、自来水、自来火、自来水笔……"

"你什么时候'自来'？"她马上接上了。

段娉婷看着怀玉，她等着他。他再一次的发觉，原来她的眼睛实在是棕红色的——与那晚的灯影无关。

像一种变了质的火焰。她原是多么的高傲，谁知栽在他手上。她心中萦绕的，已经不止是对男性的渴望了，她其实不是要一个男人，她心里明白，她要一个不知她底蕴，或者不计较她底蕴的天外来客，带领她的灵魂，逃出生天。也许有一天，她放弃了此生的繁华，但仍不是时候，她必得要他承认了她此生的繁华，她方才放弃得有价值。

莫非他也栽在她手上？

她不是不高傲的呀——段娉婷，上海滩首屈一指的女明星，像他手上一杯热咖啡，又苦又甜。当他们并立，他一点也不卑微，他是凌霄大舞台的头牌武生，简直便一步一步，踏向他的虚荣。

吃不了两口杨梅果酱攀，忽地来了三个女影迷，战战兢兢地偷看段娉婷，一边又你推我让，不敢上前。终有一人鼓起勇气，请她签个名字。连手都抖了。段小姐有点烦，便道："我只签一个！"

打发了三人，由她们三人争夺一个签名好了。她瞅着怀玉，是的，又有影迷及时来垫高自己的位置了。

"你怎么可以没看过我的电影？"她问。

"今天有得看么？"他问。

她架上了太阳眼镜，领他到爱多亚路的光华大戏院去。架了眼镜，分明不是遮掩，而是提醒。在众人惊讶和仰慕的目光下，她请怀玉看她的电影。

戏院大堂还有宣传花牌："亦瑰丽、亦新奇、亦温柔、亦悲壮。珠连玉缀，掩映增辉。"在她的剧照下，自是歌功颂德："她，是电影圈的骄子！她，是艺术界的宠儿！"

今晚上的是《华灯》。她演一个被恶霸霸占着的妓女，为了孩子的前途，华灯初上之际，便倚在柱下等待过路的男人。每隔一阵，字幕便一张张的出来了："人生的路是多么的崎岖！母亲的心是多么的痛苦！"

电影是无声的。

观众也是无声的。

在光华大戏院的楼座，怀玉从未设想过，他正坐在一个美女的旁边，而她的另一个故事却又在眼前——是不是，会不会，还有另外的故事？他有点拘束地正襟危坐了。

大半年之前，他还不过拿着她的一张相片吧。世事甚是莫测。

《华灯》散了戏，段娉婷道：

"到什么地方吃饭好？"怀玉强调：

"什么地方你就拿主意吧，不过这一顿，我是一定要作东道的——去一个我付得起的地方。"

"那不要到红房子吃大菜了。"段娉婷马上变了主意："原来是让你尝奶酪鸡跟洋葱汤……呀，有了！"

结果是吃素。

也不是素，是素菜荤烧。这店子卖鸳鸯鱼丝、鲫鱼冬笋、八宝金鸡……全都是"虚假"的，不外把菜蔬粉团装扮成肉。

怀玉笑："上海人花样真是多，连吃素也不专心。这虾仁明明是假的，偏又说是真的。"

"你权且把它当作虾仁来吃，假的就变成真的了。吃，对不对？"

"——对，果然是虾仁的味道。"

一壁吃，便聊到日后要拍的戏分。段娉婷只不耐："不知道呀，大概是拍跟男主角的恩爱镜头吧，那个人，别提了，他有一次想占我便宜，我一拍完，就当众推他个四脚朝天。哼，我还自杀呢，真是！戏就是这样。先恨了他，过几天，再补一段爱他，感情是跳拍的，简直不正常！"

牢骚发过了，自素食店出来时，二人正待上车，只见对面马路有辆汽车忽地一怔，车上的人遥遥投来一瞥，静夜中有点讶异，未几，即绝尘而去，没有反应。段娉婷认出来，依稀是史仲明。

她问怀玉：

"下一回演什么？"

"陆文龙。双枪陆文龙。"

怀玉回到五马路的下处，已是十一点多了，李盛天还没歇，只问他：

"今天到哪里去了？才一练完功就开溜。"

怀玉忙把那自来水笔给掏出来："我去买了一管好笔，给我爹和志高写信呢。"

李盛天道："什么笔写不了信？就到了半夜才回来？"

怀玉只觉得自己已长那么大了，竟还是没有来去自如，那段小姐，一个姑娘家，闯荡江湖，自生自灭，不知多写意。便嘟囔：

"反正我不会迷路。"

师父总是个通达的人，艺事上非管不可，然而徒儿在外，如此的让他打闷雷？便命怀玉："明儿一天就练好双枪去！"

怀玉只得应了，回到房间去，身后还听得师父很担忧地跟一个琴师道：

"那金宝也是，不知交了什么朋友，几件新衣裳花搭着穿，也交际去了。上海玩家坑了他都不知，当了'屁精'，回头……"

怀玉执笔写起家书来。报平安，报上座，都是喜孜孜乐洋洋，直写到演好了戏，也收到红包礼物，就止住了。

执笔如执手——也不知是不是那管笔执着他的手。兴奋而罪恶地，隐瞒了。她真是无处不在，如今也在。

怀玉睡不着。不睡，今天便不会过去。

哦，完全是因为那杯从来都没喝过的咖啡，苦的、甜的，混沌初开。真的，这东西够呛——怀玉便一夜对自己表白，撇清儿，把一切推诿于咖啡上，显得十分无辜。

此刻的金啸风，也了无睡意。

澡堂本来到了十一点就上门板了，因金先生在，三楼依然灯火通明。他来晚了，先在那白玉大池孵了好一阵，蒸汽氤氲中，他更抖擞了。

他今天收拾了一个老门槛，就连他的连裆码子也都一并受了牵连。那个所谓海上文人，在报上挖苦了金先生获颁的"禁烟委员会委员"名衔，金先生邀他到一家春菜馆吃西菜，吃罢出来，两个巡捕房包探就在门口将他捉住了。

一搜身，便搜出一大卷钞票，每张钞票上，都盖上了金啸风的私章。金先生也出来顶证，说是敲竹杠，当场交的款子。巡捕见了真凭实据了，便带到局里去。

文人？

金啸风想，海上的"文人"，怎么也不知道，还是"闻人"的气大腰粗。如此的上了圈套，怕还不办个应得之罪？而他本人，依然是"禁烟委员会委员"。

他当然"禁烟"，他常派手底下的人去"禁"人家的"烟"。遇上一些权势不大，只偷偷贩运，又没打通"关节"的私土，他就动手了。

当他进了房，由那扬州伙计为他擦背时，毛巾由上往下刮，一根根的污垢随之脱落。

冲洗后，回到自己的私人房间，好好的来一顿扦脚、捏腿、按摩，专人侍候着，此时，手底下的徒子徒孙，也就一一来此向他汇报，澡堂成了治事所。

程仕林是个实际的"行动界"，本来是赌场的管事，赌场归了金先生，他也就投到他门下。报告道：

"那川土一万余两，由汉口夹带来，装了两大皮箱，预计明天晚上搭日清岳阳丸轮船到，停泊浦东张家浜码头。"

"谁当的保？"

"一个新上来的，姓雷。"

"没拜过门吧？"

"没。听说是汉口早派来的。"

"那倒不必跟他提保险了，干脆夜里在浦江守候，等他们提土上了划船，就拿了吧，一来教训他不会走脚路，不知道利害。二来，一万两土，他也不敢告发。"

仕林便加麻油：

"要是他改日拜门，就安排大寿那天吧。"

仕林去后，不久，又来一个报告了"包打听"往大土行查看。屋下地窖便是存放烟土处。他在地板上东敲西敲，账房记下数，敲一下，给他一笔。结果给打发掉。

未几，史仲明这"文艺界"来了，只附金先生耳畔讲了几句话。

怀玉又到摄影场探望去。这一回是"自来"的。段娉婷正在排对手戏，原来是男女主角的谈情。丁森是个皮肤很白嫩的小生，唇红齿白，一看见女人便是三白眼——总之像一团奶油。

段娉婷本来对他有点厌恶，不过他年轻英俊，又在当红，差不多都跟有地位的女明星演过对手，打情骂俏，戏假情真。大伙都怀疑他的钱来自阔太太，要不怎么倚恃着一张脸行凶？

只是她一见怀玉来了，对丁森便又缓和下来，心情大好，竟也风情万种，对他稍假词色。怀玉忖量这位便是她口中那"四脚朝天"了，也留了心。

段娉婷跟丁森排了一段，便用手指擦擦他鼻端，十分俏皮地道：

"我有朋友来了。"

拉了丁森来见过怀玉。

——如此的左右逢源着。

一来给丁森看，二来，给怀玉看。女人便是这副德性。

丁森得知怀玉身分，也客气道：

"是在凌霄么？下星期有空档，我定当来捧场！"

只是丁森买不到票。

不但他买不到票，一众的戏迷，不管是谁，第二轮的演出：《双枪陆文龙》、《界牌关》、《杀四门》……一意来看唐怀玉的观众，都买不到票。

票房上一早就挂了满座的牌子，三天的戏票全卖光了。早来迟来的都向隅，失望而回。

班主十分的兴奋，回来跟他们道：

"真想不到，在上海这码头多吃得开！"越说越窝心："金先生倒是一个人物，照应得多好，他大寿那天我可要拜他为师了！"

到了正式演出晚上，场面上的师父正要安坐调弦索，后台一贯的喧嚣，搭布景的也把软片弄妥了，万事俱备，只欠一声锣鼓。怀玉把玩着他的黑缨银枪。一个龙套自上场门往外随意一探。咦？

不对！池座里空荡荡，一个观众也没有！

班上的人吓得半死，一时间，震天价响，都是惊惶。

八点钟了，戏要上了，说是"满座"，可全是虚席。怀玉只觉一跤跌进冰窖，僵硬得连起霸都给忘了。

有人来道：

"金先生吩咐，戏照样上。"

金先生？

金先生？

怀玉脸上刷白，忽地明白了，他要他，要他好看。

但难道自己要受业么？他如此的惩戒着一个不知就里的人？怀玉心深不忿。

好，他就上场给他看！艺高人胆大，艺多不压身。他记得的，自己说过，上了台便是"心中有戏，目中无人"。而且，才廿一，他多大？他要比自己老了近三十年。他竟那么的介意？怀玉的傲骨，叫他决意非演一台好戏不可。师父也看他是头顺毛驴儿，就是受不了气。怀玉提枪会过八大锤去。

他不怕！在人屋檐下，打泡三天，戏票全"吃进"了，也罢，把戏演好，不肯坍台。他是初生婴儿，也不定就死在摇篮里。

台上的武生，直骠悍如野马，不管杀得出杀不出重围，还是肉欲而凶猛。他就专演给他一人看，表演着一点偏。

金啸风也在包厢中，也是一杯浓茶，一枝雪茄，一个美人。

他坐在那儿，闲闲冷冷地旁观怀玉的努力。

娉婷脸上变了五种颜色，她明白了。金先生不以正眼看她，只微微一笑：

"说犯了桃花，可是会影响正运。他又不信。"

台上厮杀过了，金先生一人大力的鼓掌，啪，啪，啪。像是种笞刑。

轮到李盛天等人的戏了——因为怀玉，他们全都受了牵连，面对寂寞的空座来唱出七情六欲悲欢离合。

金啸风依旧纹风不动，只命手下：

"送段小姐回去吧。"

这一"送"，便是等于"弃"。在他的字典中，并无"撬墙脚"这码事，他自己早早不要了。

"不，"段娉婷只不动声色地笑："我还要把戏看完呢。"

"真肯看到散戏?"金先生又不动声色地笑。

"当然，戏还得演下去。难道上座不好，要跳黄浦去不成?"

"黄浦也不是人人可跳的。外来的就不许跳了。哈哈哈!"

她看他一眼："天无绝人之路的。我就从来没兴趣。跳黄浦? 开玩笑!"

金啸风抽一口雪茄，你完全不知道他的心，他道："看戏，看戏。"

台上是台上。台上最骁勇善战的大将，也不过在他掌心翻筋斗。他怎么护花? 他连自己也护不了。她怎么放心? 他连自己也护不了。

段娉婷是"不肯"走? 还是"不敢"走? 金啸风只是十分明白：一个女人，他已得了她，她就不能再在他跟前那么骄矜自持了。若得不了她，她也保不定自己什么时候被弃——到底，真奇怪，世上没有一个女人可以天长地久。他眼前闪过一张脸，小小的，白瓜子仁儿的，忽地，措手不及，她在上面划了一个鲜血斑斓的十字……

金啸风心底无限屈辱，他总是得不到任何一个女人对他天长地久。

所以早早的表示不要了。

即使不要，也不肯便宜任何人。

他冷嘿一声："上海这码头，他倒是要也不要?"

段娉婷一直维持着优美的坐姿，直看到这夜戏散了。

第一晚、第二晚、第三晚。唐怀玉坚持地不欺场，打落门牙和血吞，他是冤枉的，却会沦落如草莽。他多么幼稚。简直是负气。

班上的，人人自危。一点点的艳屑，给唱扬出去。都知道"海上闻人"，虽没什么高官显爵，但各界还是买他们的账，看他们的颜色办事，尤其在租界里。而且上海这么大，此般人物的总数，至多不超过二十。怀玉惹不起。洪班主央怀玉去烧香道歉，拜个师。免得耗子进了笼，六面没出路。

唐怀玉坐在后台的厢位中，虽然他从来就傲慢如一片青石，眼光总是平视或俯瞰。曾几何时，于同一位子上，他赢来不少扔在身上令得微疼的重礼。如今这一份礼也真是"重"。他紧锁牙关的嘴，一撇，似乎也在掩盖自己的不安，不过还是硬：

"蒙他瞧得起，方才应付得那么费劲。我那有什么？"

班主劝：

"你忍了一时之气，便消了他一生之气。过了海是神仙。哎，你不去，我这班上怎么办？别说上海，就是往后的码头……"

李盛天为了大局着想，只得叱责他：

"怀玉你就爱论自己有。他比你高呢，凭什么惹毛了人家金先生？你是鞋上绣凤凰，能走不能飞。且他让你走，你才能走。"

末了无奈逼他：

"你去递上个门生帖子！"

怀玉气得握拳透爪。

也不是他招的，是她惹他的，倒要自己赔上了自尊。都不明白上海是怎么的一个圈套。他扑地跪在李盛天跟前。

"师父，我已经有师父了。我不去！不要逼我！"

大伙来哄他：

"但凡往高处瞧，做个样子吧，难道他真有功夫来调教不成？"

李盛天知他为难：

"不是为你我，是为大伙儿去一趟。他们讲新式的，不随那老八板儿旧例子。不过是个招呼。"

金公馆。

大厅中央放着一张披着绣花红缎椅帔的太师椅，两旁高烧红烛，金啸风由几个大徒弟簇拥着就座了。

先引来一个西装革履的银行大买办，余先生父亲是银行的大股东，肃然向上作了长揖，而且恭恭敬敬的叩了四个响头、然后再向两旁的大师兄们深深地鞠了一躬。金先生纹风不动，安坐受礼。

史仲明收过门生帖子，便笑着，引领过一旁。

这余先生之所以低了头，便是因他要办企业，由于不能掌握自己的命运，便把一切权付于靠山上了。他送的厚礼是银行的"干股"，为了要办的行业更保险，便也拜个门，尊以师礼，这样，他的事便有金先生出头了。

而他的事业中，这年的理事名单，不免出现金啸风的名字挂头牌。

收了这徒后，陆续又来了三个。自包括汉口夹带私土来的雷先生。

人到了，礼也到了。五十大寿，不啻是个拍马奉承的好机会。军、政、警、党、工、商界，社会贤达类，都给这个面子。金先生总爱道：

"以后是一家人了，有事可找仲明仕林谈，有工夫多来玩牌听戏。"

与其求小鬼，何如求菩萨？收徒礼也因此而办得兴兴旺旺。

轮到唐怀玉了。

班主先给他预备了一份起眼的礼，是福、禄、寿三尊瓷像，装潢好了送去，金先生没表示过是哂纳还是退回。

他也不要他作揖，先着徒弟送来烈酒。怀玉便也敬了酒。仲明示意：

"唐老板，先干为敬！"

金先生似笑非笑，一意受他敬酒：

"唐老板，这是白兰地。在北平没喝过，对吧？热火火，醇！"

怀玉在人屋檐下，明知道这一来，他们要耍他，倒也一仰而尽。这酒，顺流而下，五内如焚，忍一时之气，免百日之忧。他这酒，拌着自己的屈辱，一仰而尽。脸是未几即热了，刚好盖住说不上来的悲凉——他捧我的艺，他踩我的人……

金啸风忽省得了："有醇酒，岂可无美人？段小姐还没来观礼呢？"

史仲明马上出去一阵，五分钟之内，局面僵住了，好像过了很久。整整半生。史仲明回话："段小姐病了，不能来，请金先生多体谅！"

金先生冷道："哦？那交关吭趣。这样吧，徒弟收满了。你，明年再来吧。"

唐怀玉一身冷汗，酒意顿消——这个女人将要害死他！她害死他！

民国廿二年

夏

北平

怀玉零零星星的小道消息，随风传到北方去。是因为风。一切都似风言风语。

暮春初夏，空旷荒僻的空场土堆，都是孩子们放风筝的好去处，南城、窑台、坛根……"千秋万岁名，不如少年乐"。只因为少年之乐，马上又随风而逝。看到毛头捧着自己动手做的黑锅底，一个助跑，一个拉线，兜起风抖起线，乐滋滋地上扬。有时一个翻身，失去平衡，便下坠，收线也来不及了。

只听得他们拍手在唱：

"黑锅底，黑锅底，真爱起，一个跟斗扎到底——"

有钱的哥儿们，买了贵价的风筝，什么哪吒、刘海、哼哈二怪、鲇鱼、蝴蝶……但自己不会放，便叫人代放，自己看着。

南城走过了两个年轻人，一个指着那刘海，便道："从前我还代人放，赚过好几大枚。"

"什么'从前'？这就显老了！"

志高忙问：

"你认出那是什么名堂？"

丹丹仰首，双手拱在额前，极目远望，谁知那是什么东西？

"是'刘海'，他后来遇上了神仙。"

"后来呢？"

"后来——呀，线断了线断了！"

"后来呢？"她追问。

志高笑了："后来？告诉你两个好消息，第一，天乐戏院让我唱了。"

"真的？"

"是龙师父，他听过我在地摊上唱，就觉得我风度翩翩，长得眼睛是眼睛，鼻子是鼻子——"

"什么眼睛鼻子？又不是找你演四大美人！"

志高洋洋自得：

"教戏最好教'毛坯'，我嗓子好，但从来没正式学过，龙师父说教起来容易。已经会了一派，再把它改，就难了，不但唱腔搅乱，而且也很辛苦。"

"你是毛坯？你长这么大个还是坯？"

志高忽觉他真长大成人了。

"这等于——嗳，没魂儿，遇上谁，就是谁。"

没魂儿，遇上谁，就是谁……

丹丹心里一动，莫名其妙地，问：

"切糕哥，不是有两个好消息么？"

"对对对，另一个是：怀玉有信来了。"

上海寄到北平的信，往往是晚一点的，有时晚上了一个月。

怀玉的信，只报道了他的喜讯。没来得及发生风险，信已寄出了。所以这信非常的不合时宜。丹丹和志高只略懂一点字，但反复的看，仍是舞台、采声、平安、勿念、保重、怀玉——怀玉。

丹丹无端地懊恼，怪他：

"怎么不先说这个？"

心里头很慌，像脚踏两只船，一个也不落实，嘴巴上涂了浆糊，开不得口，又不好开口。不知道该怎么告诉志高：苗师父等在北平呆久了，也是开拔的时候，将要到石家庄、郑州、汉口……

坐到土堆上，看到沙粒之间有蚂蚁在爬行，看着看着，蚂蚁都爬上心头。

等，多渺茫，自己作不得主。等，独个儿支撑着，若一走了之，好像很不甘心——不过，光等一封信，原来也要许久。假如真的走了，半分希望也没有，便是连信也没有了。

而且，她也听过一点点的，关于他和女明星的事。报纸比信要快多了，也坦白多了，也无情多了。因为报上说的都是别人的事。

段娉婷。

志高知悉她们一伙打算开拔，江湖儿女，自然投身江湖去，也许不久即相忘于江湖。

志高从没试过这样的畏缩，只急急忙忙的便道："要不你留下来？"

丹丹只觉是聋子听蚊子叫，无声又无息，追问："你刚才说什么？"

志高如释重负："我没说什么呀。"末了，深感不说破是不行的，又道："我去跟苗师父说说，希望你留下来。"

一说破，胆子就壮了。

丹丹心头一动，不知为了什么便有点脸热，说不出一句话来辩解，只道：

"留下来干么？不留！"

志高因胆子壮了，也就豁出去：

"倒像怪我养不起你？"

天生的俏皮劲儿又回来了。

"你不肯？是怕我放你水吧？不会的，保管让你一天吃七顿。"

丹丹转身就想跑。志高一脚撑在土堆上，两手拦住她，看她无路可走，自己也是有点急，不过见热儿，不能断：

"嗳嗳，别跑呀，让我把话说完。你将来总得找个婆家。

我家可是不用侍候婆婆的——"

丹丹听又不是，跑又不是。心惊胆跳。难道她对志高好一点，便是报复怀玉对她的不好吗？她也尝试过，不过一下子就不成了。何必招惹他？对他不公平。志高是她最好的朋友来。

只是他听不到她心里的话。但凡说出口来的，不外要他好过点。中间没有苦衷，不过是：一颗心，怀玉占了大半，志高占了小半，到底意难平。他的魂在她手上呢。他没魂了，她也没魂了——这便是牵挂。像风筝的线，一扯一抽，她便奄奄一息。

痴，真可怖。如此的折腾着她，而他又不知情。

像整窝的蚂蚁一时泼泻四散，心上全有被搔抓被啮食的细碎的疼。半点由不得人自主。

在六神无主的当儿，忽地想起那个洞悉她今生今世的人来了。

"切糕哥——"

"丹丹你看我已经长这么大个了，不若你喊我志高，我唱戏也用回本名。"

"哎我改不了。切糕哥，我们找王老公去——问的是……我都不知要问什么？"

志高忆得那话："你将来的人，不是心里的人。"当下为难了。

"问什么？他不灵的。"

"我要去！"丹丹一扭身便走了。到得雍和官，她才真正魂飞魄散。

门是虚掩的。

还没来到，已嗅得一股恶歹子怪味，本来明朗的晴空，无端的消沉了，不知什么冤屈蔽日。

340

丹丹和志高掩着鼻子，推门：

"王老公！"

斗室中真黯，索性把门推得大开。

"王老公，我们看您来了！"

没有回音。

红木箱子，床铺软被，都在，遍地洒了竹签，好像一次未算账的占卜。

"王老公——呀——"丹丹忽地踢到一些硬块，也不知是不是那硬块踢到她了。一个踉跄，半跌，半起，便见到白骨森森，是王老公的长指甲，枯骨中还缠着白发，白发千秋不死。

志高随地把床脚的软被一掀，轰轰逃出十数头猫，那被子一点也不软，内里有凝干了的血污，狼藉地泼了一天红墨。

王老公不在了—— 他在。但那是不是他呢？谁知他什么时候死了？如今，他一手栽护培育的心爱的猫儿，三代四世在他窝里繁衍轮回的猫儿，把他的肉，都蚕食净尽！

只见那仅存的人形，佝弯着，是永难干净的枯骨，心肠肺腑，付诸血污，烂肉和尿溺，令这个斗室幻成森罗殿，地底的皇宫。他自宫中来，又回到宫中去了。

那猫群，谁知它们什么时候开始分甘同味？它们吃饱了睡，睡饱了吃，这个老人，今生来世都营养着一群他爱过的生命。此刻也许被外来的人撞破了好事，廿多双闪着青幽幽的光，不转之睛，便瞪住他俩。回过头来，面不改容。只若无其事地竖耳聆听她的心惊胆战，扑、扑、扑、扑、扑……

猫儿负了王老公！

他那么爱它们，却被反噬反击，末了食肉寝骨，永不超生。他简直是个冤大头。得不到回报，他的回报是无情。

天下尽皆无情。

忽尔那笛声来了，笛凄春断肠，而地上已经寻不到半截断去的肠子了，——让凶手的生命给延续下去。

那笛声多像垂死的不忿，欲把嗡嗡争血的苍蝇拨开……

丹丹脸色雪白，浑身的血单汩汩漏走，双腿一抖一软，崩溃了，倒在志高怀中。

那笛声一路伴她，昏昏地，梦里不知身是客。最记得它们一齐回过头来，无情的一瞥。

只知恩断爱绝，万念成灰烬，风吹便散，伸手一抓——

怀玉抓牢她的手，唤她：

"丹丹！丹丹！"

她问：

"是谁呀？"

他道："是我，我回来了。上海不是我的地土，他们净爱捉弄人，我现在歪泥了——"

"我就是生不如死的，也不要你关心，你走吧！"

"我不走。"

"你不是有女明星陪你吗？"

"我是逃回来陪你的。"

怀玉向丹丹贴近。

丹丹只觉什么在搔弄她，怀玉越贴越近乎，蓦地，她联想到，是佛！那座阴阳双修欢喜佛。瘫软乏力，神魂不定，说不上来，是的，欢喜——

迷糊而又放肆地，她决定听天由命，千愁万恨，抵不过他回来一趟。

"嗳，你回来——"

怀玉回身一看，是一个女人。仿佛相片中见过，丹丹看不清是谁，只见她抱着一头黑猫，红袖在彩楼上招。一招，怀玉猛地推开自己，二话不说，扬长而去。丹丹仍是伸手一抓，大喊：

"不不不，你人走了，你的魂在我手上！我不放过你！"

那黑猫飕地自彩楼高处飞扑下来，是它！全身漆黑，半丝杂毛也没有，狂伸着利爪，寒森的尖锐的牙把她的血肉撕扯，发出呼呼嘶杀的混声，她见到自己的骨……"呀——"惨呼，陡然坐起，冷汗顺着那僵直的脖子倒流。

志高抓牢她的手，唤她。

"丹丹！丹丹！"

她实在并不希望是志高。

宋志高开始唱天桥的天乐戏院了，都是唱开场，《小宴》中的吕布，貂蝉给他斟酒，唱西皮摇板：

温侯威名扬天下，闺中闻听常羡夸，满腹情思难讲话……

二人眼神对看，志高这温侯，一直色迷迷地陷人她的巧笑情网中，叫她"两腮晕红无对答"，自己连酒也忘了干。

英雄美人，那只是戏台上的风光，恁他翎子一抖一撩，台下声声叫好，戏完了，翎子空在那儿隐忍着心事。天下没有勉强的山盟海誓，半醉的温侯，末了也醒过来似的，只是不可置信，貂蝉当然不是他的。然而，丹丹也不是他的。纵赤兔马踏平天下，画杆戟震动乾坤，万将无敌，天下第一，佳期到底如梦。什么今日十三，明日十四，后天十五……终约定了本月十六，王允将送小女过府完婚——貂蝉和丹丹都不是他的。

散戏了。丹丹由志高伴着走路，夜里有点微雨，路上遇见一个妇人，因孩子病了，说是冲撞了过路神灵，母亲抱了他，燃了一股香，在尖着嗓子，凄凄地叫魂。

走远了，还见幽黑的静夜中，一点香火头儿，像心间一个小小的，几乎不察的洞，一戳就破了，再也补不上。

"切糕哥，你帮我这个忙，我一辈子都感谢你！"

"这样太危险了。"

"不危险，你给我怀玉哥下处的地址，我自找得到他。你不要担心，决不迷攒儿的，我比你棒，打几岁起，就东西的跑了。"

难道他还有不明白么？

真的，他记得，她十岁那年，已经胆敢在雍和宫里头乱闯——要不，也不会碰上。

"我要去找他！切糕哥，这样的同你说了，你别羞我不要脸。"丹丹说着，眼眶因感触而红了："我很想念他呢。我十岁就认得他了。"

志高心里一苦：自己何尝不是一块认得的？怎的大势便去了？

"那你怎么跟苗师父说呢？"

"我说我已经十八岁了。"

"他到底也把你拉扯照顾，说走就走，不跟他到石家庄了？"

丹丹轻轻地，绕弄着她的长辫子：

"我也舍不得，不过，以后可以再找他们呀。而且——本来我也不是他家的人。"

志高有点欷歔——丹丹本来也不是自己的人。唉。

"切糕哥，到你家了，你给我地址。"丹丹嚷。

不知怎的，就似箭在弦上，瞄准了，开弓了，就此不回。

志高只恨岁月流曳太匆促了，一个小伙子，不长大就好了；一长大，快乐就结束了。他的一切，都是失策。是他的，终究是他的；不是，怎么留？

心头动荡，似一碗慢煎的药，那苦味，慢慢地也就熬出来，然后他老了。

是一个没有月亮的晚上。

没有月亮，看不清楚。他十分放心。

给了丹丹怀玉的地址。于她全是陌生，上海？宝善街……直似天涯海角一个小黑点。她只坚信，只要她找到他了，他不得不关照她，凭她这下子还有个冒儿？世上又何曾有真正牢靠的落脚处？——不过心已去得老远。她已没得选择。

志高猛冒地，直视着她。真好，没有月亮，看不清楚。他才十分放心：

"丹丹——怀玉有亲过你么？"

丹丹目瞪口呆，好似寂静中冒儿咕咚进来一头猛兽，楞住。

"没？"志高估计大概没有。"你亲我一下好么？"

无端的，丹丹万分激动，她对不起他，她把他一脚踩在泥土上，叫他死无全尸。她扑进志高怀中，双手绕着他的脖子，在他脸上亲了一下。是她的头一遭。

志高笑："别像闪黏儿的膏药呀。"

丹丹只好又亲他一下。

志高凄道："让我也亲你一下，好不好？只一下。"

千言万语又有什么管用呢？终于她也在他满怀之中了。志高真的无赖地亲了丹丹一下。还不很乐意罢手，不过戏也该散了，自己便自下场门退下。丹丹觉得他非常的可爱，把脸在他襟前揉擦。

志高心里只知自己是搓根绳子便想绑住风，哪有这般美事。分明晓得丹丹留不住，真的，送怀玉火车那时便晓得了，她在风烟中狠狠的挥手追赶，来不及了：

"怀玉哥！你要回来！你不回来，我便去找你！"

——原来是一早的存心。

那时，志高的话便少了，谁知能存一肚饭，末了存不住一句话，竟说成非分。只好便打个哈哈，把丹丹给放开了，抓住她双肩，嬉皮笑脸：

"好，你亲了我，我又亲了你，到底比怀玉高一着。我也就不亏本了。作买卖那肯亏本呢？对吧。"

然后把一个小布包硬塞在丹丹手中。

那是他存起来的钱，零星的子儿，存得差不多，又换了个银元。换了又换，将来成家了，有个底。

如今成不了，只得成全她。

"你不必谢我，反正我去不了那么远，你用来防身也罢。"

"我也有一点儿钱——"

"钱怎的也嫌多？要是找不到，也有个路费回来。不过有地址，有人，不会找不到。"

见丹丹正欲多言，便止住：

"你看你，莫不是要哭吧？这样子去闯荡江湖？见了怀玉，着他记得咱三年之约。要对你好，不枉去找他一场。"

"切糕哥，你要好好唱戏。"

志高烦道："难道还有其他好做？"

他看住她的背影，抚着自己的脸，那儿曾经被她亲过一下、两下，最实在的一刻过去，又是一天了。

她简直是忘恩负义地走了，留下一句不着边际的话："你要好好唱戏。"完全与他七情六欲无关。

唱戏，明天他又要在台上施展浑身解数来勾引貂蝉了。谁知在台下，他永远一败涂地。

而且后来志高才发觉，怀玉原来送过丹丹一张相片呢，是他的戏装。他跟她中间也不知有过什么话儿。也许没有，他曾笃定的相信过哥们的暗令子。这样说来，便是她一意向着他了。

　　好了，她快将不在了，当她"不在"的时候，有什么是"在"的？除开想自己之外，他就想她最多了。

　　志高存过很多东西呢——不过全都不是她送的。

　　他在没事做的当儿，不免计算一下。他有她的一根红头绳，曾经紧紧地绕过她的长辫。一个破风筝。一个被她打破了一角的碗。蒸螃蟹时用来压在锅盖的红砖。包过长春堂避瘟散的一方黄纸。几张明星相片——是她不要的。一根蛐蛐探子……还有几块，早已经黏掉的关东糖。

　　这些，有被她握过在手里的痕迹，志高一一把玩着，可爱而又脆弱，没有明天。他独个儿的想念，演变成一种坏习惯。一切的动作，都比从前慢了点儿。

　　不。

　　志高想，大丈夫何患无妻？当务之急，便是发奋图强。于是一切又给收藏好了。哦，已经输了一着，还输下去么？

　　第二天的戏，竟唱得特别好。台下的采声特别多，他有点奇怪。好像这又能补回来了——也只得这样做了。

　　在志高渐渐高升之际，也是怀玉一天比一天沦落之时。

民国廿二年

夏

上海

虽然怀玉不相信他就此走投无路了，事实上，凌霄大舞台仍然上戏，仍然是洪班主的一伙，人人都照旧，立报上却刊了段不起眼的报道，说及武生唐怀玉一天因练功拉伤了腿，只得暂时停止演出，日后再答戏迷们的热情。

另外的一个红武生，来自天津的萧庆云，走马上任，客串助阵。

金先生存心冷落他。但又不知冷落到什么时候。班主既签了合同，不成中断了这码头。戏还是得演的。

怀玉百般无聊，弄堂中有人喊他听德律风去。

整整一个月了。冠盖满京华，斯人独憔悴。不知要等到哪一天，才又重出生天。金先生又没赶狗入穷巷，并无出事体，只是冷落怀玉，让他干等，终丁会怎样？"日后"再酬答戏迷的热情？令得怀玉连练功也无神无采。

李盛天千叮万嘱，不要荒废，不要气短，就当是修炼："心中如滔滔江水，脸上像静静湖面"——只是如鱼饮水，冷暖自知。内中的难过，从九霄掉到深渊中去，不是身受，又怎会晓得？师父也无能为力。

真的，整整一个月了。

弄堂房子中只有一具德律风。与其他也住宿舍的戏班子共用。

喊他的是个评弹班子里弹三弦的，住下来大半年，也是乐世界的台柱。正拿着个赛璐珞肥皂盒，有点暴牙，好像合不拢嘴来，也许是在窃笑，侧看似头耗子：

"唐老板，是小姐。"

很有点看热闹的表情，多半因为怀玉的作孽唱扬出去了。

怀玉背住他，道：

"喂，谁？"

那人不好意思勾留，依依不舍地回头，只得走了。怀玉但觉十分气恼。

"谁？"

"唐。是我。"

"是你？——"一听这隔了好久，却一点也不陌生的声音，怎能认不出？而且，到底他只认得一位小姐，喊他"唐"，像外国人的名字：TOM。

"段小姐，你放过我吧！我为了你，多冤，跌份儿，如今悬在半空，生不如死。"

一说到"生不如死"，怀玉径自一震，莫非这才是自己的本命？真的意想不到，脱口说了，但觉冥冥中原来如此。

"——我才是要死。整天恍神思，浑淘淘。还失眠，要吃药才睡那几个钟头。"对方说。

"我们又没什么。白担了虚名。"

"你说啥？"

"你——放过我吧。"怀玉很不忍地，终于这样说了。

对方沉默了一会。

怀玉不知就里，只道：

"喂，喂……"

"我也不好过。这几天不拍戏了，明天带你到一个地方去？"

怀玉不答。

段娉婷忽地很烦躁，意态凄然，她不过先爱上他！竟受这般的委屈。她一直都是自私的，也是自骄的，一直都在这纷纭的世界中存在得超然，怎么一不小心，便牵愁惹恨，受尽了他的气？

"你说，你有啥好处？你甚至不是英雄，要是，也落难了。”

说着便奋力的扔了听筒。

怀玉只听得一阵"胡——胡——"的声音。

像闷闷的呜咽。

带你到一个地方去?

什么地方?

他的心忍不住,忍不住,忍不住。怎禁得起这般的折磨?每个人的心不外血肉所造。不见得自己的乃铁石铸成。

他怎不也设想:她有没有为此担了风火?

陡地,德律风又铃铃地乱响了,怀玉吃了一惊,忙抓起听筒。

对方停了半晌,不肯作声。

然后只问道:

"来不来?"

又停了半晌,方才挂上。

他怎禁得起这般的折磨?

在三马路转角的地方,有座哥德式的建筑物,红砖花窗,钟楼高耸,是道光廿九年兴工的,落成至今,也有八十多年了。这便是圣三一堂。花花世界的一隅清静地。

"我们唤它'红教堂'呢。"段娉婷领了怀玉来,坐在最角落的位子上。她先闭目低首,虔诚地祷告。不知她要说什么。只是怀玉细细打量,她的妆粉又比前淡了。口红淡了,衣饰淡了,存心洗净铅华的样子。

"唐,你知道吗?"她笑:"耶稣是世界上最爱我的男人!"

"耶稣?"怀玉抬头一看那像:"这洋人的神像可真怪里怪气。"

"他们不喊他'神',是'上帝'。"段娉婷解释。

"耶稣又上帝?"

"不,"段娉婷轻轻笑一笑:"耶稣是上帝的儿子。"

"真糊涂了。"

怀玉一想,再问她:

"那爱你的男人,是父亲还是儿子?"

"——"她忖度一个好答案:"是年轻的那个呀。"

"你爱他么?"怀玉有点不安:"我是说那耶稣。世界上是没有的。你信他才有。我倒不信,所以我心里的烦闷也不定肯告诉一个洋人。"

这属规矩会的红教堂,传来一阵轻柔而又温馨的钟声,因为它,每个人都好像天真了。

"唐,你听过一个西洋的童话吗?"

"没。我不懂英文。"

"哎,有人给翻译过来的。"段娉婷白他一眼:"叫《青蛙王子》。"

她用了二十七句话,把青蛙王子的故事交待一遍。

末了,她的结论就是:

"不过,这也很难说,要吻很多的青蛙,才有一个变王子。"

怀玉还没来得及接碴,只见眼前的女人,抿着她自嘲而又天真的嘴角,道:"都不知要花上多少冤枉的吻。"

她在这一刻,竟似一个小女孩,答应了大人诸多的条件:要听话、要乖、要做好功课、要早点上床、要叫叔叔伯伯、要笑……都干了,糖果还没到手。

怀玉瞅着她,忍不住,很同情地笑了。他问:"青蛙是如何变成王子的?是轰的一下就变了?还是褪了一层皮?"

"是——把衣服脱了,就变了。"段娉婷吃吃的笑。怀玉的心扑扑乱跳，眼神只得带过去那花窗。他那无知的感情受到了惊吓，起了烦恼，全身都陶然醉倒，堕入一种迷乱中。只设法抵制，道："真不巧，外头好像要下雨了。"

一出来，才不过下午，四下一片黑暗，天地都溶合在一起了，有如他黯淡的前景。密密的云层包围着世人世事，大家都挣扎不来，沉闷而又迟钝，壮气蒿莱，头脑昏沉欲睡，呼吸不能畅通。

雨在暮春初夏，下得如毫毛，人人都觉得麻烦，不肯撑把伞，反正都是一阵温湿，欲语还休——而太阳又总是故意地躲起来，任由他们怨。

"我们到什么地方去好？"段娉婷忽尔无助起来。前无去路。

她直视着他。他比她小一点，比她高很多。

即使他落难了，她还是受不了诱惑。她完了！心想，前功尽废。却道：

"金先生那儿，我是不应酬了。"

怀玉即时牵着她的手，咦，寇丹还在，一身的淡素，那指甲上还有鲜艳的寇丹，百密一疏似的。她觉察了，竟有点露出破绽的慌惶，她仰首追问：

"不信？"

他很倔强："我现在是在穷途，对自己也不信，别说是谁。这个筋斗你又栽不起。"

只是，他的空虚一下子就给填满了。

也许只是压下来的看不见的密云。然后在层层叠叠之中，伸出一只涂上寇丹的手，在那儿一撩一拨，抖下阵细雨。然后细雨把他的忧郁稍微洗刷一遍。还是没有太阳。

绵绵的。缠绵的。

他也有难宣诸口的沾沾自喜：

"我只坐得起电车。坐电车吧？"

只执意不坐她的汽车了。

她纵容地道：

"穿成这个样子，去挤电车？我又没把太阳眼镜带出来。怎么坐？人家都认得的。"

他只紧执她的手挤电车去，完全是一员胜利在望的猛将。

坐的是无轨电车，往北行，经吕班路到霞飞路。乘车的人很挤，竟又没把女明星给认出来。她笑：

"小时候姆妈吩咐我们勿要坐电车，怕坐了会触电。"

进了段娉婷的屋子里，她便打了个寒噤：

"不是触电，是招了凉。"

也不理怀玉，只在房里自语："我的浴袍呢？没一点点影子花。"

未几，她又道：

"唐。我沐浴去。来个热水澡。你自己倒一杯酒驱寒。"

当她出来的时候，见怀玉半杯琥珀色的液体，犹在晃荡中。她脂粉不施的出来，更像一个婴儿。

真是想不到，一离开了繁嚣，她胆敢变回普通人，还是未成长似的。脸很白，越看越小了。

他递她酒，她不接，只把他的手一拉，酒马上泼了一身，成为一道一道妖娆的小溪——完全因为那软闪的浴袍料子，半分水滴也不肯吸收了，只涓涓到底，她身子又一软，乘势把酒和人都往他身上揉擦。问：

"我吻你一下。你会变王子吗？"

怀玉挣扎，道："对不起。"

段娉婷用她一阵轻烟似的眼神笼罩他。有点朦胧，不经意地一扫，怀玉就失魂落魄，不敢回过身来。她目送他逃走了。

逃到那浴室中，是浅粉红色的瓷砖，他开了水龙头，要把酒和人都洗去。忍不住也揉擦一下，像她还在。

无意地瞥到浴缸的边儿，竟有她浴后的痕迹：有一两根轻鬈的短细的身上的毛发，偷偷地附在米白的颜色中。映进眼帘，触目惊心，他有一种从未有过的悸动，心飞出去，眼睛溜过来，身体却钉住了。

也没足够的时间逃出生天，她自他结实的身驱后面，环抱着他——一只手便放在不该放的地方。嘴角挂上诡秘的笑容，看他如何下台？她感觉他的悸动……

她这样的苦苦相逼，他又怎么按捺得住？

浑身醉迷迷的，而且充满愤怒。如今他变成一头愤怒的青蛙了。

段娉婷自然感到怀玉的骠悍和急促。

他失给她，倒像一个新郎倌。

末了怀玉只是脸热。

但是唐怀玉已经完事了。

段娉婷不准他退出去。在他耳畔喃喃："就这样……就这样……"

段娉婷用她的四肢，紧紧把他纠缠着，好像花尽毕生的力气——又像一个贪婪的婴儿，死命要吮吸母亲早已供应过的乳汁，不是基于饥，而是因为渴。

她抚慰着他：

"不要紧，再来。我们再来十遍、一百遍。我们还有一生！"

怀玉想不到他就范了。

他过去的岁月，他舞台上的风光，都是一出出的武戏，而武戏，是没有旦角的，一直没有，有了一个，为了情义，终于也没有了。如今他的生命中，段娉婷，她竟然肯如此的看待他，在他最困厄无策的时候。

他不是不感动的。

这样的窘境，又没有任何人明白，前路茫茫，只有她明白——然而，追究起来，还全是因为孽缘，要是那天没在乐世界的哈哈镜中，影影绰绰地碰上了……不知是谁的安排。哦，我唐怀玉已堕落成这模样了。

怎么回去面对乡亲父老?

段娉婷的手，横在他心上，压住他，令他呼吸困难起来，在这个飘溢着女人香味的、叫人忘却一切忧伤的小小世界里，他的心便伸出一只饥渴而淫欲的利爪，扒开了胸膛血肉，乘势抓向她的胸膛——东山再起了。

第二回比第一回凶猛得多。

她笑：

"双枪陆文龙?"

心里还有点怜惜的歉意。

"把你给带坏了。"

"我本来就是坏。"

"我要你更坏，更坏……"

他已经不可以完整地道：

"你……比我想象中淫贱!"

他的行动把这话道出来。

百感交集，都锁在情欲中间。她是他的第一位旦角。他是她的第一号冤家。二人陷入彼此的包围，存心使着劲，只争朝夕。

后来。

她着他："你喊我名字——"

又问："记得我本名吗？"

"秋萍。"

呀，她惊诧他竟然真的记得。看来，他是有心的。她又很高兴，他毕竟是有心的，不是因为自己的勾引。原来担忧着，心中一个老大的洞，便如情天恨海般被填补上了，一点一点的填补上了。

马上变得天真而又虔诚，尔虞我诈的招式都抛诸脑后，打算此生也不再动用。

当他凝望着她时，她的心开始剧跳。柔肠千回百转。想到几年来，身畔都是一些有条件的男人，给尽她想要的，名利地位，以及赞叹奉承，没有一个像怀玉——什么条件都没有，却是稀罕的。当她要他，他便稀罕。她不要耶稣了。

正色道：

"唐，我知道你将来或许不爱我。但这也是没法的。我们各凭良心……你勿要瞎话三千。真的，你不爱我，我是一点办法也没有了。"

以退为进，唬得床上年少气盛的小骄将，不知水深火热，便急急自辩：

"不是的，我是爱的。"

"那，你留在上海。"

"——你明知道我是见一步走一步，我接不成另外的场子，也唱不了堂会。如今看来，金先生是决计不会放我一条生路的了。"

段娉婷沉吟半晌。

"我也决计不肯委屈自己来投靠一个女人。只是，我的本事光在台上。也许回北平算了。"

段娉婷心里开始有只小蝴蝶在习习地飞，这样好不好？那样好不好？都是些美满的计划，纷纷绯绯。一下子，她又回复她江湖打滚的慧黠和精灵。多奇怪，一个婴儿又匆促地长大了。她心里有数。

"见你们洪班主去。"

怀玉不知就里，便不肯。

她哄他："我们联手背叛金先生，不是么？"一宵之后，次日，怀玉领了段娉婷到宝善街那弄堂房子下处。

他们不在，反倒见搁着一件随身小行李。

那个弹三弦的好事之徒，又像头耗子似的窜过来。瞅着怀玉和段娉婷：

"唐老板，说你有亲戚从北平来了呢。现在洪先生到处打听你到哪儿去。"

亲戚？

是爹？他来了？才刚有信说他在北平安好勿念，怎么来了呢？

怀玉赶忙进去，如着雷殛地见到一根长长的辫子，他怀疑自己眼睛看花了，一摔头，再看，她正沉迷地埋首于他的戏装相片，听到些微的声响，马上回过头来。那些微的声响：门轻轻地咿呀，脚浅浅地踏上，或者是眼睛巴搭一下。

她虽身在这异地，但处处无家处处不是乡，异地成为一种蠢蠢欲动的新梦，她来了。不顾一切，冲口而出：

"怀玉哥！"

怀玉十分的惊疑，他听不见她唤他，只觉世界变了样，在他的意料之外——一切原是意外，一切都不合时宜。他无措地，喃喃："丹丹？"

如果不是真的……

丹丹蓦地见到段娉婷了。她那么的一个人,何以她倒没有见着呢?眼中连一粒沙也容不了,如何容人?

怀玉延她进来,只好介绍:

"这是段小姐。这是丹丹。"

段娉婷笑一下。跟这小姑娘周旋:

"小姐贵姓?"

她执意不唤她的小名。她执意不跟她亲昵。

丹丹?哼,怀玉这样唤是怀玉的事。

怀玉一怔,她"贵姓"?真的,连她自己也不晓得。

当下忙解围:

"我们都喊她丹丹的。"

"贵姓啊?"段娉婷笑靥如花坚决地问。

怀玉便似息事宁人地道:

"姓宋。宋牡丹。"

"宋小姐,你好!"

丹丹张口结舌,五内翻腾。

怀玉逼她姓宋?他私下把自己许配给志高了?就没有问过她。

幸好此时,见洪声匆匆的赶回来,一见怀玉,便责问:

"唐老板,你昨天哪儿去了?今天丹丹姑娘一来,我就着人到处的找。"

怀玉很敏感地,听出来班主不再称呼"您",如今是"你"——可见也真是带给他无限忧烦,何况他又提不上号了,身分不得不由"您"沦为"你"。直是势利。自家人都这样。

脸红耳赤,倒不一定是为了"昨天哪儿去",而是为了在两女面前,他竟尔"不比从前"。他咬紧牙关,好像如今惟有段娉婷指引一条生路,重振雄风,要不今后一直的被人"你你你"，他如何受得了？十二月里吃冰棒，顿时凉了半截。难道他在过去的几个月，没有给班主挣过钱？没有红过么？真不忍心就坍了。

好，白布落在青缸里了，把心一横，向洪班主道：

"我们出去谈谈事情。"

见丹丹千里迢迢的来了，而他又一身无形枷锁，干净极有限，苦处自家知。都不知从何说起。形势所逼，推拉过一旁，三言两语：

"丹丹，你呆在这儿不要乱跑，晚上回来才安顿你。"

丹丹无端的眼眶一红。

怀玉也是心情恶劣，自身难保，如何保她？不怎么经心便喷口：

"一来就哭！"

吓得丹丹的眼泪不敢任意打滚。丹丹也是个刁拧性子，很委曲，觉得这是一生中最不可原谅自己的馊事儿了，也直来直去："我下火车时，脚一闪，扭伤了。"

一卷裤管，果见青肿一片，亏她还一拐一拐的寻到此处。怀玉一阵心疼，终也按捺住："我们有事，真的，你千万不要乱跑。"说了，又补上一句，非常体己，没有人听得似的："买点心给你吃，等着我。"

丹丹目送三人走了。三个人，段小姐靠他比较近。

——她一来他就走。他竟然因为"有事"，就不理会她了。

丹丹四下一瞧，这弄堂房子是一座作艺人宿舍，于此下午时分，也许都外出了，也有整装待发的。人人都有事可做，连她惟一要找的人，也有事可做，只有自己甚是窝囊，来投靠，反似负荷——她估量着可以做什么？烧饭洗衣？只为一点她也控制不了的私念和渴想，驱使此行成为一个不明不白的黏衣人。

她是下定决心了，她付得起。

只要怀玉安顿她。

只要她这番诚意，打倒了个捡现成的漂亮的女明星。哦，女明星，女明星见的人还少么？不定就是怀玉。而且她也不怎么介意，看真点，那段小姐也有廿来吧。丹丹很放心，她比自己大很多很多。看看，不像的。丹丹逼令自己放下心来。

出了怀玉这房子，也在一带逡巡一下。先试踏出一脚，再上几步，然后便东西来回的看，像一头来到陌生下处的猫。连脚步也是轻的，生怕有踢它的顽童。不全因为伤。

这一带有小旅馆。有"包饭作"，正在准备烧晚饭派人挑担送上门。有印刷所，也有各式的招牌，写着"律师"、"医帅"，夹杂着"小桃红女子苏滩"、"朱老二魔术，专接堂会"……还有铅皮招牌，是"上海明星影剧学校"，附近人声喧闹。

丹丹好奇地忙上前观看一阵，只听得都是牢骚。

"怎么，关门了？"

"搬了？搬到哪里去？"

"我们拍戏的酬金还没到手呢？说好是一年三节支付，早知道赊一百不如现七十。"

"哦，学费收了，实习也过了，现在一走了之，怎么办？"

有个女孩还哭得厉害：

"我的钱都给骗了！"

哇哇的哭，绝对不是"演技"。

弄清楚，才知是一群被骗报名费、学费和临时演员酬金的年轻人——全是发明星梦的。丹丹递给那女孩手帕，她一边抹泪一边揩涕道："我就不信我沈莉芳当不了明星！"

因为感激丹丹的一块手帕，所以二人便聊起来。方知沈莉芳比丹丹大一年，她十九岁。愤愤不平地道：

"我又会唱歌，又会跳舞，我不信自己红不了！"

"那影剧学校关门了，你下一着怎办？"丹丹很好奇地追问。

"有人跟我提过一个'演员练习所'。明天我去报个名。马上就可以当临时演员了。大明星都是从小演员当起嘛，我就不信我当不了大明星！"

口口声声的"不信"，非常的没信心，非得这样喊得震天价响不可。

当她得知丹丹是北平来的，也就同样好奇地追问，非常亲热的在耳畔：

"找的那人，可是男朋友？"

"什么'男朋友'嘛。"

"你对他可好？"

丹丹在一个陌生人面前，很容易地便肯于点头了——当然放心，马上就各奔前程，此生也不会遇上。故，很私己地，点点头。

"他对你可好？"

丹丹一点也不迟疑，即使怀疑，也不迟疑地，又点点头。

"住下了？"

"——还有一个班子的人。他师父也在。"

丹丹一想，便反问：

"沈莉芳，你有男朋友么？"

"从前有。后来见我要当明星，他骂我贪慕虚荣，就跑了。临走还打了我。"

"家里人知道吗？"

"他们不管我的，没工夫，我姆妈帮佣，一个礼拜回来一趟。我爹拉黄包车，很苦呢，巡捕常来'撬照会'，他天天的拉，得了钱买不了几斤柴米，又要到工部局再捐一张，不然连车也拉不了。他哪管得了我?"

聊了半天，方又明白，也不是"贪慕虚荣"，只是在上海，一个姑娘家如何立足?

沈莉芳跟她颇投缘，还写了地址给她，末了道："你的牙齿黄，改天我送你双妹牌特级牙粉，我也是用这的。再见，以后来看我拍戏呀!"

丹丹笑着挥手。

到了晚上，班上的人都回来了，丹丹的事，也就人人皆知了，见她这样的豁出去，也是个没爹没娘无依无靠的江湖女，倒也非常的照应，招待吃过一顿。

怀玉只是尴尬，大伙给他面子，他可是长贫难顾的。而且，也许多心了，班主的脸色不大好看。

丹丹自是万万料不到她一心来投靠的人，是泥菩萨过江了。也万万料不到红透了的武生，一个筋斗便栽了，因为女人的关系。没有人告诉她，不过，就凭她的聪灵，隐约的，也猜测了五分——来得真不是时候!

怀玉收拾一下自己的房间，让给丹丹，然后搬到李盛天的房间里挤一挤。

隐约的，也听得师徒二人的对话，有一句没一句:

"班主倒是怎么说的?"

"他一听是十倍给赎回合同，当下也没什么异议。其实是掩不住的欢喜啦。"

"你存心是脱离了?"

"我只是不要拖累。"

"难为吗?"

"不难为。段小姐为我另铺后路。"

"她?"

"——她说介绍我去拍电影。"

"你是唱戏的,怎么又跟演戏的结了系捻儿。可要仔细想一想。大不了回北平从头再来。别意气用事了。"

"不,我又不是架不住,要认盆儿。而且段小姐已经给联系好了。最近有一家公司的老板,很积极的想弄一部'特别'的电影,只要她一句话,我就——"

"那丹丹呢?"

"我根本不知道她要来的。"

"你是不跟我们再跑码头了?你留在上海,丹丹如何安置?"

"我正烦着呢。要不她跟你们南下。要不,我就送她回北平去,我答应过志高的。"

到此关头,实在也不因为答应过志高。李盛天语重心长地道:"上海是个'海',怀玉,你别葬身海上。"

"不,我决定了!"

怀玉变了。

这逃不过李盛天的眼睛。他已经不再是广和楼初试啼声的新人了。吃过荤的,也就不肯吃素。谁知他跟那上海小姐的交情?不过师父倒觉把他带来了,没把他带回去,实是对不起他爹。

怀玉不待师父担心,已道:

"我给爹写信,钱也汇过去一点。"

又补上一句:

"师父您放心,我自己的事,也令您不痛快,不过我是一定不会忘掉您的。"他正色道:"如果我不追随您们,也可以立个万儿的，最后也是师父的光荣——我是您一手提携的。"

怀玉变了。

一个人不可能长期的守在身边，如果没经风险，他也不可能马上便成长了。像每个作艺的人，一生中有多少青春焕发的日子？

让怀玉回到北平，窝在北平，他也是不甘心的。

因为他见识过了。

丹丹不是不明白，不过她不愿意她一生中惟一做的大事，结局是如此的滑稽。在这种天气，这个地方，总像有莫名的寒风吹来，显得自己的衣服不够穿似的，更是伶仃了。

"玩几天，我送你回去。"怀玉再一次的狠心道。

丹丹回想起，有一个晚上，终于，他也是陪她走段夜路，送了回家。同样的绝望，她得了他的魂；得不了他的人。

他又不要她了，她明明尽了气力，花了心思，她不计较什么，但他始终让她一点原始的痴心，随水成尘。

正在绝望，谁知怀玉拎出了一小包的点心来，拆开，丹丹一瞧，啊，是枣！

是一包购自云芳斋的蜜枣。

像一个个小蛋圆，金黄色，香的，亮的，丹丹尝一口，她原谅了一切。枣是浓甜的，咬开了，有一镂镂的金丝。

怀玉笑："我没有忘了，不是欠你枣么？这不是偷的，是买的。用我自己挣来的钱。"

世上有谁追究一颗蜜枣是如何的制作？每一个青枣儿，上面要挨一百三十多刀，纹路细如发丝，刀切过深，枣面便容易破碎；刀切过浅，糖汁便不易渗入。通常青枣儿加了蜜糖，入锅煎煮，然后捞起晾干，捏成扁圆形，再装进焙笼，置于炭火上烘焙两次，需时两昼夜——这才成就了一颗蜜枣。

丹丹难道没花上这一顿工夫么？想不到火车上颠簸了两昼夜，她终于也得到这颗蜜枣了。比起那一回，怀玉在胡同偷摘给她的，况味不同了。把那青楞楞的枣儿一嚼一吐，怀玉便道："现在枣儿还不红，到了八月中秋，就红透了，那个时候才甜脆呢。"……

"甜不甜？"眼前的怀玉问。

"太甜了。"

"嗳，吃过了好吃，我送你一大包，你捎回去分给志高吃。我很惦着他！这个人最馋了，可以没有命，不可以没得吃。"

丹丹不语。

外头有人喊怀玉去了，怀玉索性道晚安似地：

"你睡吧。"

才一出门，又回过头来：

"扭伤的腿还疼不疼？"

待怀玉去后，丹丹望着那小包的蜜枣发怔，非常的怅惘无依。

不可能了。

再也没有一种简简单单的亲好：什么也不管，只是她跟他在一起。她为他做任何事儿，她是肯的。不过，他不肯，因为他不简单了。夜里他出去，会是谁找呢？他不是去应德律风么？他跟谁在通话？有事情？他太忙了，打天下，为自己操心。

一切都是播弄。她实在爱他，当他在时，已经想念，他转身就跑了，她惟有把桌上，那被他吃过一口的蜜枣拈起来，就他吃过的地方，便咬下去，轻浅的一口、一口，吃了好一阵，还没吃得完。

满嘴的浓甜。镂镂金丝。

忽地丹丹一惊，呀，她的牙齿岂非更黄了些？连一个陌生的沈莉芳也察觉。对，相比之下，那段小姐的牙齿便是白。丹丹颓然，只囫囵把枣吞下了。

段娉婷之所以要见怀玉，无非要得他一句话。

想到那一天，也不过是昨天吧，倒像已经发生很久了。"姬园"开放了。姬先生是上海首屈一指的大富翁，办洋行，侧身绅商之列，便在静安寺路跑马厅附近给建了一个园林，一水一石，一榭一轩，都因地势高低制宜，光是亭子，便有八个，种蕉种柳种梅种菊，简直是个小型大观园。

开放那天设了酒会，还请各界游园。

一人手中拎着一杯酒，见了啥人便讲啥话，段小姐自然是电影明星被邀的第一人，这种场面，她到了，便见到新知旧雨，又凑巧——也许是心里有数，碰上金啸风。

金先生晃荡着一杯酒，打个招呼：

"你好吗？"

段娉婷嫣然一笑：

"你好。上回的寿酒没吃。就病了，怕坏了气氛，不敢来，你没生气吧？"

他只翘起嘴巴冷话讲："上回？哦？呀对，我都没在意。"

她有点恼恨他这样说。一点也不着紧，证实不了自己地位。她道：

"唉，拍戏忙得很，轧了三部。"

他道："是，各有各的忙。"

咦？他为她整治了唐怀玉，不是么？他却召来史仲明：

"仲明，我跟威尔士先生约了几点钟？"然后二人又谈了几句，没把段娉婷放在眼内。

她有点下不了台，只好道：

"金先生，不耽搁你的时间了。"

他只咪咪笑：

"过一阵有空，约段小姐跑马厅看跳浜去。我新近买了一匹马，是好马，弗吃回头草。"

段娉婷银牙一咬。他整治了她，又不怎么要她。可见是玩一场，谁都别想赢。一直以来他对她，决非真心，难道连假意也吝啬了？段娉婷像被一手便掏空了。

她当然明白，只不过关乎日子的久暂，终究是摔或被摔——抓紧另一个肯定上算。

所以她一定要听得他亲口允诺，她才肯把身心投注。

她要他，但弄得不好，与苟合的男女关系又有啥分别？她不要任何试探、测验、尔虞我诈，没心情也没有时间。在这关头，认定目标，命中它。

"唐，我只要你跟我在一起。我不打算追究宋小姐是什么亲戚，也不理会你的从前，我只要以后。如果你不肯，一拍两散。我们有句话：好马弗吃回头草。"

说这番话的同时，怀玉只沉迷于他第一个的女人，他实在太忙了，他对她的身体还不太熟悉，根本无法推拒她任何一个字——他日渐的离不开她，炽热而充满希望的日子在以后。像个抽上了鸦片的瘾君子。泥足深陷。

她对他很好。

她还把橘子削皮去筋，一丝不挂地放进他的口中，然后问："甜不甜？"

怀玉笑："太甜了。"忘记了丹丹这样的回答过他。

当段娉婷这样做时，她也是一丝不挂的。

芳菲的世界，欧美各国各式的浴露香水，她最爱洗澡了。或者，用一个心爱的男人给她洗去往昔的污垢，一天一天地，她将会回复本来的真相。越活越回去——正是一种渴想。

她扶植他的同时，自己便退让，终于两个人便相衬了。

李盛天知道了怀玉的事，勃然大怒：

"这样下作，不清不白的混在一起，这不是上海人最爱搞的'同居'么？"

"不，师父，"怀玉申辩："只是好朋友。我交个朋友也不成？"

"女明星还有好人？四六不懂，还要往里掺和，害死你也不知道。你还有劲儿上台？"

"我不上台了，我现在明白了，路是人走出来的，命中我有这一步：先死后生。我不回去了。"

"你不回去！你知道吗？金宝也不回去了。你们一个一个，都各怀鬼胎了！"

"什么？金宝也不回去了？"

魏金宝自见上海不同北平了，是一个开放的地方，男女同台，坤旦已比乾旦吃香，自己这一见识，转念好景不常，不知终在哪一日，再也没他的份儿，把心一横，也交际应酬去，周旋的是指定要他这种"男人"的男人，他自己也有话：

"到了上海，方才是真正开心。没有官爷们来逼我，都是自愿的。昨天有个男人来勾搭，还不要理睬他。呀，一问，原来是李三公子。"

心情落实了。脸上有不可言喻的媚态，比台上拾玉镯还要妖娆。

隔两三天便说要歇中觉，不肯上乐世界的日场。班子开始有溃不成军之危机。

看来也只有李盛天把持得住了——不因为艺高，而是一切诱惑绮念，没招摇到他身边。那些雏儿，一个一个，却各怀鬼胎了。

李盛天叱责着怀玉：

"怀玉，我也不打算这样子下去，像个无底潭。你及早给我回头吧！"

劝说了半晚，怀玉也听不进。

师父不了解他。真的，他决非往下堕，只抓紧另一个机会往上爬。无论如何要赢一次，斗志昂扬——虽然他的首本戏《火烧裴元庆》告诉他：年少气盛的闯将裴元庆，阅世不深，缺乏谋略，即使在瓦岗寨击败辛文礼，不过辛预先埋好火药于坠庆山，诱裴孤军深入，裴自恃，被敌四面纵火，死无葬身之地⋯⋯

那不过是一个戏。

现实不是如此。

现实是"骑驴看唱本，走着瞧"，你活着我活着，怀玉想：我才不过廿一——每个人都有自恃之处，只青春，没有就是没有。

李盛天软硬兼施的，半点水也泼不进。自从这回之后，怀玉跟师父有点生疏了。他只聚精会神，对付一个人。

然而这位金先生，岂有工夫把他放在眼内？金先生今日在风满楼接见一个非常麻烦的外国青年威尔士。

金啸风自那补药"人造自来血"用上了英文作广告后，果然生意大好，因此他俨然成为新兴的制药公司巨擘。跟风的人虽多，但他是创新牌子，别出心裁。他在药瓶上贴有 DR. WHALES 的字样，还弄来一个外国人的头像印在商标纸上，说明是美国医药博士的补血秘方。这记噱头，吸引了大量顾客，而且金啸风又把这药广送海上文人，每人一瓶，附了两百元的红包，他们明白了，一时之间，不免隔不久便有文人的称颂，什么"还我灵感""补我血气""名人名药"……的间接广告，便出现在报上了。

金啸风发了一票财。

谁知有一天，接了德律风，有个操美国口音的男人，自称是威尔士博士之子，到了上海，要拜访他，代"先父"收取专利费。

金啸风听史仲明一说，马上明白了："按理说，这外国瘪三可以送官究办，告发他讹骗。只是如此一来，等于公开自己在卖'野人头'。"

史仲明也很为难：

"要真承认了他，便名正言顺地敲我们竹杠了。"

"有了，仲明，你替我约见他。"

待这外国青年小威尔士一到，金啸风便先发制人：

"令尊生前是好友，他在上海多年，我这秘方是他坚要送我的。我不肯白要，便送他一万美金。"

史仲明马上把收据拿出来了，除了签名，下款还有"此款一次收清，别无枝节"。金发的小威尔士还没说半句话，已凉了半截，进退两难，金啸风见状，忙关切道："上海地方不错，我会关照手下照应你到处玩去。这里区区五百元，小意思，只供零花。"

他无奈只得接过支票。也好。

金啸风得势不饶人，又补充：

"你何时准备回国？请告诉我一声，回程的船票当命人送上，不过是此番来了，正好给我作个证明。"

史仲明出示一篇访问记，是关于小威尔士拜访金先生，并证实了秘方确由金先生依法购得制造特许权。稿子早已写就，只待他签个名。小威尔士既收了五百元，也就用自来水笔签上名字。史仲明"嗒"的打了框子，有人捧个照相机进来，对准金先生和小威尔士先生拍了三张相片。

未几，报上又出现了这访问稿，威尔士牌更加名噪一时了。

只是他自己从来也不喝这东西。当他又收作了一个人时，真快乐，两眼都会得光芒四射，满足了征服欲。但下回来的是什么，面临的挑战有多少？他已经拥有太多，在万籁俱寂的夜晚，只有自己一个人，他就显老了。他总跟自己保证：要活到一百岁。

没有人知道他有一套奇怪的长寿秘诀，在公馆中，他养了一头蜥蜴、一条响尾蛇、一只据说来自云南的毒蜘蛛——他在晚上便跟它们交谈，告诉它们自己白天的手段和心得，心里好不舒畅。没有女人的时候，他的宠物聆听他一切。段娉婷？他跟它们说：

"她一点都比不上小满，但她也不是没好处的。"

当他想念这骚货时，她那雪白的凝脂般的肌肤便在眼前掩映了——怎么可以这样白？几乎看透了底下细网似的血管。

他无端地，有点激动，一个一个小女孩，让他玩了，他却不是她们的男人。

她们全都另外找一个"自己"的男人——他金啸风哪有立足之处？她们用他的钱，去扶植一个自己的男人，心爱的。自小满开始……

唐怀玉，这小子不知凭了啥能耐？

才过了几天，报上就有这段消息了。《立报》自是抽起的，不过市面沸沸扬扬地：

"中国第一部有声电影——《人面桃花》即将开拍。无声片迈向有声片的新纪元。"

报上的宣传用语是：

"一个是载誉于南洋，蜚声于关外的首席女星段娉婷；一个是轰动了平津，颠倒了京沪的当红武生唐怀玉。一个百忙之中抽出空档；一个轻伤之后养精蓄锐，破天荒的电影与国粹大结合，戏中戏，情中情，蜡盘发音，有声有色……"

戏还没开拍，先声已夺人。

大伙都奇怪了，无声片转为有声片？中国人自己搞？

自几年前在百新大戏院首次上映美国特福莱那有声短片，引起了轰动后，很多国产电影公司也想急起直追，不过蜡盘发音实际上和灌唱片差不多，但声音要与动作同步，制作过程远较复杂，一个不好，要双方从头再来。

段娉婷是如何的当上了这戏的女主角，自不必细表了，反而是那投资十二万元的大老板，对唐怀玉并没投信任的一票。

只是段小姐道：

"我要这个男主角。我要这个戏是一个歌女跟一个武生的恋爱。我要中间加插几出京戏的片段——如果演出失败了，愿意包赔经济上的损失！"

她这样的包庇，黄老板看在她票房份上，也就好好的捧他了。而且见了唐怀玉，也觉得他跟一贯油头粉面的小生不同，俊朗倨傲不群，便也大胆的起用了。

怀玉只觉这才是他的"新纪元"。

在见报的同时，洪班主的班子散了。

唐怀玉留上海，魏金宝留上海，李盛天回北平，来这一趟，经了风浪，真相大白，各奔前程。

怀玉一早送丹丹。

他道：

"你不要留上海——上海不是好地方。"说这话时，不是不真心的。

"为什么?"丹丹问。明知狂澜已倒。"你会学坏的。我不许你学坏。我是为你好,你回头,还有志高。"

怀玉一顿,又道:"志高给你路费,实在是想你回头。"

"你呢?"

怀玉摇头。

丹丹很坚决地道:

"你抱我一下吧。"

怀玉不动。丹丹又道:

"你亲我一下。"

怀玉像一根黑缨银枪,竖在兵器架上,屹然不动分毫,即使微风过处,那缨须也是隐忍自持,他不肯——他实在是不忍。最好什么都别作,要铁石心肠。

他已经冰镇在那儿了,他心里头尽是些悲凄但又激昂的往事,发酵了填满了,令他容不得任何人或物——何况他已这样的坏。

"不。"他平淡地道:"我是为你好——而且,我有人了。"

他不是为我好,他是有人!丹丹最后一点愿望也硬化了,心肠也铁石起来,比死还要冷硬:"算了。我走了。"

然后她携愁带恨头也不回,上了火车。李盛天到了,还有一伙班上的,预备照应着。李师父跟怀玉没什么好说了,只道:

"上海是个'海'——"

怀玉忙接:"我不会葬身海上。三年之后就回来,我跟志高有个约。"

李盛天只觉自己苍老了很多,完全是意想不到的,他很萎靡,如果不来这一趟,他仍是一个德高望重的师父。一下子,就老了十年了！原来已是年轻人的世界。搀不上一手。火车要开了。

先是整装待发，发出呜咽的声音，良久，也还没打算动身，好像等待乘客们作个决定，虽有心的拖延着，但回头是岸。

这列车，沪京两边走，来得千万遍了，久历风尘，早已参透世情，火车哪有不舍？总是倚老卖老，要桀骜不驯的年轻人来忍让，等它开动，等它前进，由它带着，无法自主。

心事重重。开不开？走不走？

一大团浓烟待要迸发，煤屑也蓄势飞闪，就在火车要开的当儿，丹丹一弹而起，长辫子有种炫耀的放肆的以身相殉的飔动，车不动，人动了。一扭身，她便也留在上海不走了！

留在上海，其实又能怎么样？丹丹只凭一时意气，哀莫大于心死，就不肯回头了。

"死不如生？当真应了。"她想。

对，既是心死，不若另闯一番局面，也比面目无光的回北平强。须知自己也是无处扎根的了，说不定在上海……

然而女子在上海所谋职位，报上连连刊登的聘请启事，不外是"女教员，须师范程度。教上海话、英语。每月二十元。麦特赫司脱路。"或"饮冰室招待员，中西文通顺，招待顾客，调理冰食。"再是"书记"、"家庭教师"……皆非丹丹所能耐。

要租个小房子，住下谋生，金神父路或莫利爱路的斗室，租金也很贵。身边的钱，未免坐食山崩。

在外滩呆坐了半天，惟一的朋友只有沈莉芳了，她还没来。不知家里人有告诉没有。也许她又到别处考明星去了。

黄浦江两岸，往来摆渡，大都仗着舢舨，这种小船，尾梢翘起，在浪潮中出没，看去似乎有随时翻覆的可能，不过因摇舢舨的，技巧熟练，才没出乱子，从来也没出过乱子。有它立足之处，就有它的路向。

不要紧。丹丹麻木地把怀玉送她的戏装相片给掏出来，一下一下的撕，一角一角的上了彩色的相片，讶然飘忽落在黄浦上，黏在江面，不聚也不散，硬是不去。丹丹终于把一个荷包也扔掉了。针步细密紧凑，到底也是缝不住她要的。荷包一沾了水，随机应变，变得又湿又重，颜色赫然地深沉了，未几即往下迷失，即便如今她后悔了，却是再也捞不上来的。由它去。魂的离别。心中也一片空白，仿佛连自己也给扔进滔滔江水去。失去一切。这已是一个漫长途程的终站。今后非得靠自己。不要凋谢不要凋谢。只有这样的坚持，险险凋谢的花儿反而开得更好。

沈莉芳匆匆赶至。丹丹和盘托出，只是怀玉的名字，便冤沉江底，绝口不提了。难道像戏中弃妇的可怜么？不。

沈莉芳是个直性子，一拍心口："我考上了丽丽女校，带你去，看成不成。那不收学费，又有住宿的。"

丽丽女校其实不是学校。

——不过它也像一般的学校，设了校务主任，有教师。每天上六节课，四节"艺术"、两节"文化"，教师会教这群小女孩一些时事概要、外语会话、练练字。

不过主要的，便是歌舞训练了。

它不收学费，提供膳宿。

丹丹连同十五个十多二十岁的女孩，她们来自不同的家庭，倒是为了一个相同的原因：要找一个立足之处。彼时，谁也没想过什么前途、什么人生道路。只因此处有吃有住，生活快乐写意便了。青春是付得起的。

李碧华作品集

也许最深谋远虑的，只丹丹一个——她是置诸死地而后生。

这丽丽，在中国地界小东门，是一幢三层楼的老式房子，楼梯又狭又陡，两个人同时上下楼，便得侧着身子了。

楼下是办公室，二楼是排练教室，三楼挤满了床，一张挨一张，夜里躺着的，尽是无家可归的少女，没有一个女孩说得出自己的明天——会是一个红星，抑或一生只当红星背后的歌舞女郎陪衬品。谁会排众而出，脱颖而出？一切言之过早。

每个女孩上了半天的课，领了饭菜，便窝到"宿舍"中吃了。今天吃的是米饭，外加一个红烧狮子头，小狮子。外加很多褐色的汁。沈莉芳一边吃，一边憧憬：

"排练得差不多，我们就可以演出了。我要改个名字，叫沈莉莉，好不好？女明星唤作'莉莉'的，准红！"

日后，她便老以"沈莉莉"自居了。

她们学习排练的是什么？

是《蝴蝶舞》，红、黄、白三只蝴蝶飞进菊花丛中避雨，而红、黄、白三种菊花又只肯接纳同色的蝴蝶，三只蝴蝶不忍分离，和狂风暴雨作顽强斗争……《游花园》，七个女子穿了新衣到花园中赏花、唱歌……《桃李争春》、《神仙姐妹》、《牧羊姑娘》、《桃花江》……

当然，怎么可以漏掉最具代表性的《毛毛雨》？丹丹还是《毛毛雨》的女主角呢。

丹丹之所以在丽丽女校中被凌剑飞看中了，当然因为她的神秘——她是无家的，她是无姓的，她为了某个说不出来的目的，只身在异乡闯荡。没有什么人知悉这个大眼睛小姑娘的心事，她永远表现得不甘示弱。

最大的能耐是身手不凡。即使是难度最高的后弯腰、劈叉……那些女孩，能把头后仰到腰，能把腿劈成一字，已算是佼佼者，不过丹丹，她的四肢全凭己意，柔若无骨，弹跳力和胆色都比其他人突出。至于她的吊辫子高艺，却是无人可及了。

辫子在正式登台演出的两天前，她把心一横，便去铰掉。

铰掉。隆重而又悲壮地。

她也曾说过："永远也不剪，就更长了，不知会长到什么地步。"

从来也没曾动过刀剪的，不知应为谁而留了，一下子便给铰断。

还熨了发。

在理发厅里，他们把铁钳在火上烤热，火热如地狱，然后往她发上一钳，一撮一撮的，给熨成波浪，刚熨好的短发，是冒着白烟的，因为焦了，本来又黑又浓，不免变了色，变得黄了。像一张药水上不足的黑白相片，一张缓缓褪色的相片。

凌剑飞这"丽丽少女歌舞团"在训练三个月之后，正式成立，谋得乐世界一个场子，登台演出。他是一个三十多岁的音乐家，这个年纪，已是半头白发，原本打算在音乐界出人头地，然而十里洋场，谁来听他把西洋乐器如喇叭、小提琴等引进，谱以新曲？

他也是把心一横，灵机一触，便把西乐伴奏歌舞，另辟蹊径，成为始创先驱，手底下最登样的牡丹，宋牡丹，第一次上场。——能在乐世界，定必打开名声了。

毛毛雨，下个不停，
微微风，吹个不停，
微微细雨柳青青，
哎哟哟！柳青青。

然而丹丹拎着一柄鲜黄的雨伞，在台边，窘得要死。

平素排练，全是女孩子，也不觉得怎么样。短衣短裙，无拘无束，小鸟一般又唱又跳——不过今天，他们给她穿上正式的舞衣，每个女孩，不管演出哪个项目，一律是肉色的丝袜，穿了等于没穿。然后是不同颜色的紧身衣，缀满了闪亮的珠片和金银丝线，一双手臂，也就裸裎人前，化上浓妆的少女们，亮着大腿，面面相觑。真要在满池座的男人眼前卖大腿，也就怵阵了。

> 小亲亲！不要你的金，
> 小亲亲！不要你的银。
> 奴奴呀！只要你的心。
> 哎哟哟！你的心！

你的心，你的心，你的心……

丹丹挺身而出，终也上场。

手中一柄鲜黄的雨伞，旋呀旋，身体若隐若现，她明白了，这些日常的舞蹈动作，上了台，是这样的。颈项凉悄悄，保护着自己的一头长发早已灰飞烟灭，她也就整个的暴露了。

她是个一无所有的新人。心也没有了。

毛毛雨在心中下着：

> 毛毛雨，打得我泪满腮。
> 微微风，吹得我不敢把头抬。
> ……

猛抬头，走进我的好人来。

哎哟哟，好人哪！

在这些思春难熬的靡靡之音唱和伴奏下，丹丹只觉世上的男人尽往她的大腿瞪，而她又毫无廉耻地卖着，真委屈。

脚上的舞鞋，原很简单，是白色橡皮底方圆口布鞋，再钉上两根白丝带，缠绕在足踝上，防止蹦跳转动时脱落。这冒牌的芭蕾舞鞋，非常不争气，也十分羞赧，蝴蝶结一松，白丝带便魄散魂离心不在焉地往下坠，一坠到底，尸横台上如一条小白蛇。

丹丹一边跳舞，原已忙于遮身蔽体，此刻顾得雨伞顾不了舞鞋，看到台下黑鸦鸦的观众，心头发慌，把歌词都忘了，直咽口涎，台下哄然大笑，带点纵容，丹丹羞得伸伸舌头，满脸通红。

台下偏走进一个人来。

金啸风。

金先生闻得丽丽少女歌舞团的预告一出，马上吸引了大批的观众，早早满了，一看，原来卖的是"妙龄少女，粉腿酥胸，绮年玉貌，万种风流"，还有行大字，写着："小妹妹的恋爱故事"。

就是这样，大伙都弹眼落睛的瞧他用啥来绷场面。果然是一批十多二十岁的"小妹妹"。

衣服少得不能再少，伤风败俗地演出，看的人，一壁惊异，一壁不肯转睛。

甫踏进场里，马上有识相的人，安排他坐到前排。史仲明也陪着。二人恰恰见到台上丹丹的憨态，无地自容地，不敢哭，不敢笑。

金啸风一惊，如着雷殛。

——她回来了，她回来了。

毫无心理准备，他仓皇失措，竟发生这桩事儿？

他见到她！她一定是轮回而来。就在那迎春戏园，五马路最出名的一个戏园子，他也是个一等的案目了，啊，说来是多久之前的事……

日间，每一场说四档书，艺人来演出的，都响档，有说叱咤英雄的大书，有唱缠绵儿女的小书，醒木惊堂，弦索悦耳。

听评弹的都爱喝茶，那些风雨无阻，听书不脱勤的老撑头，入座还不必开口，殷勤的案目如金啸风自会意会。屈食指作钩形，表示红茶；食指伸直是绿茶；五指齐伸，略凹作花瓣状是菊花；握手作拳是玳玳花……

然而今日他有点失魂落魄的。有吃了点熏田鸡熏蛋，想来淡的，伸出小指，示意加添白开水。金啸风在空档，身畔走过那些巡回出售小食如甘草梅子、金花叶、茨菰片、糯米片、粽子……走马灯一般，他就是那马灯的灯心，谁在走，谁在招，他的心只朝台上亮。常来的撑头也奇怪了。

就是因为满意。

满意姑娘来自苏州，她跟她姆妈搭档，盲母弹，她唱。名曰说小书，实在她也不怎么样。

然而她最动人的地方，是她的年纪，跟说唱完全不吻合。

满意像一朵含苞儿半放的花，迎风微展，不管什么时刻，脸上晕起一层薄红，常常垂首，睫毛几乎把眼珠子淹没了。

她唱得不大好，然而她娇软的嗓子分外袅袅娜娜，谁料到可以含媚带怨？就比她的年纪大得多。然而她也只是中场的"插边花"

男听客中，很有一些志不在听书，不过捧捧貌美女子的场吧。他们一面喝清茶、嗑瓜子、吃零食，没有锣鼓闹场，单凭琵琶也难使场面安定下来，不过满意一出，因为她的姿色，倒令一众目不暇给了。

其实她赖以定场的不是开篇，不过开篇还是要说的。

香莲碧水动风凉，
水动风凉夏日长。
长日夏，
碧莲香，
有那莺莺小姐她唤红娘。
冈坐兰房总嫌寂寞，
何不消愁解闷进园坊，
……

不知莺莺会遇上谁，不知会乱了谁的心。她只是一个把前人情事，细唱从头的小姑娘。稚气未除，求好心切，音定得高了，劲道不足，高攀不起，所以唱词也不易听清，竟尔断嗓。台下有个促狭的，嚷嚷：

"绞手巾，下台啦！"

其他的听客便发出细碎而谅解的笑声，他们不轰她，她的脸先自轰的红了。

唱错、拔高、接不上。她羞得伸伸舌头，怯怯地继续下去：

……红娘是推动绿纱窗，
香几摆中央，
炉内焚了香，

瑶琴脱了囊，
莺莺坐下按宫商。

越唱越快，琵琶跟不上她了。急不及待的要下台过关。金啸风笑着，十分的着迷，他实在过不了这一关……

金啸风在风满楼中等丹丹来。

因为主人长久思念一个女人的缘故，就连那办公的小楼，也习惯地思念着，所以一直被唤作这个名儿，聊以自慰。

丹丹为史仲明领着，十分的不乐意，但又不敢过分张扬。她下场后，惊魂甫定，下了一半的妆，就来了这个经理级的史先生，道金先生要见过。

头一回上场就出岔子，还要见老板，糟了，怕是不行了，正盘算着，不干就不干，反正饿不死，也许明天再去想办法，大不了，往荐人馆挂个号。当下因人到无求，连老板也不怕了。一坐下，小脸沉沉的，呶着嘴。

"你就是宋牡丹？"

"是。金先生。"

"干嘛，"金先生有点好笑："谁欺负你来了？"

"是我不好，跳歪了，坍台了，向你道歉，不过我没有欺场。这史先生——"

"仲明，你怎的得罪个不更事小姑娘？没分寸。"

史仲明被他这样当着外人面前一说，吊梢眼睛眨一眨，他一看，已经了然。不过有点抹不开，到底只是小姑娘家罢。遂淡道：

"只是催她快一点。"又笑着补上："她直问：'谁？金先生又怎样？'"

哦，真不知天高地厚。

丹丹惊觉地，眼珠子溜溜眼前这金先生，不巧他也在看她，还看着她浓墨般眼睛，附近又有一个痣，像一大团的墨，给溅了一小点出来，不偏不倚，飞在角落，冤魂不息。

他挥挥手，史仲明出去了，临行，瞅了丹丹一眼。他跟金先生这些年了，也见过不少美人，像金先生的雄才伟略不择手段，天下尽多骄矜自恃的，都落到他手上了，照说，怎的看上这纯朴而又凶蛮的小姑娘？

——虽然她也长得美。完全是那一个泪痣，添她不自觉的悲哀。

金先生问她："有男朋友么？"

丹丹一愕：

"不告诉你。"

淡漠也掩不住不安："没有。从来没有。金先生，这又不碍你——你是以为出错了，因为不专心？对不起，要是真把我辞退了——"

金啸风不动声色。

"你为什么逗留在上海？"

"留什么地方都一样。我不吃饭不成？此地不留人，自有留人处。"

"说来说去倒逼我辞退你似的，我可没工夫管这种小事。"

"那你管什么大事？"丹丹问。真奇怪，她不怕他。一开始就不怕的人，从此就不怕了——也许见他表现得很从容，胆子因而大了。不知天高地厚，便有这好处。金先生得不到奉承，反过来，他奉承她去了：

"看谁够条件，就提拔他。"

"你如何提拔我？我懂的不很多，不过有机会，我肯学。学学一定会。"

"嗳，我有说过提拔你么？"

丹丹脸一红，她掉进这个语言的陷阱中，有点负气：

"那你让我回去。"

金啸风一直凝视着她，她一点机心都没流露，不过像他这样观人于微的，他知道她有，她怀有不可告人的目的。可以从紧抿的嘴角看得出，她是不妥协的，她将与谁为敌？说不定他拗不过她。

"他们喊你什么？小丹？"

"不是小丹，是丹丹。"

"我就喊你小丹吧，你比我小很多很多。"

小满、小满、小满。他想。

"对，你多大？"

"我太老了，不方便告诉你。"

丹丹忍不住，笑了：

"是不肯？那有什么关系？不说就别说好了。我十八。"

金啸风觉得有意思极了，才丁点大，自己那么厉害人物，她被玩弄于股掌之上也是不会晓得。

不过，不知基于何种因由，他一意由她：

"你要啥？"

"你们上海最红的女明星是谁？"

"段娉婷。"

"好！"丹丹奋勇地道出心事："我要比她红！"

"那当然，一捧你出来，就没有段娉婷了。"

真的？丹丹的眼睛也闪亮了。

在这世上，不是你死，就是我亡。她最记得了，怀玉道：

"——而且，我有人了。"

像自己的手无寸铁，凭什么力争上游？一定是个吹捧的人。她不是不明白，如果没有权势的支撑，她永远是人海中一个小泡泡。

金啸风一直凝视着她，他开始盘算，然后故意道：

"不过，你不是我的人，投资重了，怎么翻本？"

"我拜你作干爹好不好？"

"哈哈！"金啸风大笑：

"我不收。收了你作干女儿，以后连一句打绷的话都不能说，那多煞风景！真是没赚头。"

丹丹一听，脸色一变，青红难辨，手足无措，什么叫"赚头"。

她如一头被触怒的小猫，于风平浪静时，使使小性子无妨。一旦怒发冲冠了，尾巴的毛都给竖起来，目中流露一点凶光，咄牙呲齿，自保地：

"我是不肯的！你别仗势欺负人！不要你捧了，大不了我走，你跟天桥的流氓有什么不同？……"

说着便悲从中来，哇哇的哭，一来便着了道儿，被迫良为娼："放我走放我走！我不肯！"

"别哭，"金啸风笑："肯什么不肯什么？真傻。"

"你们都是这样！上海净是坏蛋！"

金啸风由她闹了好一阵，无动于衷地欣赏着，待她稍好，便觑准时机，道：

"咦？你也十八岁，不是八岁。我要费劲捧红一个人，当然有目的——你尽可以不答应，谁按你脖子硬要你点头？啧啧，啥事件笃子念三的？"

丹丹抽噎："对不起金先生。"

"小丹，这样的跳几个舞，也是鞋内跑马，没多大发展。在上海，差不多有一万个，跳跳就到三十岁。卖大腿还卖不到三十岁呢。女孩子也只是几年的光景。"金啸风很有兴趣把她给栽植出来，看是一朵什么样的花儿，她有潜质——也许后来会原形毕露。就凭这豁出去的胆色。一个有胆色的美女，总比没胆色的美女更要好看点。

"我就赌一记吧，小丹。你当我是垫脚石。我钞票太多，花不了。"

"我是不肯的。"

"以后再说，"金啸风一笑："只一个条件：你跟定了不会跳槽？"

"不会！"

"好，一言为定。"

满腹疑团的丹丹走后，金啸风也有点迷糊，他捧红她干啥？他要她一步一步的，自动肯了？一个费时颇长的游戏，前世今生。

爱一个人，无论如何都是一种冒险。当然，买就轻松点——不过并非谁都可以买。

丹丹一夜都睡不着。

丽丽女校的宿舍，挤满了床的三搂，一张挨一张，无穷无尽。一万个能歌善舞的少女中，只一个明星。难道她不知道，她是开始步入泥沼中么？

不过，她也开始倾慕无比的权威了，爱之欲其生，恶之欲其死，捧红，也踩黑。为什么得蒙垂青？自己也有点迷茫的自得。如果要往上攀，非得狐假虎威不可，英雄或是美人立万儿，说穿了，也没多少个是正道，自小听回来的书词唱段，都告诉过她了。

上海是个影城——全国再没有哪个地方，电影发展比这里更繁华了。

大势所趋，无声片要过渡到有声片，"第一部"斥重资所拍的有声电影，在拍摄的当儿，能把声音也收入蜡盘唱片，大家都觉得了不起。

《人面桃花》开拍已有半个月，还没拍到重头戏，这故事是讲一个受封建礼教毒害的歌女——段娉婷演，遭受重重的折磨和压逼，仍不屈服，爱上了一个唱戏的——唐怀玉演。利用有声的条件，穿插了京戏的片段，全是他的拿手好戏：《火烧裴元庆》、《双枪陆文龙》、《界牌关》、《杀四门》。

今天拍摄的是《杀四门》戏场，怀玉为了配合电影，上的妆不能像舞台浓。段娉婷陪伴他，一直往镜子里瞧，她问：

"你记得我们的对白吗？"

怀玉专心地上红，便道：

"我分你半个梨子，你见了有点伤心，低声道：'我不要，我不想跟你分梨!'对吧？"

段娉婷笑：

"你知道么？从前要是忘了对白，就可以道：'一二三，一二三四五六七!'——现在不行，要偷懒也不容易。"

摄影棚的布景是后台，怀玉的角色是一身孝，黑与白。段娉婷替他整整那块不规则的下摆，白他一眼：

"有句话：男人俏，一身皂；女人俏，一身孝。哦，啥风光都由你独占了？"

到了排戏的时候了，段娉婷把那句话，尽量说得深情款款：

"我不要。我不想跟你分梨!"

声音太低了，录音不清楚，导演喊："咳！把钓鱼竿移近一点。"

再来，话还没完，导演又喊："咳！进画面了进画面了!"

李碧华作品集

那用长竹竿系住的、带线的话筒，便在游移着，晃高晃低。试了七遍，感情都干涸了。段娉婷与唐怀玉挂着疲倦的微笑，不得已，提高声浪，几乎没嚷嚷：

"我不要！我！不想，跟你分梨！"

真受罪。

好不容易，拍完了一天力竭声嘶的戏分，明星可以走了，导演还得向那来自美国的，骄横跋扈的录音师请教效果。不得不低声下气，因为虽有出钱的老板，却没可用的技师，只得依靠外国人力量。

谁知他又摆架子，看准了中国人非求他们不可，老把录音机器房视为保密重地，等闲不让导演进去。

就在这中外人士的瓜葛以外，段娉婷一俟怀玉下了妆，便着玛丽拎来一个纸箱子，写着"上麦脱"，原来是一套米白色的三件头的西装，还有白袜子，还有一双白色通花镶了黑齿花的皮鞋……

谁知怀玉也狡黠一笑，拎出另一个纸箱来，是送她的。

夜幕低垂了，汇中饭店的舞会也开始了，这里按例原是不准中国人参加的，不过重新开张之后，也欢迎衣冠楚楚的"高等华人"内进。璀璨的灯火欢迎着漂亮人物。三个乐师努力地吹奏着荒淫的乐曲，一眼看去，大厅里只见搂在一起的男女陶醉在酽歌妙舞中。

他挑衅道：

"你不敢公开的搂抱我么？不敢？"

大厅上吊着一盏精致而又辉煌的灯，玻璃碎钻似的微微颤动，发放媚眼似的风华。地板是闪光的，好像直把每个人的秘密自足下反映到地面，无所遁形。低低垂下蓝色的天鹅绒帷幔。天鹅绒，看上去凉，摸上去暖，总给人恍惚迷离身不由己的感觉，不相信自己竟随着音乐作出一些细碎而又难受的舞步，她倒在他怀中，渐渐由微动而不动了，二人只在一个小小的方寸地晃荡着。他公开俘虏她，她公开投靠他。

香。

怀玉只觉自己不知何时开始，十分适应地担演着上海滩一个出众的人物，每个人都看着他那得意非凡的身世。

即使在汇中，这高等华人出没之所，人人都高等，不过名字为大众熟悉的，就更高人一等。

曲终人散，人也朦胧地入睡了。

怀玉睡不着，顺窗望出去，满天的星繁密忙乱，虽然全无声息，然而又觉一天热闹意。整个上海，陌生的城市，开始安静地入睡了。空气是透明的，隔着空气，只见她如婴儿的沉沉蜷伏。

脸色是银白的。她常说道：年来也没几觉好睡，如今陡地放下心来，芳魂可以自主地遨游，完全因为放心。带着一点微微的笑意。

怀玉捻亮了灯，一看闹钟，是三点半。闹钟——这以前，在北平唤"醒子钟"，倒是稀罕的。

玻璃下压着怀玉的照片，压得密不透风，铁案如山，他又记得她这样说道：这下可好，从此逃不了。

在他夜半点灯殷殷窥探之际，段娉婷乍醒，好似仍被一个好梦纠缠着，硬要挣扎，不肯出来，折磨一阵，有点悲凉："我要做梦，我不要醒！我不要醒！"

蓦见身畔的怀玉，恐慌地紧拥他，道：

"给我讲句好话——"

说着童稚地泪花转乱。怀玉细语：

"我在，我在。"

"《圣经》上说，"段娉婷笑："一句好话，就像金苹果落在银网子中。"

怀玉如同呵护一个孩子似的呵护着她。真是夫妻情分。踏足于此，银网子？他便摇身变为金苹果了。他们再也不寂寞。

——只有一个人是寂寞的。

宋牡丹。丹丹也住霞飞路，她被安顿在这高级住宅区的另一所房子里头。她有佣人、司机，也有一个安排得妥善的女秘书，应有的派头，提早给预备了。她接受全新的改造，本性却没有消失，最痛苦便是这样，到底她没有自然流露的艳光。不是这路人。

她比不上任何一个金先生的新欢——她不是新欢，她是"旧爱"。

金啸风眷顾丹丹的自由，只是隔几天来看进度。

丹丹天天试新装试发型，实在有点不耐烦，只道：

"这样的改造，没完没了，又不让我拍电影去，我不干了！"

还没走到厨房，伸出半个头：

"我下面去，金先生你要不要吃？"

"自己下？"

"她们调弄得不对胃口。"

他由她自个儿在厨房里调弄。自来水，自来火，她也晓得了。

末了端来两大碗的面条，寻常百姓家的小吃，丹丹很得意：

"看，这是'一窝丝'，有面丝、肉丝、蛋丝，还有海米、木耳、青瓜丝，吃来有滋有味。"

一边吃，一边还在夸：

"我还会贴饼子、包饺子，还会蒸螃蟹——不过，要当了明星，就没工夫干了。"

金啸风饶有趣味地看着她。

"金先生……你说我不像明星，对吧？"

"对。不够坏。"他笑。

"我当然会坏，善良的女人都是笨的——为了坏男人，半死不活。"

她停了箸，隔着氤氲的蒸汽，追问：

"我什么时候可以当明星？"

他灵机一触：

"她不是'花瓶'，何必做市面？得顺水推舟才是上路。"

上海南市区这天可热闹了。

蓬莱市场在这天落成，举行了一个典礼。年来，既有九一八事变，又有一二八事变，全国都展开抗日救亡运动。不过上海的经济有畸型发展，日货洋货仍充斥，国货在市场上就一落千丈，没有出路了。

有人背地里传说，金先生的资金，部分来自日方，如此一来，不免背上"汉奸"之罪名——不过此刻大家奇怪地指着市场上高悬的横布条，原来上面书了"土布运动"四个血红的大字。

未几，镁光乱闪，引出了一个标致的小姐，身穿一袭土布旗袍来剪彩，那是淡淡的胭脂红，长至足背，衣衩开在腿弯下，领袖和下摆都绲了双边。小姐成了万众瞩目焦点，也有捺不住的紧张兴奋。只听得宣布："宋牡丹小姐。"

金啸风顺水推舟，连消带打，便赞助了这个"土布运动"。旗袍的衣料由布店奉送，并由服装店连夜赶制，目的是招徕顾客，推销国货。不过金先生的意思，还要宣传土布为"自由

"布"或"爱国布",因为这种意义,再也没有人怀疑他的"爱国"心态了。

还有,今天他们选出了一位"土布皇后",便是眼前这美得天然的宋牡丹。金先生轻轻往她背上一拍,示意她金剪一挥,市场欢声雷动,大家马上便接受了一个如此"端正"的皇后了。他们鼓掌,还在喊:

"宋小姐!宋小姐!"

还有人涌来请她签名——只消买下几个临时演员来带头起哄,一切水到渠成。丹丹瞥到人群中有人在挥手,她微微一笑——是沈莉芳。

众沸沸扬扬传颂,不消几天,金先生的地位,宋小姐的声誉,便被肯定。

市场还点燃了一串爆竹,劈劈啪啪的响了半天。

丹丹很快乐。每个人心头都有一团火,她点燃了——他那么的照拂。

虽然她的皇后当过了,爆竹也燃过了。红彤彤的残屑,到了夜晚便被竹帚一下给扫掉,露出灰白的泥地。游戏已经完毕,但名衔到底是亘存的。

她还被绕上彩带呢。

晚上,丹丹拥着彩带,睡得不好。青春的活力令她的一团火沿着血液浑身跑。她一步一步的,赢给他俩看。顷刻之间,她已发觉自己身上有一种焕发的自保的说不上来的力量,那是可贵而又可怜的。

她很怜惜地,抚摸自己贲起的胸脯,有点羞涩。她摆脱不了命运的操纵,她又"生"了。如握着一头待飞的小鸟,她的身体。也许真的如传说中一般——一个女人,捧她的人多了,她的命就薄了。

"那不要紧。"她对自已说，也对金先生说，同样的话，"我只要几年。我才不要长命百岁。"

有一句话却在心头打转："我要报仇！"忽地只觉背上一暖，忆起金先生轻轻一拍。

那司蒂倍克轿车把金啸风和丹丹送至静安寺路畔的跑马厅去。还没来得及下车，已经有记者来拍照了。

金先生很自然，顺势搂一搂她。

丹丹没有抗拒，一切都像循序渐进，他往她背上一拍，他把她肩膊一搂，如同慢火煎鱼，到了后来，她便在他手上给烧好了。

也许这是男人的奸狡——他在制造一个表面的事实，人人以为她是他的人，目下还不是，不过，谁知道呢？他们都若无其事地让人家拍照，这一回，丹丹势将有名有姓地，以她"土布皇后"的身分来示众。赛马在下午举行，尤其是星期六的下午，场地中间，掘了沟渠，障着土阜，马匹到了这里，必须超越而过，称为"跳浜"。很多银行、洋行，往往按例停止办公半天，让人看跑马去，这天真是人山人海。丹丹下了车，只见跑马厅四周，有短栅没墙垣，有些人便备了长凳，专供小市民站在上面看，隔岸远观，每人收几枚铜圆，作为租费。也有年纪相若的姑娘，满脸好奇地朝里头引颈翘首的。

丹丹傲然地随着金先生作入幕之宾去了。高昂的票价，严格的规例，都不在眼内——如果她不是宋牡丹，她便只好被摒诸门外。

老实说，她之所以有今天，完全因为被看中，她不会不明白，生平第一遭来看跑马，分外的专注，驰道分外档和内档，骑师穿着各种颜色的服装作为标识，绕场若干匝，直至靠东南角的石碑坊为止，以定胜负。还没开跑呢，所以胜负未见。

正游目四盼，忽见不远处也围上了记者。看真点，不是他是谁？他高大了一点，也英俊了一点——因为隔了一段日子不见了，有一点姑息和企盼，觉得他实在很好，只是他改穿了西装，而她呢，今天不穿旗袍了，身披一件荷叶袖连衣裙，领口翻飞着一层又一层的轻纱，腰间系了蝴蝶结，一双白手套，这时装真摩登，怪道"人人都学上海样，学来学去难学像。等到学了三分像，上海早已翻花样。"

丹丹恨自己落伍而且尴尬。

与此同时，金先生也见到了。

他握住丹丹的小手，拍拍她的手背。

丹丹放心，天塌下来，也有人顶住。

他明白她的自卑，笑道：

"咦？啥事体做事没长性？"

她咬唇一笑，有点惭愧。

史仲明递来一叠香槟票，给她玩儿。她一看，什么 A 字香槟、B 字香槟、大香槟、小香槟……跳浜、赛马之后，还来个摇彩。金先生问：

"那边厢是啥闲帐？"

史仲明回话：

"那有声电影《人面桃花》快拍完了，要上了。趁此白相白相。"

"哪间电影院放？"

"片子没完，还未有排定。"

"老黄一向跟中央打交道。"

丹丹不知就里，对他们的话题一点也不明白，只一脸纳闷的呆听。

金先生很照顾，安慰她："让他们热火热火吧。好不好？"

"不好！"

"那怎么办？我可没有能力不许人家拍照的呀。"他逗她。

丹丹刚刚出的一阵风头，马上又波平浪静了，她一阵失意，真难为啊，到底还是败在她手上。

"小丹。"他喊她。她不应。他又笑道："宋牡丹小姐，看你多小器"。我就是要来个'不鸣则已，一鸣惊人'。"

丹丹狠狠道：

"我要比她红！"

金先生无意地问："她身旁的是男主角，唤唐怀玉——"

丹丹马上接话碴儿：

"我不认识他！"

"好好，吃饭去。"

说着说着，丹丹忽听得四周闹闹嚷嚷喊："六号！六号！"

六号也是他们买下的号码，它跑出了。丹丹一时忘我，抓住金先生的双臂，大喜："我们赢了！我们赢了！"——我们？丹丹缩缩脖子缩回手。

《人面桃花》在种种困难的情况下完成了，也超出了预算。原来黄老板打算投资十二万的，到结账时，已花了十八万五千多。

一般的戏拍完了，便要请戏院老板喝几盅，红红脸孔，然后提出上片的要求，希望老朋友帮个忙，给一个映期，要是对方口气不热，还得赶着把拷贝给送过去审定审定。上海是全国最大的电影市场，映期好，对本对利也说不定，映期不好，三天两头的，便要陪戏院老板吃饭孵温堂喝咖啡上跳舞场……不过《人面桃花》忒新鲜，不必怎么轧朋友，中央、金城等大戏院已来接头。万众瞩目，要看演戏的片上发声。好吃香。段娉婷和唐怀玉经了一番宣传，也吃香起来了。银坛新配搭，戏还没上，黄先生先约了在红房子吃大菜。

红房子经营的是法式西菜，价钱很贵，他们点了烙蛤蜊、奶酪出骨鸡、海立克猪排……末了还来一客白脱忌思酥和奶油泡夫。

怀玉已然十分的习惯他手中一杯滚烫的咖啡了。也开始有派头了。

黄先生开门见山，掏出一份文件：

"我想跟二位签个合同。"

他要捧他，也要留她，签个合同自是上算。而且因着互惠的情况，条件订得高。段娉娉比较老手，一向不肯受束缚，这回眼看形势很好，且有声片一出，谁再去拍无声片了？

对面的黄老板肥头胖耳，相处下了，也不算什么刁枭利害胚子。

自己是个明星，明星这行业不保险，一不小心，就过气了，过气也就完蛋了。不知自己在哪一天走下坡呢？总不成到走下坡那一日，才发觉危险。故此，听了价钱，便提出加倍，进进退退，终于给加五十巴仙，她就当场签了。怀玉也签了。

三年。

合同规定在一年内拍三部电影，如果拍不了既定之数，不用补戏。不得外借给其他电影公司……

待二人签好这份合同，电影就扰攘地预备在中央大戏院上了。

首映礼，真是一时之盛。

在中央戏院二楼的大堂设了酒会。可以请来的行内人，都来了。

男女主角没有一道，分开一先一后的到。西装笔挺的唐怀玉，由电影公司的人员陪同亮相了，大家惊诧他的气色很好，天时地利人和都应了，神采飞扬，眉梢眼角之间，有股阴霾扫尽的英气——他又出人头地了，终于等到今天了。

想想，多月之前，还是一头一脸的灰，简直不敢抬起头来做人，空有一身好本领，六面没出路。如今嘴角挂上笑意，竭力掩藏傲慢，与各界周旋。

周旋，便是："谢谢大家来，都是黄老板的面子大，请多指教！"哼，谁要谁来指教！生死有命，富贵由天，也全凭个人造化。未几，段婷婷由玛丽陪同着，也来了。一来，记者们起哄，要男女主角亲热点合照。

段小姐总爱笑着解释："哎，不是啦，我跟唐先生根本不熟，拍戏的时候才见得多点儿，拍完了大家研究一下演技，希望演得更好——别乱说了，那是宣传伎俩，不信问问唐先生。"唐先生又道："我当然希望追求段小姐，不过她裙下不二之臣可多着，也许我得施展十八般武艺来较量。不排除这可能性。"

记者们诸多要求，一时要她绕着他臂弯，一时要他搂着她香肩，作出十八种姿态来满足照相机和镁光灯。拍完又煞有介事地分开了。

而，金先生也来了。黄老板亲迎，他很高兴自己有这个面子，金先生道："我有兴趣看看片上发声多新鲜！"

方转身，唐怀玉神清气朗脱胎换骨地迎上来，他把握这个良机，正正地看着他的对手，一字一字地道："金先生，上海真是个好地方，一个筋斗，也就翻过来了！你肯来，真是我的光荣！"

金先生颔首微笑，道：

"听说你筋斗翻得不错。"

怀玉也笑："是么？我自己倒也不在意。反正有就是有。哈哈！"

金啸风脸色一沉，马上便回复常态：

"这，才是第一部电影吧？"

"是的金先生。不过已经订了三年合同了。眼看快要忙不过来。"

"恭喜，跟咱上海攀上关系了啦？"

怀玉一笑，仗着年轻，说：

"才三年。我有的是三年又三年。"

好不容易才有今天，还不看风驶尽鳍？

段娉婷走过来，也是举杯敬酒，一脸笑意，娇艳欲滴：

"金先生，难得啊。小戏院小片子。今儿晚上没约人吧？我们陪你看。"

"约了。来了。"

回头一看。谁？

是她！

是她！

怀玉一直都不相信这个事实。丹丹也脱胎换骨地自门外袅袅而来。史仲明伴在身后。

他猜想一切可能发生的事，一个最大的疑团。他还不能确定这是不是他的敌人，有些胆战惶惑。她？

她是谁？怀玉从来都没发觉丹丹汪汪的眼睛不经意地如此媚人。庄重地，又泄漏了一点风声——一定经过不得已的变迁。

人丛中有人喊：

"土布皇后！土布皇后！"

啊丹丹也是镁光的焦点呢。

如今各领风骚了。只见她一头短发，贴着精致的头脸，额前一排稀疏刘海，若有若无。

细模细相，油光油滑，衬托一袭一点也不肯炫人的旗袍，贴合着身份。

金先生笑："我的皇后来了。"

怀玉万分迷惑，她留下了？她来了？他认不得她。多少话想说，但沉下去，重压在心头。他的嘴唇不争气地喃喃：

"丹——"

丹丹虎着脸过来，伸着手，先发制人地报复：

"宋小姐。"

他只好这样的跟她见过：

"宋小姐。"

段娉婷一瞥，只维持着微笑，寒暄：

"哦，宋小姐当了'土布皇后'呢，很好。先土布，下一回一定可当绸缎、织锦什么的。很好啊。"

丹丹不知如何应付，便变了色。

段娉婷体贴地：

"慢慢来啊。多参加首映礼，让记者拍拍照，还怕没人找你拍电影去？——嗳，我真忌妒，从前哪有捷径好走？"

丹丹急了，忙借点势力："我但听金先生的。"

段娉婷见怀玉只强笑，便捏捏丹丹的旗袍料子：

"好料子！是不是当选送的礼物？"

她认得这丹丹。最好她不是冲着自己来。自己名成利就，而她刚迈出第一步，初生之犊不畏虎。她这样的出现，多像角儿登场，眼下是出什么戏？有没有威胁？

她把她的旗袍捏了又捏，捏了又捏：

"咦？有点皱。不是土布吧？"

史仲明觑此形势，便帮腔：

"这名堂够新鲜吧？是金先生特地给设计的。"

段娉婷不及对"金先生特地……"起反应，史仲明还不让她喘息：

"就是看市面上一般形象太滥了，有意给塑造一个端正点进步点。宋小姐这样出道了，还没什么雷同的呢，就图气质特别。"

丹丹感激地看了史仲明一眼。

有个靠山就有这点好。且不劳哪位高手多说半句，马上有亲信出头解围、还击、对付。

史先生看出来自己的位置，想他也看出来段小姐的位置。做人甚是上路。

丹丹冷笑，跟二人对峙着，但觉一帮人都向着她，心底凉快到不得了，把对面的奸夫淫妇踩踩成泥巴。末了还在门槛上给擦掉。只是自己不免有点凄酸苦楚，不可言喻。

转瞬已是入场看戏的辰光，人潮一下子生生把他们拆散了，各与各的人，终于坐到一块。丹丹向金啸风使小性子，狠道："哼，看到一半，我便跑！我故意的！你是不是也一道。"

金啸风自己也意料不到，他看丹丹的眼神，可以柔和起来。像秋日阳光，日短了，火红的颜色淡了，路旁的法国梧桐率先落下第一片叶子。

丹丹并没有"真正"成为他的情妇，这点令她有点奇怪。他只要她陪他，看着她，心魂飘忽至她身后稍远一点的地方。然后十分诧异她的日渐精炼成长。从前若他道：

"幸亏拉了你一把，你看，报上都骂歌舞团。连鲁迅也写，说卖大腿的伤风败俗。国难当前——"

她会瞪着大眼睛问："鲁迅是谁？"

如今在上海浸淫一阵，她精刮了。他怠慢点，她也怠慢点。

像看谁先低头。

他还有正事要办，最近方把日夜银行所吸收了的大量资金，挪出大部分来买进浙江路上一块地皮，造了批弄堂房子。

她在霞飞路寓中孵一个礼拜，秘书向他报告：

"宋小姐花钱倒水一样，用来发泄。天天上街，都架不同的太阳眼镜来瞩目。"

他冷一阵，来个德律风，她会气得摔掉了。

老虎跟猫，它们是如此的神似，差别在于是否激怒。这里头一定有些神秘而又可爱的因素——她觉得他既驯了她，便要负责任，他没负责任，也没尽义务，倒觉韶华逝水，望望无依。

金啸风终让史仲明把她接到公馆来。当天也约了电影公司的黄老板，和两个场面上的朋友，一起打牌、吃蟹。其中一位范先生，是军政府的，另一位杨先生任职买办，一向跟外国的香烟商打交道。

丹丹到的时候，牌局已近尾声，上落的数目她不清楚，只闻金先生笑道：

"待会有工夫再算，先喝一盅。来来来，入席了。"

原来吃的是来自崇明岛的阳澄湖大闸蟹，顶级本有十两重，不过蟹季还未正式开始呢，是今年的头遭，赶着上，也不过七八两，同桌的除开一帮男人，丹丹是惟一女客。他为她摆设筵席。

"小丹，"金啸风为她剥开一只大闸蟹："这是青背白肚、黄毛金钩，你看，又唤作'金爪蟹'。"

佣人过来侍候，一桌都是精致繁杂的小工具，他不管，只为她剔去糜烂的紫苏叶，只道她是没吃过蟹的囡囡，嘱咐：

"在蟹壳中央，蟹膏上面，有一块八角，最寒了，不要吃。"

——他只道她没吃过。她有点气，还嘴："我知道！我自家还会蒸呢。"

"怎么蒸？"

"全扔进沸水锅里蒸的。"

"哈哈哈！"金先生好玩儿的取笑：

"没加上紫苏叶？没放蒸笼上隔水加热？蟹身没翻转？——还有，蟹是给松了绑的？"

不不不。前尘往事涌上心头。

为什么？为什么北平的螃蟹是张牙舞爪的，上海的螃蟹是五花大绑的？还有繁复的程序，慢慢的守候，还没有死，早已烦死了。

虽然阳澄湖的蟹，是全国最好。膏是鲜腴的，肉是肥美的……到底，她也是吃过螃蟹的人呀，顿兴离乡背井的落寞，当初，是谁与共？

"真好，蟹季来了，我也就馋得恶形恶状了。"那范先生道。

"一公斤蟹苗可收成五六万。"史仲明附议："有得你馋。"

"可惜蟹季短，拼尽了也不过两三个月，好日子真不长。"杨先生叹道。

金先生忽有发现："咦，这造蟹，吃起来比去年还要好？"

范先生压低了声浪：

"对呀，此中自有玄机。"

一直不怎么开腔的黄老板问道：

"说来听听。"

"——不好说。"

不说不说，当事人的范先生也说了：

"你们知道吗？有战事了，蟹特别的肥美。——尸体沉在湖底，腐烂了，马上成为它们的食粮……"

金先生举起花雕："喝酒喝酒，吃蟹赏菊，只谈风月。"

金啸风瞧了丹丹一眼，示意：

"花雕去寒，喝一口？"又笑："酒烈，怕不安全，别喝醉。"

举座哄笑。

丹丹看看那杯香烈的液体，她竟在酒中见到他的影儿了。——那夜，丹丹持蛐蛐探子撩拨老娘嫁后孑然一身的志高。怀玉劝他："你可不能一点斗志都没有。"……她记得他讲的每一句话呢，在那贫瘠的夜晚，只有蟹，没有酒，但她有人。很丰富。

人。

刹时杯弓蛇影，心里一颤，手中一抖，酒便洒了：她的斗志。

丹丹站起来，夺过佣人的酒壶，自顾自再满斟。然后，一口干了。

烈酒如十根指爪，往她喉头乱叩。几乎没呛着，她很快乐，终于一口把一切干掉。

杨先生循例起哄：

"你这'蛟腾'，把小姐灌醉，正是黄鼠狼给鸡拜寿。"

"什么？"丹丹惺忪问。

"——没安的好心。"史仲明道。

"月亮还没有出来——？"丹丹不知道自己在讲什么了，抬眼透过窗纱，真的，见不到一点寒白的月色。只是浑身火烫。吃得差不多，便见那黄老板即席尴尬地开了一张支票。先迟疑一下，才又填上了银码。递给金先生。

金先生一见，便笑道：

"白白相，消遣消遣而已，老哥怎么认真起来？太见外了。"

"不不，"黄老板道：

"愿赌服输。"

金先生把支票拈来一瞧：

"别调划头寸了，多麻烦。"

说着乘点烟时，便把那支票给烧掉了。只补上：

"闲话一句，你把你们电影公司股份送我五十一巴仙。"

无意地，随口又再补上："还有些什么演员合同，那段娉婷、唐怀玉什么的，一并归我，弄部电影玩儿玩儿。就这么办。"——丹丹的心狂跳。

丹丹的酒意上了头脸，一跤跌进一个酩酊而又销魂的神奇世界中。四周是一片金黄的璀璨的光影，她身畔是双闪耀着强烈感情的眼睛——不管她什么时候，无意投过去一瞥，他都是看住她的。

中间有一个水火不容的境界，只待她一步跨过去，甘愿的。

她有点飘忽地由佣人领着去洗手间洗了一把脸，自来水的蒸气，叫眼前一面圆形大镜有点迷乱，丹丹伸出一根手指，指着镜中的自己，说道：

"你要小心！"

心跳得很利害、面颊微微的也痉挛着，一滴眼泪偷偷滚了出来，心底升起又浓甜又难受的感觉和感动。

——他把一切都买下来，重新发落！

他是为了她。

丹丹跌跌撞撞的，没有再到筵席上去，佣人报告了她的醉。

金啸风到了他的房间，一时找不着丹丹，正诧异她又跑到那儿浪荡去了？

四下一瞧，只见丹丹蜷坐一角，正正对着那几个打开了的铁笼子，她一定吓呆了。人住的地方，竟尔藏了一头蜥蜴、一条响尾蛇，和一只蜘蛛。她误打误撞地放生了。青白着脸，战栗起来，神志不清，有点像着魔，一见金啸风，便颤着。

"金先生——"

"你要什么？"

"杀掉！杀掉！"

"别怕！"金啸风走到他床边，在床下搜出一把手枪来。

"砰！"的一下，先把蛇干掉了。

丹丹飞奔过来，夺过枪，也朝那蜥蜴一轰，不中，再来，血肉模糊地，认不出真身，只有那头大蜘蛛，也被他用重物击拍得一塌糊涂的绿浆，肚子中竟跑出数之不尽的小蜘蛛来，一时间四散奔窜，看得人毛骨悚然。

"别怕！"他拥着她。

丹丹实在不怕了，一切的死伤，啊，惯见亦是寻常。——她什么没见过，没经历过？

忽然间兴起一阵厌倦，厌倦一切的死伤，追和逃，这念头突如其来地，漫遍全身，是的，心肠肺腑，末了付诸血污。

只余空虚苍白，不着边际。当她拥着这一座山似的男人时，停步四望，还是他最可靠。谁愿再努力苦撑？日子变得全无意义，只想倚靠他，直到下一生。

"小丹，"他喃喃呐呐："看不出你杀气腾腾的。"

地欲陷天欲堕。她也意外：

"是呀，我都不知道会是这样的。"

"给你一点酒，就原形毕露了？"

她厌倦了追和逃。

血花纷飞的刺激，令她变得容易悸动，也令他兽性大发起来。

他疯狂而又急煎地向她探索和进逼。把她的脸转过来，使劲狰狞地加添她无限的疑惧。

他的宠物都报销了，她是目前惟一的宠物了。

而且，难道他不知道这还是个雏儿？

有些事，是女人逃避不了的。

丹丹只念，凡事需要决绝，自是早比晚好。也许是酒意，也许是自欺，不知如何，她由衷萦绕着一种新鲜事体，譬如说，对男人的渴想。真奇怪，这渴想蹑手蹑足的来了，原来潜藏着已久，伺机便爆发——或是在暗中已猜测过？

浑身都有不安的兴奋。越来越强。

她还是一个得宠的人呢。不再被抛弃，幸福在五内焚烧，身体熔成一滩。嘴唇枯焦，伸手不见五指。她很紧张，甚至是被动的。玻璃丝袜像一层皮似的被煎下。

她不敢动。

金啸风设法令她蜷曲的身体舒展开来。面对他的威武，她只能更加软弱，一贯的刁横无影无踪。

她像一块承受刀琢的鱼肉，猛然地："哎，我很疼！你放过我吧！"

他的小满——

他到她的满意"书寓"去。她心中没有他，只奉他一杯茶……他不可能天天打茶围，终有一回，趁着盲母不在，他非要她不可。

"小满，我一见你的脸就想——"

满意力竭声嘶地抗拒，一地都是推翻了的清茶水烟袋和瓜子，零落如草莽。男人一旦要一个女人了，简直如洪水猛兽，眼睛血红——他不明白，自己已是个一等的案目了，他对她明显地偏私，照拂日久，难道她一点也不领情？

　　因她挣扎得太不留余地了，拼死一样，他凶暴起来，在她娇嫩的尖白脸盘上刮了两记耳光，马上，双颊辣辣地透红。他气喘咻咻。

　　满意一呆，大吃一惊，泪水冒涌，叫道："你不要逼我！我心里已有人！"

　　——金啸风直至今天，也不知他究竟败在谁的手里？这永远是一个隐伏在青天白日的敌人。他也许一生也翻查不出底蕴。只是那一天，他如雪崩海啸似地豁出去了，极度的亢奋也令满意走投无路……

　　忽地，措手不及，满意拾到一块茶碗的碎片，在自己瓜子仁儿的脸上划了一个鲜血斑斓的十字，她失常地惨叫："我的脸坏了，你放过我吧！"

　　金啸风忽觉这经不起人道抽搐着的丹丹，舌尖都冰凉了，她凄凉婉转的长叹一声：

　　"我——要死了！"

　　她很惶恐就此死去，然而她再也使不出半分力气，意乱情迷群魔扰攘似的。金啸风爱怜地捧着她的脸，他又重蹈他最初的恋慕。

　　——莫非是凤世的纠葛，那么不可能的人，如今压在他身体下。他深深的吻着丹丹，无限的痛楚。他喊："小满！"

　　小满遭野兽般的蹂躏，一脸一床的血。第二天，她就跳黄浦了。

　　她一定是浑身都系了最重的物体，石块铁块，血海深仇一并沉没在江底至深，不肯给他一个机会。即使他夜夜在江边，眼看汹涌的水流混沌一片，如心事般沉重。夜渡灵枢一样漂流着，岸灯闪出阴险的微光。隔不了多天，总是有山穷水尽的人来跳黄浦。不过，只是不爱他而已，她倒情愿一死？以后，金啸风高升了，他为了他那未曾公开过的"金太太"，终生不娶。

绝口不提。

丹丹空余一身细细的汗，半息游丝。——竟全没有工夫念到，何以一夜之间，她就是他的人了。一切都是渺茫……

"哈哈，哈哈，啊哈哈……"怀玉笑给段娉婷听。

"唔，这样绷的笑法，好假。"

"不是假，是难。"怀玉道："每个角色的笑法都不同，既要形似，又要神似。孙悟空的笑跟猪八戒的笑也不同。"

"孙悟空怎么笑？"

怀玉给她作一个眯嘻眯嘻乐孜孜的猴儿脸，段娉婷很开心，又问："猪八戒怎么笑？"

怀玉木然。

"怎么笑？"

"笨笨的一个大鼻子搁在嘴巴上，怎么笑法，都没有人知道。也许，它从来不笑。"

"你怎么笑？"

怀玉这才打心底笑出来了，得意的笑。

《人面桃花》在中央大戏院，连满了一个月。虽然，毛病还是出来了，几乎每一场都有毛病，因为放映时，一方开映机，一方开唱机，彼此快慢稍有不同，片上演员的动作跟发音便脱节了，有些场先张嘴，后出声；有些场先出声，后张嘴。这种唱双簧式的蜡盘配音，是有一点点的"遗憾"，不过，第一部，大家都迷上了。

也都迷上了片中的男主角。

他一笑，来劲了，就把他半生学来的笑，师父教过的，自己见过的，都跟他的女主角表演了。什么冷笑、奸笑、强笑、骄笑、媚笑、狂笑、苦笑、羞笑、妒笑、僵笑、骇笑、诡笑、傻笑，痴笑、狞笑、惨笑……笑得累了，怀玉一弹而起："到邮局去。"

段娉婷绮在床上，燃着一根香烟。

隔着袅袅的漫卷的烟篆，她开始想，今天笑完了，明天哭，哭完了，便愁。七情六欲，也许几下子就过去，一一演罢又如何？他一天比一天壮阔，她却一分一秒的老。情，像手中的香烟，烧烧就烧掉，化作一缕幽幽的白气。

怀玉换了一身轻便的运动装走在霞飞路上。霞飞，这正是他那放浪的心。天气凉了，然而上海的秋阳是暖烘烘的，像一个女人，烘在你的脸上。

他原不必自个儿到邮局去，而且他也不必那么早便到邮局去，然而只为了一点"自由"的辰光，抽身出来。

当他走着，霞飞路也驶过一辆车子。

史仲明有点意外地，发现他伴着的宋牡丹小姐，再也不像他的初遇。

她有奇异的蜕变，变得最多的是眼神，乌亮闪烁，不由自主。她来了多久？但眉梢眼角，暗换了芳华。

她变得自得而惆怅。

史仲明没怎么正视过这个小姑娘，然而他总是在她身畔，她是他上司的人，他也是他上司的人。在上海这可怕的地方，若有能耐，便不断拥有一些人，一些别人的儿女，为你竭尽所能，以取所需。

像宋牡丹这般的，他也见过不少，不过从来都没有像此刻，问了一句他也奇怪的话：

"宋小姐，待会要约位编剧家与你会面，金先生吩咐他特地为你写一个剧本。金先生——，宋小姐，你快乐么？"

丹丹一笑。

如今的丹丹也精炼了，但凡不好说的，一律一笑。

"你——这真是为了什么？"

"虚荣。不可以么？你是谁？我有必要回答你么？"

史仲明冷不提防她那么的直率和势利，只深深看她一眼，仿佛有点火花在心中一闪，这一闪，昭昭地掠过他身体内，某个隐蔽的，他也不自知的角落，一闪即逝。

丹丹眼前也闪过一个影儿。

她见到怀玉，一身时髦的西洋白运动装，昂扬地上路。心念：虚荣，他也用自己去换虚荣。然后弃她如遗。她一咬牙，刷的一下，把车上那轻俏的白窗纱便扯上了。

在这电光火石的一刹，刚好史仲明也转过头来了。一直沉默。

回力球，这是上海滩新兴的运动。

球场门口竖立着一块大牌子，标为中央运动场，附着英文"HAI ALAI"，洋气十足。

晚间这里举行球赛，用闪烁的电灯照明，供人赌博，场方聚赌抽头，方式很多，分什么单打、双打、红蓝赛、香槟赛、独赢、双独赢、连赢位、位置……一如跑马跑狗。怀玉与段娉婷来过一次，得悉日间是不开赌，只租予有头脸的人来玩。

矫健的游龙，又那堪蛰伏于温柔乡中呢？一身精力，便向三面坚厚的墙壁进攻，球儿打向墙头，击力很大，且这球，硬帮帮，分量足，打起来动用臂力，来回跳弹，大汗淋漓。怀玉从前练功的身手，用用还在。永远在。他就是不耐烦干熬，像拍戏时，等打灯光，等培养情绪，等导演先到燕子窝上上电……

终于两小时过去了。

他又个儿到附设的咖啡座喝上一杯咖啡。开始写信。

信是写给志高的。

志高，志高有想象过"回力球"是什么玩意么？因他在此久了，才合辙了，但志高，远着呢。远。怀玉只念：自己也回不去了。

还是那管自来水笔呢，但信是"志高：许久不见，念甚，念甚。"这样写着，下笔开始排山倒海的倾心：

"近日甚是不安，虽云选择无误，理直气壮，然常担忧终致一无所有，夜来辗转，牢骚亦多，只恨无人可诉。人死留名，雁过留声，方是不枉，遂又逼令自我奋发，上海水土渐服——"这样写着，到底还是要提的："丹丹已在上海立足，身分亦变。彼此不复当年，不过一岁，皆已成长，交情转薄。差异令人欷歔。人人之间，只在时也命也，得之，时也命也，失之亦然。错不在你我。一言难尽，寸心难表，志高若另选贤人，或有天作之合。近况想必平安，渐进。烦多照拂老爹，多报喜讯。怀玉，十月——"

"喂，你！"

他一愕，抬首。

不知什么时候，段小姐竟找来了。

怀玉示意她坐下。

"又说到邮局去？"

怀玉低头写信封，北平、宣武区……

"我这不是要到邮局去么？"

说完站起来，段娉婷便也追随。

出来时不免也碰上了影迷。二人也不便过于密切，保持一点距离。影迷们私语：

"看！段娉婷！"

又喊他：

"唐先生！段小姐！"

"唐先生！"

哦，不是唐"老板"，是唐"先生"。老板多乡土，先生才是文明。自己已在上海立足，身分亦变。电影明星！

他在等他的下一部电影。

而特地给丹丹写电影剧本的编剧家颜通，是一个海上文人，瘦长面孔，常带三分病容，颧骨很高，像两块顽石被硬塞进去了，不甘雌伏。

他是那种寡言但精悍的老门槛，只消把丹丹打量一番，闲聊几句，已经知道该作什么剪裁。

他的故事大纲，金先生很满意。

时局变了，一直流行的鸳鸯蝴蝶醉生梦死式的伦理片子，追不上了。自事变后，轰烈的抗日救亡运动也展开，这是为什么"土布皇后"被冷落的原因。

颜通建议来　部"进步电影"，由宋牡丹担演。她便是东北农民之女黑妞，因为战争爆发，家破人亡，青梅竹马的爱人树根与她经历重重的艰险，终也难以团圆。黑妞被环境催逼成长，加入了抗战行列，将计就计，夺取敌人军火，在炮声中、火光中，壮烈牺牲……

金先生一壁在忖度改个啥戏名好？大伙你一言我一语，什么《东北浩劫》、《鲜花情血》……《摩登女性》，终于他灵机一触：

"就唤《东北奇女子》吧。"

丹丹交叠着手，抬起眉毛来看他的铺排。她心里明白，生命中重要的时刻来了。她问："男主角是谁？"

"你想要谁？"他睨着她。

剧本写好了。

电影公司把剧本送演员。

段娉婷收到后，一看，《东北奇女子》，心里很高兴，嘴里却嘟囔：

"哎，又要忙死了！上回胃痛，还没完全好过来呢。"

回去好生一看，再看。她不是东北奇女子，她是东北奇女子的邻居，是一个村妇，后来抱着孩子在逃难中死掉。头五场就死掉了。

段娉婷脸色大变。

闯到黄老板办公室，质问：

"这是啥事体？"

他有点为难了。女主角是自己一手签下的，在当红的一刻，然而……他解释："下一部，下一部——"

"什么下部上部的？"段娉婷没好气瞟他一眼："你这三年合同是怎么签的？哦，白支我片酬，又让我闲着？——"

"这……段小姐，公司是——"

"换了老板？"

"没换老板，是加入了合作人。"

"那没关系，拍电影是花绿纸铺路，讲赚头的，不是赌气的。"

"他指名要捧宋牡丹。"

"宋牡丹？"

"我也提醒过他，段小姐是要不高兴。他说心里有数，电影也是生意，讲生意眼。"

"红的靠边站，黑的硬上场，这是生意眼？他是谁？"

"他吩咐不好说。"

段娉婷一听，急躁攻心，但转念这样定当失态，虽然烦乱，但妩媚的眼睛没忘记它们的身分，她套问：

"我多了一个老板，也得知道一下，凭我俩交情，这稀松平常的事还是私密？"见他不答："真不说？我拒演。"

"别这样，惹毛了大家不好。"

"合同上又没有注明'不得拒演'。"段小姐说。

"但注明了'不得外借'。"

即是说，不演就不演，三年也别演，公司会雪藏她。段娉婷忽然恍悟了：一定是！

史仲明听得金啸风准备在日夜银行中又拨出二十万来拍电影，觉得很冒险。

前不久，他才挪了资金买进浙江路的一块地皮，造了批弄堂房子，房子未落成，钞票回不来，虽云交易都是买空卖空，周转周转，不过——

"仲明，我有我的主意，你别管！"

原来这郑智廉先生，也不智，也不廉，官门之后，公子哥儿，好酒，做生意一道，尤其是冒险性行业，一窍不通，金啸风想到他手上有一大笔股金现款，便也动脑筋吸收过来。

他故意道：

"现时开办交易所，信用不好的都倒闭，马马虎虎的开张，无异把大洋钱给扔进黄浦去，以后怎好向各界交代？"

游说推拒一番，方勉为其难，收下他的款子，转入日夜银行，作为投资合股，发展业务。所以，银行一夜之间，又充裕了。史仲明旁观不语。

有了现款，拍起电影来就更好办。

即使丹丹看了剧本，要改，要加，要减。他都由她，他只为她搞一个好电影，让她一生记得。

丹丹把男主角的身世都改掉了。

黑妞青梅竹马的爱人树根，变成了一个立场不稳，又冒昧怯懦的小人物，即使他当初是那么的纯朴、健康，不过遇上了战事，竟然投机取巧，投靠了日本人，当了汉奸，反过来欺压同胞，小人得志，把当日的情谊抛诸脑后。黑妞非常看他不起，所以也恨之入骨，到自己加入抗战行列时，便夺了敌人军火，一枪把他结果了。

颜通依她的意思改剧本。

丹丹好似一个天真的总舵主，她知道自己的权力，因为他给予她。

唐怀玉接了这个戏，越演越不妙。

越演越不妙。他没有拒演是因为他有信心把什么角色都演好，谁知后来变成反派，难以翻身。

"开麦拉!"导演一喊，戏便正式了。丹丹咬牙切齿地痛骂着怀玉。

戏中的黑妞，是因为国家仇恨，然而，现实中那有这么伟大?

都是儿女私情。一些与民生无关的心事，长期的啮蚀，阴魂不散，心深不愤，欲罢不能。像火烧火燎，都脱不去的，一生盘踞不走的一颗小小的泪痣。

因为妒忌才会憎恨，而且又失败了，心潮汹涌，入戏太容易了。

一见到他，狂焰烧起，惊惶失措。

她骂道:

"树根，你这卑鄙小人! 出卖了自己，投靠鬼子，他们是什么禽兽？他们逼害着你的父母亲人，侵略你的国家……"

"黑妞，我没有——"

"你别以为我不知道，你要高升，要自保，在敌人包庇下过好日子！"

"——"树根羞惭的低下头来。

黑妞变了样子，鼻翼由于内心激动而愤张，眼里闪着一股只有把全副家当输掉的赌徒才有的那种怒火，夹杂着失意绝望，她的脸扭歪了，声调渐急：

"你忘了我对你那么好！一直的等你回来！"

"我实在不知道——"

她用尽全身的力气，打他一个耳雷子，如雷轰顶，怀玉一个踉跄。

她哭了：

"你说中秋再偷枣儿给我吃……"

"咳！"导演喊："台词不对。'你说给我买一双千层底的鞋'，接下去是'我宁可光着脚丫子，也不穿带着同胞血肉的汉奸鞋！'"

丹丹的脸惨白。她实在是幼嫩的，不管她学习狠毒到什么地步，一到危急关头，真情就露馅了。她入戏了，再也难以自拔。不断痛哭，泪流成河。方抬眼——

忽见金先生来探班了，便飞扑至他怀中，她只有他，抓得牢牢的："我很想见你！"

"小丹，你命令我来就来了！"他在耳畔抚慰。

"各位，趁老板也在，我要说——"

怀玉当众道："我，唐怀玉，罢演这个戏！"

怀玉自摄影场回到屋子里时，已是凌晨三时了。

他拍了三场戏，一场助纣为虐，一场羞见故人，一场自我反省……演来演去，角色告诉他，这样下去，没有意思没有骨气。

怀玉很疲累。和衣往床上一躺。

段娉婷没有睡，一意等他。她拒演了，一拒，人便在千里之外，再也不好踏足摄影场，以免为宋牡丹气焰所伤。

见怀玉一回，便去端了一杯褐色的滚烫的汁液出来。

怀玉一尝：

"咸的。"

"保卫尔。快喝吧。"

"保卫尔是什么东西？"

段娉婷把气都出在这句话上：

"你道我下毒？我会害死你？什么东西？我会胡乱给你喝'什么东西'么？"

说完一伸手，便把那杯牛肉汁抢过来，自己一口一口的喝，太烫了，舌头一下受不了。怀玉见她没来由激动，念着女人都是这样的，动辄跟自己过不去，这个那个，不问情理，硬是不对劲。他又把那杯子给抢过来，当她面，大口的喝掉。她才冰释前嫌。

段娉婷懒懒倚在枕上，预备倒下，又用两支手臂绵绵支撑，仿佛在呼吸他喝这牛肉汁的姿态。他如此的若无其事，一仰而尽。她道：

"唐，我……过期了。"

"什么过期？"

她的眼睛的表情，把她的话烘托得精致点：

"当然是我过期，难道是你过期？——万一是真的，也许不一定。要真有了，我们到杭州结婚去。"

她近乎低吟地娓娓缕述下半生了：

"我们要有一张大红结婚证书，吃着最有趣的西湖莼菜——莼菜，知道么？像一块小小的荷叶。我明打明的，当红之际退出影坛了。你也别再拍电影了，洗净铅华……"

洗净铅华？怀玉有点吃惊。他铅华刚上，便要给生生洗净了？

上海人一直奇怪，今年天气变冷的趋势十分明显。一天一天，秋天已流逝过去，不再回头，招引了漫漫的暗紫色密云。法国梧桐又凋落了，一片片如零碎女心。

初雪一般开始于十二月下旬，还没到时候，怀玉寒意一夜加添。没有心理准备。

她不同，他想。她自是不同，纵横江湖上多年了，十几岁，到廿几岁，应有尽有，一切都有过了，发生任何事，不会手忙脚乱。而自己，刚刚兴起，又败下阵来。心很灰。强颜：

"我不拍戏了，谁养活你？"

"要是你比我先死呢？"

"不，你比我先死，我养你到死的那一天。"

"好，我决定比你先死，我死在你手里。"

"或者是我死在你手里。"

"大家不要死。耶稣诞，我们结婚？西湖、西泠桥、六和塔——六和塔好吧，如今满流行到六和塔证婚去。"

段娉婷沐浴时有一种特别的派头和布局，滚烫的汹涌的热水，香珠浴露，千百芳菲，她把整个身体沉迷在这微荡的液体中，苦心孤诣地反刍她的一个骗局，或是赌局——势色一旦"不对"，她也就"不会"有孩子了。

好，看他下什么注码。

金先生下了重注，便来至他霞飞路的"金屋"。留声机播放着华尔兹的音乐，明媚但荒淫，丹丹自白天的戏场中回复过来。金先生问：

"唐怀玉，这小子闹罢演，他赔得起么？你跟他怎么说？"

"没。就让他受教训！"

"来自北平天桥的吧，——你认识他多久？"

"刚认识。"

"你不也来自天桥么？"他随口再问。

丹丹一诧："我没说过——"

"说过的。"

"哪一回？"

"咦，你不是曾经骂我，像是天桥的流氓么？漏口风了。"

"哪一回？"

"没说过？——我老了，记性坏。不过你记性更坏呢。"

"是。"丹丹气馁了："我记不起来了。"

"记不起来就别记了。你是我的人了。"

"我什么都记不起来。"

丹丹一时之间，萎靡不振，她在过去短短的生命中，没有一桩顺心事儿，没有一个可靠的人。

她柔顺地，藏身在金啸风怀中。不知道他是谁？自己倒像自一个男人手中，给转让到另一个男人手中。黄叔叔、苗师父、宋志高、唐怀玉、金啸风……

哦最对不起的是宋志高，还顶了他的姓，却不是他的人。"宋"，像叨了光，无端借了一个男人的姓。想想那些幸福的平凡女子，嫁得好的，也是赢了一个平安的姓，冠于自己的名儿上，×门×氏，就一生一世了。

她把头俯得老低，就着金啸风的衣襟，浓密的睫毛底下重新流出眼泪，泪水滴上去渗进去，成为一个个深刻的渍子，比衣服的颜色，硬是深了一重，暖的，似滴到他肺腑五脏。

他扫弄着她的短发——他永远也不知道，从前她的头发有多长，叫人一见，满目是块黑缎。他道：

"怎么乖了？不要变，不要乖，你看着我——"

他开始粗暴起来。

丹丹接触他那渴望而暴戾的目光，身不由己地挣扎，如此一来，他的欲念被勾引了。丹丹小小的脸上，不经意地流露了一点妖媚和仇恨，各种神情，陆续登场。多荒唐，她把灯关上了，在黑黝黝的境地，她知道，她本质上的邪恶蠢蠢欲动，不进则退——她一意要浪给遥远的怀玉看。如今他们俩……？哼，她要比段娉婷更浪。

渐渐，丹丹学会了怎样辗转反侧来承受她的男人了——只是，当在激荡销魂之际，她忽地幽幽地喊：

"哎，怀玉哥——"

金先生陡地中止了，他贪婪的眼神受了致命一击似的，闪了凶光。

他摇撼着酥软半昏的丹丹，喝问：

"你喊什么？"

丹丹微张迷茫的眼睛，反问：

"……什么？"

"你喊什么？"

"我？我记不起来了——"

金啸风·咬牙，开始用最原始凶猛的方式来对付这小小的姑娘。她说她忘了，他知道她没有。于是怀恨在心。

她在哀求："你——不要——"

他暴怒：

"我要你死在我手里！"

……死去活来的丹丹，拥被蜷在床的一角，她的身体弥留，心神却亢奋。她令他气成这个样子？

她令他摇身变为一头兽？这真是个迷离而又邪恶的境界。她是谁？他是谁？

她微喘着气，翻着眼睛，白的多，黑的少。金先生，这叱咤风云的一时人物，他怀恨在心！她明白了，傲然一笑。

"小丹，我是老江湖，没有什么是不晓得的。"

"我保证不会。"

"那最好。小丹，"他把她一扯，倒在怀中。抚慰道："对不起你了——"

丹丹倦极不语。难得他放轻嗓门再问："我第一回见到你，你唱啥？"

"毛毛雨。"

"毛毛雨，下个不停？就像现在？"他取笑："唱给我听听？"

"不唱"

"唱一个"

"不唱！"

"唱吧？"

"不唱不唱不唱，我要睡了。"

"好好好。到你乐意了才唱，逼你对我没好处。"

丹丹笑，小狐狸一般：

"金先生，你对我那么好，又有什么好处？"

"没有呀。"他搂得她很紧，突然地："也许你是报仇雪恨来的。"

"我？"

她疑惑地看他一眼。他什么都晓得，她什么都不晓得。各怀鬼胎，身体贴得那么紧，岁月隔离了种种凄凉故事，说不出来。二人都恍惚了。太奇怪，怎的会躺在同一个被窝里？

正恍惚间，德律风铃声大作。丹丹一接，原来是气急败坏的史仲明。

史仲明找金先生找得很心焦，公馆、混堂、日夜银行、乐世界、风满楼、俱乐部……终于找上了霞飞路宋寓。

"金先生，电影出问题了！"

他匆匆跟史仲明碰头。

"是制作上的问题么？"

"剧本上的。"

原来拍电影之初，故事大纲因金先生面子，不怎么呈检。片子拍了一大半，背景是东北，乃农民与进犯敌寇抗衡的"进步"题材，谁想过会出问题？问题是，故事内容辗转传送到国民政府中央电影检查处，一"审"之下，他们不高兴提到"东北"，提到"敌寇"，提到"抗日"，故下道急令，须把片子冻结，把东北改成边省，把敌寇改成匪徒，把抗日改成剿匪，年代往上推，最好是清末民初军阀时代，那就毫无问题了。如今与国策大有抵触。

"这岂不是等于重拍？"

"金先生，已经花掉十几万了。"

"银行里——"

"还有一桩，金先生，郑先生因着身分尴尬，不好与政府方针有什么勿清爽，为免难绷，决意把他那笔款子给提了。"

"提款？那不是要我难堪？事情弄成这样，银库里是淘空的，弄勿落！快想办法！"

快想办法，快想办法——民不与官争，凭是多有头有脸的闻人，都如被扎了一刀的皮球，泄气了。急如热锅上蚂蚁，浅水中蛟龙，无处着力翻腾。

事情是平空发生的。

从来都没想过，这般稀罕的事，会发生在金先生身上。世上有些人，摔一跤就致命，有些人一身刀剐犹顽强地活着。但这些都是与金先生无关的，他根本也没有心理准备。

原来人人都没有任何心理准备，往往在它夜半敲门时，方才大吃一惊。

郑先生坚决要提款。劝说三天无效。

金啸风把史仲明召到跟前，拍案大骂："你在这桩事上，一点能耐也没有，你在中间斡旋，给他安顿，事情也不致此！"

"金先生，"史仲明被这一说，不免一寒："不是怪我搭浆吧？"

"——"金先生一挥手："养兵千日，用在一朝，仲明，你追随我也好一段日子了。"

"事出突然，我也尽了全力。"史仲明不带任何表情："我一向不是掉枪花的人，只是——"

金先生话没听完，出门去了。空余史仲明，和一个没收拾好的半残的局面。

车子一直往银行驶去。

金啸风的脑海里只有这个噩耗旋风似地乱卷，郑先生若把款子提去，事情通了天，那些股东纷纷也到银行取款了，银行一时支付不出，唱扬一地里知道，便道他信用不佳，声誉崩溃，一下子……

还没到银行，已闻得人声鼎沸。拆烂污，来的尽是二三十元到二三百元立折开户的老百姓，从牙缝里省下来的一点钱，摆在身边不放心，一听说银行要倒了，更加不放心，黄夜来排了长长的龙阵，因已日夜营业，来的人更多，在苦寒的夜里呜咽哀鸣似地，要拿回血汗钱。枯瘦的手猛伸乱拨……

挤兑？

金先生吩咐把车子驶走了，兵败如山倒，到什么地方避过这烦恼？

车子只朝霞飞路缓缓的有意地拖曳着，给他一点喘息的时间。恐惧开始笼罩他。半生翻滚，从没如此惊怖莫名，连心脏也掉到车厢座位中，漆黑中捡拾不回来。

金啸风回到丹丹的屋子里，楼上楼下都早已悄然无声，他沉重的步伐只好轻轻地踏进去，像践踏在每个人的梦上，一不小心，便踏碎了她脆薄而又反弹无力的梦。风浪劲，冬天了，满路的树只余枯骨，满目都是苍凉。

生命原没有奇迹，他是把毕生的精力和时间都掏出去，才换回来今日的气派，像煎药，用了四碗水，熬了半天，才成就一碗药。岁月漫漫，是的，即使失去一切，说不定卷土重来——只是，人陡地老了。

他甚至不肯亮灯，不乐意面对一切人与物的光采，那些痕迹。只愿把自己深深地埋藏在一个温暖的斗室之中，以消长夜。长夜昏沉，一如葬礼，整个大地都穿了丧服，哀悼一个短暂英雄的沦亡。

不不不，他抖擞着。

事情也许不致于那么糟，还有一票江湖上的朋友，钱，来来去去，一个筋斗就翻身了，过了今夜才算。

他疲倦地倒身在沙发上，很久很久很久。他不能忘记刚才的一倒，也许因为死寂，他便听到自己骨头嘎嘎的响，若没血肉相连，骷髅就拆散了吧？

"唉！"他无声地叹了一口气。

这间女性的屋子，他游目四顾，沙发前有张小圆几，几上有个瓷瓶，插着玫瑰，半残的，因为主人没心思？

顺着玫瑰看过去，原来在窗台旁，悄悄立着一棵矮树，是圣诞树呢，绕着不亮的灯泡。圣诞？一个小姑娘离乡背井来到陌生的地方，跟她生命中陌生的男人过一个外国人的节日，上海的风尚，她倒是学会了。

　　一抬头，见到丹丹狠狠地瞪着他：

　　"五天都不来！"

　　他笑一下："有事情。"

　　丹丹睡得不好，有点烦躁，上前一手把圣诞树给横扫跌倒，电线犹缠绵地绕过树的身体，她用力扯开，负气而又任性。

　　"以后都不要来！你大爷不高兴就扔我一旁，又不发通告拍戏，又不理我，难道看我是妓女？"

　　金啸风又再抖擞着。

　　他把丹丹扯过来，她摔开。他道：

　　"你以为妓女容易当么？——你有这能耐么？你凭啥把戏弄空头弄白相，讨男人欢心？"一边说，一边把黏在她头上脸上那一缕缕的棉絮撕走。

　　棉絮是圣诞树上那虚假的雪，一切都是伪装。

　　然之后他静定地告诉她：

　　"倒是因为我喜欢你，反而不必讨我欢心。对，我问你，你是否也喜欢我，只一点点？有一点点吧？"

　　"我没说过。"丹丹脸红了，她一定是念到，这是不是因为他是她第一个男人呢？她道："你给我编的。"

　　"一点点也没有？"

　　"不——"她看着他。

　　"有？"金啸风心头一动。眼为情苗，心为欲种。她不应该那般的看他。虽然他老了。头上都是夹缠不清的白发，半生过去了，然而在这前无去路，后有追兵的一刻，漫天盖地只是一个不相干的女人的目光。

他觉得不冤枉。

偶然相遇，命中注定。她来了，他便濒临绝境，她一定是他命中的克星，不是说，因为犯桃花，正运倒招损了？——也许从前一切都不是他的桃花，她才真真正正的是。一阵不祥涌上心头，是她，他所有的，都离了轨道。

为因贪慕这片刻的辰光，纵使付出了一生，也是避无可避。他有点奇怪，这是真的。就像一条老练的蚕，终不免被自己吐出来的丝，无端的捆缚纠缠，逃不出生天了。

他不要透露半点风声。

"过几天继续发通告。布景出了问题。"他把话安慰她："别慌。"

"你来看？一定？"

"来，一定。现在我想吃碗面。"

"什么馅儿的？我去下。"

"不要馅儿。"

"好，那是阳春面。多好听，什么都没有，光有个好名堂。"

丹丹饶有兴味地欣赏金啸风吃面条。"阳春"，想想也真好听。她笑：

"那日他们说，黄鼠狼给鸡拜寿，是没安着好心。我现在倒是鸡给黄鼠狼拜寿了。"

"是啥意思？"金先生呼噜的抽吸着热腾腾的家常的没馅儿的面，一边问："送上门来了。"

"不，是我送上你门来。"

"不不不，是我送上你门来。"丹丹一顿，有点嗔，吩咐他："嗳，你今儿个晚上怎么吃得那么痛快？不要急嘛，随时都有得吃。撑死你！"

她想，不过是一碗面吧。

他想，一碗面。对了，一旦沦亡，寻常老百姓没得锦衣玉食，也不过是一张床两顿饭菜，又一生了。他自嘲地含敛一笑，要他真是个寻常老百姓，又怎会得到她？她会跟他？开玩笑。

她是被气派掳掠，决不是情感的回报。一身宿笃气，她投靠他作啥？

而她只是瞪大一双眼睛，看他吃她下的面。天真的小丹，惹出无穷祸祟，犹懵然不觉。他着她去取酒。她道："什么酒？"

"有什么，要什么，人生难得几回醉。"不管是什么酒，一伸手，取来仰首直灌。不知人间何世。明日的愁虑，还是费煞疑猜。只愿溺身迷汤之中。

段娉婷也备了好酒，不过是庆祝。

她想通了，自怀玉脸上阅读了他的模棱两可，好好一个情人，何必用一个虚假的小生命来逼成柴米油盐的丈夫？婚事不由他提出，一生也蒙羞。她不是罔顾自尊的。她举杯：

"唐，我们庆祝两桩喜事。"

怀玉把脸上那面具除下来，一切都是木然，赛璐珞的圣诞舞会面具，一个红鼻子，一把黑胡子，还戴了个眼镜框框。没几天快到圣诞了，她说要提前开始过节，买了一桌法式西点，是老大昌的胡桃麦格隆、白脱千层……一个奶油大蛋糕还裱了花。她笑："第一，你放心，没有孩子。第二，我交关得喜，乐得说不出话，从来没这么乐过——"

怀玉听得第一桩，已经放下心头大石——此刻他方才发觉自己是不愿意的。掩不住如释重负笑意，又听她道：

"那金先生，倒灶了！哈！"

"倒灶？"

"圈子里头都传说了，日夜银行是个空架子，也就是个蛀空了的坏牙，禁不起动摇，嘿，搞电影？他要看我垮掉，难呀——"

当她这样说着时，那张艳丽无匹的脸，竟如怒放的花，又重演旧日色相了，发亮的，恶魔的，充满快感。

她一双手也沉冤得雪地招摇了，晶亮的指甲，尖头细爪，裁成杏仁样式，红蔻丹掩映着，红里头带着紫，是一种中毒的颜色。

"为什么？"怀玉惊诧地问，"一夜之间，他就倒灶了？"

"得罪不起那比他更威猛的大佬。瞧，一山还有一山高。"

"真有得罪不起的人？"

"官门的，吃不了兜着走。"

"那姓金的，在帮的得力不少呀，倒有今天？"怀玉也幸灾乐祸地，吐了一口气。他有今天因为他，而他自己，也有今天了。怀玉一口把酒干掉。突地，酒把他呛住。自语：

"我还有得再起么？"

段娉婷听着，犹在笑：

"他的得力助手也不得力了，看那史仲明，看他身边一个一个——"

怀玉突地听不见对面那奇异的声音奇异的笑语。他身边……他身边……这"东西"像硬碰了他一下，他断断续续地在心底吞吐迟疑，宣诸于口：

"她，知道么？"

"她？宋牡丹那贱货？她那土包子知得多少？说不定还蒙

在鼓里，做她春秋明星梦——明星可不是人人都当得起的！"

怀玉挣扎半晌，终于他也发出奇异的声音，连自己也认不出来：

"我得告诉她。让她自保。"

段娉婷一怔，暗锁了双眉。

即使宋牡丹那么的整治他，到了这危急关头，他反倒去救她了？

真可笑，他从没想过保护自己，他去保护她的对头。

"她这样对你，你还肉烂骨头软？她究竟是什么东西？巴不得姓金的卖了她去还债！"

"她……不过小时候的朋友。"怀玉一念，这决非支撑他的力量，只是，他非在水深火热中拉她一把。古老的戏文，都讲情重义，称兄道弟，他如何背叛那个道理，企图说服目下的女人：

"秋萍——"

只这一唤，便把她的眼泪唤出来。不知谁家仙乐飘送，撩乱衷肠，她哀伤地看着他，他又唤她一早已深埋的本名，那俗不可耐的本名。她本命的克星。她一字一顿："你不要去！"

她竭尽所能的吻他，含糊地：

"你你，不要去，我怕！"太危险了！她会失去。

他开解着："你听我说，听我说——我把情势告诉她，劝她回北平去，现在回头也还可以，我不能见死不救。秋萍，你听我说好不好？——她纵有千般不对，不过因为年岁小，心胸窄。你比她大一点，你就权且——"

还没说得明白，段娉婷蓦地鸣金收兵一般，萎顿下来。她停了吻，停了思想，停了一切的猜测和不忿。

恐怖！

是的，恐怖。什么都不是，只有"年岁"是她的致命伤，她永远永远，都比她大一点，终生都敌不过她。是因为年岁。她不能不敏感地跌坐，就一跌坐，自那大镜中见到遥远的俪影。这一秒照着，下一秒就更老了，刚才熟悉的影儿也就死了，难逃一死。她的青春快将用罄。为赌这一口气，她非得把他攫回来。

她强制着颤抖：

"你一定要去的话……去吧。去去去！"她赶他："去，不要回来！"一叠声的"去"，与肺腑相违。

怀玉强调道：

"在北平，另有个等着牡丹的人。"

"是吗？"

段娉婷一想，事态可疑："那，为什么留在上海？为什么要跟了姓金的？她坏给谁看？"

"秋萍，"怀玉省起最重要的一点："我怎么找得到她？"

哦，当然找不到，你以为凭谁都找得到金先生的女人么？这门径可是要"买"的，出高价。她还为他打听？为他买？那有如此便宜的事？铺好路让狗男女幽会？

"我怎么知道？"

怀玉脑筋一转，便披衣要出门。他也想到了。段娉婷垂死挣扎：

"真要去？挑什么地点会面？众目睽睽，老虎头上动土？"

这一说，怀玉又拧了："我知道有个清静的地方——"

他已经会得安排，也有钱了，他要去：

"你且放过我一回好不好？"

门终被轻轻地关上。

段娉婷面对着那裱花的奶油大蛋糕，不曾喝尽的酒，不肯定的男人，依旧美丽但又不保险的自己，忽地擦擦眼睛。

她狂笑起来，便把蛋糕摔死，一地混沌的。

"好！不是你死，便是我亡！"

如果不是气到极点，怎能这样的笑？放过？他一定心里有鬼，再思再想，血液也沸腾了，流到哪一处，哪一处的皮肉就不由自主地滚烫，十分难受。几乎没被妒焰烧死。眼睛不觉一闪，如墓穴中一点蓝绿的复仇的鬼火。

非得把他攫回来！明枪易挡，暗箭难防。她拎起听筒——

对，要他去管她。

是金先生接的德律风。

他在这一头，正与史仲明剑拔弩张谈事情，谁知来了一个措手不及但又意料之中的消息，彼方是个悚然自危的女人，把自尊扔过一旁，强装镇定的嘲弄他："我都不知你面子往那儿搁了。"

金先生平淡地回话：

"哦，你倒不关心自己的面子？对不起，这没啥大不了。"

"他俩是老相好。"

"我俩难道不是老相好？哈哈！天下无不散之筵席呢。我还有点正经事儿要收拾，再见了。"

史仲明被这一中断，正谈着事情，也不免好生疑惑，但又没问。只见金先生若无其事地又继续了。他无意地觉察他眼神有点古怪，酸涩而又险恶。

如果不是追随他那么久了，肯定不会明白。

但实在因为追随他那么久了，他完全明白他，一到利害关头，这下可好，考验自己的真本事来了。

他也有点紧张，像牌局中，看对手打出一只什么牌。他输定了，不过也不能看扁他，谁知是否留了一记杀手锏？

史仲明机警聪明地处处先为他着想：

"金先生，您尽可考虑，不过，不宜耽搁，不然晚了，事情不好办，我也不愿意牵丝扳藤的。"

金啸风一笑：

"仲明，你看来十拿九稳，倒像三只指头捏田螺似的。"

"不，金先生，我不过受人所托。而且，银行陷入无法应付的境地了，也得有人出来策划收拾。"

史仲明提出来的，真是狠辣而高明了。谁的主意？

看中了他浙江路上那块地皮，和建造的一批弄堂房子，说是世界性的经济危机，若银根紧了，到时降价抛售以求现金周转，便无人问津。对，他是看他日夜银行头寸枯竭，便来洽商生意，不过也救不了燃眉之急。

"金先生，话倒是有，我不敢说。"

他有点不耐烦："有话就说，我没工夫打哑谜。"

"他们要乐世界和名下的交易所。日夜银行您可以挂个名，占小股。不过说真格的，目标倒在烟土上。一切守秘，整个上海滩不会有人知道。"

金啸风一听，暗暗吃惊。

真绝！

乘他落难，并吞来了。当然目标在烟土，法租界里头有十家大的鸦片商，统统是他金某人一手控制，其他小的烟贩跟烟馆，则由这十家分别掌握。每逢有特别的大买卖，便抽出"孝敬"他的钱；一年三节：春节、端阳、中秋，他开口要，烟商也就商量凑数，给他送过去，不敢讨价还价。

烟商之所以给他这个面子，自然因为他有"力量"去庇护，即使官门查禁，雷声极大时，他也能把"包打听"打发掉。

有一日在吴淞渔船中，查出私土，值一百万元，曾经被扣留若干时日，不久即开释了，报上都登了，私土来自云南、福建、四川、贵州、广东等省，分作重一磅或二磅一包，作圆球形……这批"圆球"，不了了之。

他的"力量"何来？他心里明白。

而烟土，正是他的财路。

一旦他庇护不了，谁买他这个账？

只要他"急流勇退"，马上便里弄传扬。

"整个上海滩不会有人知道"？连小囡也骗不倒。

这史仲明，三分颜色上了大红，竟连他金某人也看作小囡了？

谁起来，谁倒下，天天都发生着。慨叹梦里不知身是客，一晌贪欢。

这么的心狠手辣，着着占了先机？

"是谁？"

"金先生我不方便说。"

"可是郑先生？"

"……有他一份。"

"背后呢？"

"真不方便说。只推我出面跟您谈，因为我跟您比较熟。"

金啸风冷冷一笑，到底是熟人。

"哦？案中有案似的？"

"您自己推测也罢。我只是个兵，不好泄漏太多。"

背后操纵？从郑先生想起……啊，金啸风一身冷汗。

这郑智廉是官门之后，他对做生意一道，毫无机心，但"官门"，他明白了。

仿佛是突地豁然开朗。

他明白了。

在上海，他太显赫了，挥金如土，一呼百诺，好些达官贵人军政要角，见了还都矮一截，看他颜色。

实实在在，也功高震主。难道社会上党国间，容得下这尾大不掉的人物么？就是无处下手。好了，如今借了一点时势，看他是从自身腐败起的，由里坏向外，他不稳妥了，真的，不过是借题发挥，大笔一挥，乘势物换星移去。也许不必三天，另有一番人事。但也给他面子，倩人说项，好话说尽，只道协助他过关。

过了这一关，过不了那一关。都是生死关头。

金啸风涔涔的渗出冷汗，就像正有数百双凌厉的眼睛，在监视他交出帅印，他的信心，排山倒海般竟仆到史仲明前。风满楼中，尽是五色花灯乱转。

心胆俱寒。

他感到头顶上，的确来了朵乌云。雷电不响，只在他心中闷哼。一波未平，一波又起，不，波已平，波不起。他颓然。已是强弩之末："让我想一想。"

"好吧。"

"仲明。我其实也想问，你当然有好处——"

"也没什么好处，瞎忙。不过金先生，也许我得养些兵。'养兵千日，用在一朝'呢。"

金啸风恍然大悟。

史仲明，好！原来就是受不了这句话。

他倒戈了，倒戈相向，自然也就高升了。从前有自己在，他只是八仙桌旁的老九，坐不到应有的位置。自己不在，顺理成章，他也不是好惹的——到底追随那么久了。最后一击，才显了本事，现了原形。

"仲明，你不失是条好汉子。我的事我会好好考虑。但因你曾是我的人，不得不借重最后一遭——"

忽闻办公桌上一阵急铃。

"喂——"不想听，到底还是要听。

"金先生，不好了！"是日夜银行的司理："有个老太太在哭嚷！说是银行倒闭，她连个棺材也混不上，一头碰墙寻死觅活，现在给送院去。金先生这里情形太糟，我们也出不得门，巡捕快控制不了——"

"……放心吧，事情有转机了，局面马上就明朗了。"

他无力地把听筒搁下。是的，他不会死，他肯定混得上一副好棺备用。他只是衰退，消逝。回首更似一场梦——马上想起乐世界落成那天，他神采飞扬地站在人丛之中，扬言："这是上海惟一的娱乐大本营！"

他也就把其他小一号的游戏场一一击败，方可独树一帜，世情往往如此：此消彼长。冉冉物华休。

史仲明把握一个最好的时机，自上衣口袋中拎出一张票子。像是预设的陷阱，只待他一脚踏空。他指指上头的数字。

金啸风一瞥：

"是这数目了？"

"绰绰有余吧金先生？"

"以后你还唤我'金先生'？"他一笑："或者——'老金'？"

史仲明坚定而又深藏，还以一笑：

"还是一样：金先生。"

"好，好。仲明，你为我跑最后一遭。"史仲明满腹疑团地看着他。

丹丹此刻也竟接了个奇怪的德律风。

一拎起听筒："喂——"

半响，没话。她又喊："喂——"

听筒沉默。

对方没有搁上。她看看时钟的双臂，是夜里一时五十分。似一个人打开了怀抱，又不致于全盘的打开，有点迟疑。钟摆摇晃着，滴答滴答，实在也累了。在这屏息静气的夜里，神秘而又恐怖："谁？"

"是我，怀玉。"

丹丹陡地一震，像有只遥远的孤魂，忽自听筒窜出来，马上充斥了一室，怎么办怎么办？她自己也魂不附体。

是电风琴的音韵，如果唱出来，那就是：

平安夜，

圣善夜，

万暗中，

光华射……

还有三天就过圣诞节了，上海比较摩登的男女都以参加圣诞舞会为荣，得不到机会的，惟有到教堂静默祷告。

只有这两个来自北平的异乡人，不知什么兰因絮果，在上帝的面前重逢。

全身都有些麻木，一颗心却是突突、突突乱跳。彼此不知该靠得近些，还是远着——彼此身体，似乎都交由另外的人监管，已经不是天然。

丹丹是头一回来到这三马路转角的圣三一堂，怀玉不是。同样的位置，他又面对另一个女人。

丹丹只很懵懂地看着这电影里头的男主角。电影没有了，什么都没有了，男主角还在——她最初的男主角。

她有点愤怒，丢人现眼，为什么竟由他告诉她？表演了一场伟大，担当救亡工作？她身边男人的事，自己知道得最晚？

怀玉道：

"钱，车票，我会给你弄妥。你走吧。没了靠山，很危险，犯不着。"

"不，这难不倒我……"丹丹支撑着。付出了一切，换不回什么？她惟有支撑着。

"到底不是咱的地土。"

"你要收手了？"

"——我是劝你收手，你不敢回去当个安分守己的人？"

"嘿，唐怀玉，"丹丹冷笑："你回北平，还有面目见江东父老？所以你不敢，我不是不敢，我是不肯！我们都损失了，回头还来得及么？——"

丹丹忽地猛力抓住他的手，不够，她的手一松，再紧紧地没命地搂住他，颤抖得什么都听不见。把自己的胸膛抵住他的，恨不得把他镶嵌在身上：

"我跟你走！"

又道："你不走，我也不走！"

再道："就一块在上海往下沉。"

唐怀玉想起丹丹当初也曾这样明明的威胁过他的。

心里有排山倒海的悔意——原来他辜负了她。他已忘了，她犹念念。一切的作为，只博取今天。

预感会有这一天，一定有这一天，他提心吊胆，提起的心，有阵伤痛。

他拥着她，非常骇人，好像经过一场激烈的追逐，不可以再让她逃脱了，他再也没有气力了，这已经是个残局，不加收抬，还有什么机会？——也许明天就完了。

喉头咕噜了一下，仿佛有个潜藏的主意伺机爆发，一路的
挣扎，末了忍不住硬冲出来：

"走吧！"

她惊诧他马上意动，不知道原来是一直的彷徨。

"到那儿？你说。"

"——杭州？"

"那是什么地方？"

"你别管。让我管！"

心像展开翅膀向前狂飞，都不知杭州有什么？在哪儿？只
是如箭在弦，不得不发。预感会有这一天。

哦，他的魂魄终也低头了。他终也压倒他那苦苦的维持支
撑。丹丹偷偷抿嘴一笑，就像那冤沉黄浦的魂，飘渺回到她手
上。手上的怀玉。

她勉强嘲笑自己的激动，只得掩饰着，一个劲儿狂乱地吻
他，他的脸，他的腮帮，他的额，他的嘴，他的人。教堂中，
开始有侧目的人。

他控制她：

"这里不行，现在不行——"

她羞耻地停住。

怀玉在她耳畔：

"我们还有一生！"

"真的？"

他想了又想，想了又想。

"真的！"

——呀，经过了三思，可见他不愿意骗她。丹丹很放心。
他奋勇豁出去了。

她凄凉地，再也没有眼泪："我这样的堕落，完全为了你！"

万般的仇恨，敌不过片刻温存。

他们都彻底原谅了对方，不管发生过什么越轨道的事儿。

杭州？

是，遂相约了三天之后在火车站会面。如此一走，多么的像一对奸夫淫妇。

丹丹竟有着按捺不住的罪恶快感，他们快要对不起身边所有的人，先图自己的快活，只为自己打算。是他们垫高了他俩，一脚踏上宝座。

怀玉有点歆歙："——只是，志高……"

"你为志高想，怎不为我想？"

"丹丹，要是我找你，铃声响了三下就挂上了，那表示：I LOVE YOU！"

"什么？"

"是英文——"

"怀玉哥，我不要听英文！"明知他从哪儿学来的英文，醋意冒涌："我以后也不要听英文。你也不许说英文。"

"真的，"怀玉也觉肉麻了："我原本只是个唱戏的，这都不是我份内。"

又听到电风琴的悠扬乐韵了，也是"英文"似的，十分渺茫，不知来自什么年代什么地域，一千九百三十多年以前的一个新生。他们在神圣的地方决定作奸犯科的计划，三天后便实行了。无比的兴奋。仿佛人生下来便等这一天。

最后她又紧拥他一下才走，没有不舍。他们还有一生。

她掩人耳目地先走了。出到这九江路，大伙喊它二马路，她便迷失了，只见人群在身畔打着转，朔风在发间回旋，冬日的太阳迷惑温暖，附近有两家糖食店贴邻开着，招牌都标着"文魁斋"，都说自己是正牌老牌，别家是假冒，更赌咒似地绘着乌龟，大大的自白书："天晓得"。

丹丹一笑。看谁才是正牌老牌！只觉此时此地没一样是她认识的，天晓得，她终于有一个人——好落叶归根了。

耳畔还有怀玉的叮咛：

"你认得路么？"

丹丹自个儿一笑，很得意：

"我自己的路，当然认得怎么走。"

待得丹丹走远了，无影踪了，怀玉徐徐自红教堂出来，心里盘算着，如何面对段娉婷的一份情义，好不难过——爱的来去，真奇怪，说时迟那时快……

正走着，后面仿佛跟上些人，回头一看，不过是圣三一堂里的善男信女，全是上帝的羔羊，刚才还在同一片瓦下祷告，各有自己的忏情。

怀玉不以为然地低首慢行，不觉来至转角冷僻小里弄，冷不提防，便窜上来几个人！还是那些人，不过，怀玉心知有异。当下，只听得那貌甚敦厚谦和的肿眼睑汉子喝令：

"唐怀玉，站住！"

怀玉头也不回，只暗暗凝神，耳听四方。是什么来头的？是他的密约图穷匕现么？照说这神圣的地方，没有谁知道。

"你们想干什么？"

"无啥，不过受人所托，小事一桩。想向你借点东西用用——"

他话还未了，怀玉但见四面楚歌，局势不妙，想必不是善类，"借点东西"？

遂先发制人，不由分说已展开架势，打将起来。他总是被

443

围攻的，矫健的身子又再在这里弄中翻腾飞扑了——只是，这不是戏，一切招式没有因由，每个人都来夺命，一点也不放松，事已至此，他也顾不得什么了？这些流氓，来自谁的手底下？

但为了三天之后的新生，他决要为她打上一架，在他最清醒的一刹，也就是最拼命的一刹，他一定要活着。

上海是个危机四伏的地方——不过他一定要活着！

忽地，对手都停手退开了，怀玉一身血污啉啉的空拳乱击，一时煞不住掣，有点诧异。蓦然回首，天地顿时变色。

怀玉凄厉惨叫一声。

恐怖痛楚的惨叫声，便把这死角给划破了。梧桐秃枝底下，抱着一头小狗过路的女人吓呆了。

淫风四怖的上海，拆白党太多，寂寞的女人有时相信一头狗，多于一个男人。女主人都喜欢在日间亲昵地拥吻着她的宠物，夜里享受它们那灵活又伶俐的长舌头。

这抱着小狗的女主人，乍见一个跌跌撞撞的男人，今天又不知是谁遭殃了？庆幸她爱的只是"它"，不是"他"，遂急急的与她那不寻常的爱人扬长而去。当她需要慰藉之际，完全没有风险。

众亦扬长而去。只留下一阵冷笑来衬托呻吟。

"借了的东西，有机会再还你吧！"

上海市的路灯亮了。

与此同时，乐世界的灯，一盏一盏的灭了。红绿的灯饰乍灭，夜空呈现一片单调乏味的宝蓝色，只在人的错觉里，还留着痕迹。

金啸风默默而又稳重地，一步一步，走出他一手缔造的王国。国策也是"先安内，后攘外"。回家。

不是回到巨籁达路的公馆，而是到了霞飞路的宋寓，即使什么也没有了，他都会竭尽全力保存这个小小的安乐窝，给他小小的女人一直住下去，住下去，伴着他。想起他派予史仲明的最后任务，虽是时移势易，难得他欣然允诺："好！一切包在我身上！"不是活络门闩。

但觉仲明还是忠心的，不枉他看顾他多年了。

他跟丹丹道：

"小丹，我有点累，要躺一会。"

丹丹一语不发，因心中另外有事，听了便感内疚。在他落难的一刻，她竟计划着她处心积虑的风流，心里一软，酸楚的，便也默默地依偎着这迟暮的英雄，一动不动，直至他放心地沉睡了。

他睡得最熟的时候，还是紧抓着她不放的，只要她有点不安定，在梦中，他依旧手到擒来。

抓住一只蛹，不知道她在里头诡变，一意化蝶冲天。

正是圣诞节的那天。

为了一早赶事，丹丹并没睡好，天一亮更睡不住。她倒有点奇怪，听来的"私奔"故事，十恶不赦，干这勾当的人，都是摸黑的，瞻前顾后，慌惶失措。然而她太顺利了，只像出个门，心里牵念，身子却是自由。这两天，金先生竟没来过。这个一手栽植她的男人，他不知道自己背叛了他。

自己也不知道往后的日子，只是天地悠悠，此生悠悠。已在梵皇陀路西站等了一阵。

到杭州去的是早班车，不到七时，车站也挤满了人，有去玩儿的，也有去结婚的呢。便见两对新人，女的模样很相像，猜是姊妹了，都穿得很登样，别了朵红绸花在襟头，身畔陪了新郎倌似的男人，轻怜蜜爱，看得人好不羡妒。四人各提了装得满满的皮包，正搀扶上车去。他们买的只是三等硬席，不过喜气遮盖了一切，即使他们根本找不到舒适的座位，要站到杭州去，还是此生最值得纪念的一天呀。难怪新娘子毫不在乎。她看着他的眼睛，直看到心窝。

忽地便听见一声长鸣。七时十五分，火车开动了。怀玉还没来。

丹丹记得是怀玉管的车票，便又再等，下一班？要等到九时四十五分。她不怕他失约失信，他不是这样的人。她是怕他逃不出来。

这样的信靠，她最明白了：他曾躲避她，越躲避，是越想跟她在一块。现今分明了，大胆而迷惑的，做一次案，渺茫中令她感觉到一种比他俩相加起来还更大的劲头儿，催促二人，投身水深火热，旁若无人，目中无人。然而又等到了九时三十分。她疲倦了，开始有点骚乱，只把皮毛领子又裹又松。四下里的旅客已然换过一批，此中有否奔赴杭州蜜月去的新人？她已无心一顾。

她烦躁地重重地又在木椅上坐下来。一声长鸣又带走她的希望。

下一班？是晚车了。直至有个披黑长大衣，戴着呢帽的身影走近，她装作不在意，等他来负荆请罪。一开口，原来是史仲明："宋小姐，我有话跟你说——唐怀玉不来了！"

丹丹只觉一阵地暗天昏，心灰志堕。

剧烈的疼。

剧烈的疼。

这种疼痛是突袭的，陡地一下，像一把利钻，打眼睛钻起，钻进鼻腔，撬开喉头，直插五脏六腑……

熊熊地燃烧，双目干涩、滚烫。怀玉只觉有种怪异的惨呼，自他牙关窜出。完全不经己意，不知所措。

发生了什么事？

他急急地捂住眼睛，发疯似地，重重地东西跌撞，太重了，证明自己尚在人间。只是脸疼得扭曲了，皮肉都绷紧。不住的哆嗦，浑身战抖、发冷。

发生了什么事？

紧咬下唇，止不住疼，唇上渗出血痕来。

只听得紧弦急管在头脑里轰鸣，一下一下，一下一下，尖刮的粗钝的，头脑快要炸开，涌出血泉。

"……借了的东西，有机会再还你吧"

再还你吧！

再还你吧！

他连那下毒手的人是谁，都不清楚，他如何还他？

——他究竟借的是啥？

怀玉丑陋而疯癫地翻滚呻吟，痛苦征服了他，他倒身红尘，一脸的石灰。

石灰把他一双眼睛，生生烧瞎了。

自一个又一个惊恐万状的恶梦中悸动挣扎，每一回，几乎是直跳起来。

奋力张开眼睛，张至最尽，四下回望，四下回望……那么着力，眼眶为之出血，什么都见不到，什么都见不到。

怀玉发出可怖的叫声，双手叉捏着自己的脖子，脸上愤怒得红通通，不断地喘着气，像是一头陷于绝境的黑马，谁碰它一下，都要把对方一脚踢死。

忽地，一双温柔绵蜜的玉手，便来抚慰着他。

不知过了多少晨昏……

耳畔一阵软语："唐，唐，我们到杭州来了。你听，下雪的声音。雪下到断桥上了。"

下雪的声音？下雪的声音？怀玉顿觉他的耳朵比前灵敏了，不但听得雪下，也听得泪下，遥远的泪。

门铃一响，丹丹在沙发上直弹而起，好似被世上最尖锐的针刺了一下。

她控制不了，手足都失措，连门也不会开了。佣人自防眼一望，回首问：

"小姐，是送东西来的。"

"谁着他送来？"

"金先生。"

再晚一点，金先生人也来了。问道：

"东西呢？"

原来心神不属的丹丹，不知就里，只往墙角一搁，是老大的两个箱子。打开一看，每个箱子有二十四瓶褐色的液体。

瓶子是昏昏沉沉的绿色，隐约明昧。

"小丹，来尝尝，这是可口可乐。"

这种是外国人的"汽水"。汽水？丹丹没喝过，听说在清时，唤作"荷兰水"，很贵。而这可口可乐，年初刚来上海设厂制造，大家开始学习享用它。

丹丹一瞥：

"瓶子颜色多像双妹牌花露水——"

"这可是摩登饮品。年初他们设厂时，说上了轨道，给我送几箱来，等到现在才送。"

年初。年初人人都知道有金先生。年底就不一样了，亏这可口可乐厂的东主，还是给这面子，深究起来，反倒有点讽刺了。

丹丹拎起一瓶，看了又看：

"好喝么？倒情愿喝酸梅汤。"

"北平的酸梅汤？"

"是。一到热天，就到琉璃厂信远斋喝冰镇酸梅汤。青铜的冰盏儿，要打出各样花点儿来。"她用心地详尽地说一遍。

"念着家乡了？"

"北平不能算是家乡。"

"哪里才是？天津？济南？石家庄？郑州？苏州？——杭州？"

金啸风随意一坐，眯眯笑。丹丹轻轻摇首："哪里都不是。"

"要哪里都不是，干脆耽上海好吧？上海滩可没亏待过你宋小姐呢。"

"对，我要习惯把上海当家乡了。"

"那不如先习惯喝可口可乐。你大概不知道，整个中国，要有啥新鲜，总是上海占了先机，还轮不到北平，或者什么苏州、杭州的。"

丹丹垂下眼睛，微微一抖，头接着也垂下了，只顾专心把玩着手中一瓶可口可乐，手指随着那白色的英文字纠缠着，一圈一圈。

金啸风的手放在她半露的颈项上，也在打着圈圈。忽然失去控制，粗暴地问：

"我的事，你知道么？"

"——知道一点。"

"你看着我！"他命令。

她不肯，存心不肯就范。

金啸风不管了，就强捧着她一张小脸，正正相对。

"适时应世，是我与生俱来的看家本领。过一阵，当我东山再起，我要你一直在我身边！我要你知道，我金某人是打不死的！"

"金先生我知道。"丹丹也正正对着他的脸："你是个了不起的人物。你倒像个没事人一样，就把缶拉缶七的东西处理掉，迈着四六步儿，不慌不忙的又来了，我很敬佩你！"

丹丹闪闪眼睛，浅浅一笑：

"今天不谈其他，先喝一点摩登的饮品。我去给你斟来满满一杯。"

"不，一开瓶，就麦管可以了。"

"——我给你倒进杯子里头，好喝点。"一旋身，她便进厨房打点去。

还在扬声："我要你天天来，我天天陪你喝。"褐色液体在玻璃杯中直冒泡，细如微尘的心事重重的泡。

他伸手接过："在这寒冬里，喝这冰冷的东西，够呛！你先尝一口？"

"我？"丹丹狡黠地瞅他一眼："我早已经偷偷尝过了，不好喝，辣的，苦的。受不了！"然后孜孜再献媚。

"下面给你吃——我又学会了几种新花样。"

不一会，便热腾腾的殷勤地上了桌。

民国廿二年

冬

杭州

杭州有数不清的桥。

单以苏堤、白堤、孤山、葛岭一带而言，就有十来廿座了。

不过大伙都记不清它们的名儿，惟有断桥，却是家喻户晓，每个来杭州一趟的旅人过客，都踏足这原来唤作"段家桥"的断桥。

段娉婷不过是头一回踏足，偏生一种亲热，这是"段家"，是她的家——她骤觉惊心动魄，好似冥冥中，数千年前，真的安排了她一则因缘了。

断桥既不是建筑奇古，也没金雕玉砌，说来说去，甚至没断过。这座十分平凡的桥，不及苏堤六桥漂亮。

它只是独孔、拱形，两侧为青石栏杆，它的魅力，段娉婷想，是因为于此白蛇终也得不到许仙吧？

圣诞过了，元旦也过了，又是新的一年。

冬天过了，银妆素裹的桥头只余残雪，雪晴了，他也好起来。

段娉婷实在太窝心了。今天是她大婚的好日子。怀玉看不见她一身鲜妍的打扮，那不要紧，他摸得到，他还摸得到一张大红的结婚证书，可以在适当的位置上，签上他肯定的名字。

没有证婚人，但那也不要紧，整整的一座段家桥便是明证，还有雪晴了的西湖——也许还有被镇在雷峰塔底的白素贞。

她指引他。

"这里，是——"

为他蘸满了墨，淋漓的挥笔。

"唐，我们来了，谁也不知道。真的，很荒谬，两个最当红的明星退出影坛了，谁也不知道。"

"——也许日后的历史会记载吧？"

"怎么会？我也不要了。"

唐怀玉念到韶华盛极，不过刹那风光。电影进入有声新纪元，却从此没他的份。他想说些什么，但段一手捂住他的嘴：

"不让你说任何话。说不出来的那句，才是真话。"

然后轮到她签名了，签到"婷"字，狠狠地往上一钩。一钩，意犹未尽，又加了括号，括上"秋萍"。

铁案如山。

段娉婷实在太窝心了。

一般的爱恋都不得善终，所以民间流传下来，女人的爱恋情史都是不团圆的，不过她满意了。获致最后胜利。得不到善终的因缘，是因为爱得不足够吧——她做得真好，忍不住要称颂自己一番。

西湖上也有些过路的，见到一个女子，依傍着一个戴了墨镜的男子，有点面善，不过到底因远着呢，又隔了银幕，又隔了个二人世界，也认不出来了，今后谁也认不出谁来了。

段娉婷的脑袋空空洞洞，心却填得满满，真的，地老天荒。

她如释重负。

唐怀玉在她手上，在她身边，谁也夺不去。今不如昔，今当胜昔，相依过尽这茫茫的一生。

"唐，你记得么？我说过没有孩子的，不过也许很快便有了。你要几个？"

她开始过她向往的生涯了——最好的，便是他永远无法得知她是如何的老去，他永远记得她的美丽她的雍容她的笑靥。永洗不清。

音容宛在。

454

万一她也腐败沦落了，他的回忆中她总是一个永恒不变的红颜知己。知己知彼，所以她胜了。

真是吃力的长途赛，不是跳浜，是马拉松。成王败寇，看谁到得终点？

有些蛹，过分自信，终也化不成蝶，要不是被寒天冻僵了，要不遭了横祸，要不被顽童误撞跌倒，践成肉酱。任何准备都不保险。

——她之所以化成彩蝶，徜徉在杭州西湖，一只寒蝶。当然，一山还有一山高，强中自有强中手，她的灵魂里头，硬是有着比其他女子毒辣而聪敏的成分。这是她江湖打滚的最后一遭了。谁知她有没有促成一场横祸，不过一场横祸却造就了她。

怀玉轻叹了一声，便不言不语。

他的不幸倒是大幸。从此身陷温香软玉的囹圄，心如止水，无限苍凉。不过一年他就老了，他醒了他睡了，自己都不知道，只道一睡如死。好死不如赖着活，他又活着了。

北平广和楼第一武生。

上海凌霄大舞台第一武生。

中国第一部有声电影《人面桃花》的第一男主角。他的妻，段娉婷，是默片第一女明星。

他又目睹了上海滩第一号闻人金啸风坍台了。

这几个的"第一"。

短短廿二岁，他就过完一生了。

在怀玉"生不如死"的日子当中，他看不见雪融，只觉天渐暖，相思如扣。

每当他沉默下来时，心头总有一只手，一笔一笔的，四下上落，写就一个一个字，字都是一样。

丹丹一定恨他失约，恨他遗弃。终生的恨。连番的失约，连番的遗弃，最后都叫她苦楚。要是她终生不原谅自己，那还好一点，要是她知道了，她又可以怎么办？

——哦她曾经有一头浓密放任的黑的长发。满目是黑，当真应了，像他今天。

荷花是什么颜色的？黑的。一岁枯荣，荷塘藏了藕，藕也是黑的。西湖余杭三家村挖藕榨汁去渣晒粉，便成就了段娉婷手中一碗藕粉。在怀玉感觉中，那么清甜的，漾着桂花荷香的藕粉，也是黑的。

莼菜是黑的，虎跑水是黑的，醋鱼是黑的，蜜汁火方、龙井虾仁、东坡肉、脆炸响铃、冰糖甲鱼……他在慌乱中，一手便把那盘子炒蟮糊横扫，跌得一地震动，满心凄酸。一生太长了——

还有什么指望？他不是空白，他是一个无底的深潭。

桃花潭水还只是三千尺，他却无底，无穷无尽，无晨无昏。

民国廿三年

春、

上海

丹丹略为不安地看着金先生那才吃过几口，便一阵痉挛，推倒一桌的面条。

"金先生，炒蟹糊下面呢。不对胃口么？"说来倒有一点委曲，嘟囔着。

"不。"他道："嗓子干，给我一杯水。面很好吃。"

金啸风寻思，真的老了，近日神气差了，疲倦急躁，不，他一定得挺住，别让他惟一的女人瞧不起！

"可口可乐，好不好？"

金啸风忽地紧紧地抓住丹丹的手，良久，道："也好。"

她觉察到了，在这剧变的岁月里，他不但老了点，也虚弱了点。毕竟，他的尊严叫他要花费多一倍的力气去应付自己的末路，他不忍见自己末路。但他腰没有弯，两肩一般的宽，意志不可摧折，刚一不慎，只是眼神出卖了他。最厉害的眼睛，也有悲哀的一刹。

丹丹带着体谅的笑容：

"这几天你上哪儿去？干些什么？"

"我？这几天，这十天，你对我特别的好，我觉得什么都不冤枉。刚才上哪儿？去沐浴，理个发，换件好衣服——"

"有节目么？"

"没节目，气色不好。"

"见谁去？"

"记者。"金啸风道："我要他写一篇《访金啸风先生记》，要他把我写就一贯的，不变的金啸风。还拍了相片。稿子后天登出来。"

丹丹疑惑地看着他。

"还提到下个月陆海军副总司令来海上游览时，将出席欢迎大会，尽地主之谊……谈了很多。稿子后天登出来。"

"后天么？"

"是。你会看报吧？"正说着，金啸风又一阵的不适，真奇怪，总是松一阵紧一阵似的。他有点尴尬。

坚决而又客气地支开了：

"给我倒点可口可乐来？"

她抽身而退：

"我不看，我什么也不看了。"

他的眼神盯着她的背影出神。冒出一种不可抑制的火，冰冷的火，燃烧不着他人，只燃烧着自己。

他还是高贵的，永垂不朽，人人都记得他。脑子里起了细微的骚乱——他到底没倒在一切对手的面前。

丹丹递给他一杯解渴的液体。可口可乐，为什么是可口可乐？因为它的颜色深不可测，味道怪不可忍，它是一种巫魇的药。

金啸风新理了个发，花白的头发短了，漾着清香的发油，看上去稍微滑稽——每个新理发的人，都跟往常不同。

他接过玻璃杯子，试着把注意力移到丹丹脸上，不管她说什么，他努力地听，或是努力地不听。

然而他举起杯来，免不了，也把液体溅出了一点，洒在好衣服上，如一小滩已经变色的，陈年的血。

她看来是愉快的，只想伺候他吃喝，简单而又原始的愿望，让他吃好的喝好的。这十天来，还常常变换花样来下面。昨天给他三虾面，用虾仁儿、虾脑、虾子加上调料炒好，浇盖在汤面上。今天吃的是鳝糊面。

真是用心良苦。

他看她，看得很深。

他从来没受过任何威胁，终于用一种很潇洒的姿态，仰首把可口可乐一饮而尽，因为冒着气泡的关系，一下狂饮，喉头便大受刺激，他一边咳嗽，一边很放任地笑起来："再来一杯吧！"

丹丹也一直的看他，看得很深。

等到他喝完了，方才记得挂上一丝笑容，她脱胎换骨地满心欣悦，容光焕发，一瞬间像个生命的主宰，眼睛发出自己也难以置信的光采，眼角一点小小的泪痣乌亮，连皮肤也兴奋而绷紧。

好，再来一杯。

当她再来时，金先生不在厅里。

他像一头倦极欲眠的困兽，末了还是爬到他的隐所去，他的灵魂游荡于这小小的金屋之内，一切的声音在耳朵边模糊起来，金先生觉得奇冷。然而大颗的汗滚下两颊，渐渐的，浑身沐浴在方寸枕褥间，四周都是寒意。脸开始变成紫色，喘息着。

见丹丹又给他倒了满满的一杯可口可乐。但却犹豫着，这一刻，他堕入感动的惊奇和陶醉中。

他早已明白了！

然而这沉溺于爱恋的瘾君子如何自拔？到底她为他的所作所为花了一生的心思。金先生傲然地取笑道：

"小丹，你心不够狠……你就不肯下重一点！"

丹丹的脸，登时一热，一身的血，全急冲上脑仁儿。她恐怖地看着金啸风。

就像图穷匕现的刺客。

她僵住。杯子摔了，人也恍惚了。十根指头一时间无法收回，像一头猫，猛地腾身伸出两爪，来不及下地，在半空便被一阵狂雪急冻，终于僵住。

耳畔只有他的话："……你就不肯下重一点！"

洪亮得如鸣锣响钹，一下一下的扩大，有非常的威力，在她太阳穴锤打攻击。

她的阴谋败露了，变得狰狞起来——她一点都不觉察，是在心底最深之处，略一犹豫，他识破了她。他在什么时候竟明白了？

丹丹其实还是愤怒的，原以为天衣无缝的计划，一下子变成幼稚可笑，生死有命——是，不过金啸风这个狠辣的魔头，还是决意把一切玩弄于自己股掌之上。

她但觉窝囊。一生都做不到半件大事。此刻也坏了。

他哆嗦中，忍着剧痛，抽出一把手枪来。直指向她："不准过来！"

她认得那手枪。她用过。

他昂起头来，痛楚而又威严地吩咐他的后事，态度傲岸，轮廓分明，纵使他在末路，他还是个英雄。他任由脸颊继续改变颜色，血脉要破肤而出，皱摺的皮肤仿佛重新充满弹力，他精壮的日子回来了，他的口吻是命令：

"一、让我的相片和访问稿子正常地刊出，让世人知道我挺得住。二、我花了一万元买好了一副上等楠木棺材，我的葬礼要风光，然后大火一烧，骨灰给撒在黄浦江上。三、后事交给程仕林，别交给史仲明，我一直没瞧得上仕林，难得到了今天，他倒是惟一最忠心的。四、我不准你迈过来一步，我要死在自己——"

丹丹奸狡地盯着，盯着，盯着，当他吩咐后事的时候，她的微笑混杂着讽刺。

她一步一步的上前了。

他"对付"了唐怀玉，哪有这样便宜，自行了断？史仲明告诉她："唐怀玉不来了，金先生对付了他！"

她陡地咿牙呲齿地飞扑至床头，即使是残命一条，她也要自己来收拾！

丹丹咆哮一声，不管手中拎到什么，悉数覆盖在这末路英雄的口鼻上，蒙了一头一脸，软缎的枕被，滑不溜手，三方疯狂挣扎，难以脱身。

她用尽毕生精力全身的血肉，杀气腾腾地整个的压上去，力争上游。枕被底下，波涛汹涌着，一种惊恐得骇人的纠缠，她咬紧牙关，不让他打滚，不让他翻身。她要他的温柔乡，变成一座令人窒息的荒冢。

在她这样摧枯拉朽的当儿，不免也昏昏沉沉，幽幽乱乱。

——就是那一天，等到正午的阳光，等不到要来的人。只见史仲明……

她完全的绝望。

在以后的十天，却重新充满了欲望。那黑褐色的粉末，给安置在一个小小玻璃瓶中，远看近看，都像调料。一口气吃下去？不，那太好办了。丹丹计算准确，一天一天的下，慢慢来。

史仲明一定没有告诉她了。原来那补药"人造自来血"，中间略有一点成分，是败血菌，轻微的败血菌，促进新陈代谢作用，使肝脏更活跃，但分量一定得严格控制，一下子多了，便成为毒药。

丹丹一天一天的下，败血菌慢性地在他体内繁殖，一分钟一倍，在繁殖期间，半分中毒迹象也没有，只是疲倦、心悸、痛。金先生享用着丹丹下的面，阳春面、一窝丝、三虾面、爆肚面、排骨面、鳝糊面……还有两大箱的可口可乐，一切都遮盖黑褐的色彩，混沌成就她的报仇雪恨大计。

她计算准确，不到十天，他就可以萎缩了。他那复杂阴沉的全盛时代过去了。

他没动用到那把手枪，原可以先把她干掉，然后成全自己。不过——也许，他不忍。她有点怀疑，他是不忍的？直到丹丹掀起枕被来看他时，一脸大红大紫，表情错综复杂，热闹迷离。他张口结舌，似有满腔难言之隐。

如今半推半就地慷慨就义了，紧握着的手枪始终没发过一响。

此刻原来他也是真心的。

丹丹的第一个男人。

金啸风甚至不可以死在自己手中——不过，想深一层，他其实也死在自己一手缔造的事业和女人手中。说得不好听，死在一场荒淫而美丽的横祸里。寻常老百姓又怎会拥有此番的曲折？

因着一场搏斗，丹丹也如一瓶泄气的可口可乐了，空余绿幽幽的玻璃瓶，和不肯冒泡的静止的液体。

一床都是横乱纷陈，他的口袋，倾跌出他的铺排。她见到了，相当于遗书吧？是洪福长生行那副上等楠木棺材的收据，一万元，无论他如何兵败如山倒，他一定是早已策划好他的身后事了，要不亲自策划，谁出来收作？收据上还有他惟一忠心耿耿的，一度为他打落冷宫的程仕林的德律风，那数字：九三七零二。

还露出相片的一角，她猛地一抽，是自己！一张《东北奇女子》的剧照：她是一个农民的女儿，她大长辫粗衣裤的时代，她的黛绿年华，随着渐侵的夜，冉冉褪色——她摇身变成紫禁城中一个谋朝篡位的奸妃。

在这剧照还没拍出来的对面，她的对手，唐怀玉。她深信杀害他的人，已经伏尸在身旁，大仇得报，无梦无惊。

夜已沉沉来到，到处开始有灯火影绰，夜上海又充血了。

她一个男人也没有了。

不是舍不得，而是，为什么这样的结局？真奇怪，扮演了凶手，赢不回一点含血喷人的痛快，只像拍电影——她一生中不可能完成的，惟一的电影。当初的感觉，锥心滴血，握拳透爪，彻夜难眠，对金啸风、唐怀玉，甚至段娉婷，她都没有恨的能耐，因缘已尽，世道已惯，回首风景依然，她却万念俱灰。

一直这样的跪坐，姿势永远不改，腿也麻木了，心也麻木了。屋子里的钟，竟然又停了。

她跪在尸体旁，让昏黑吞噬。

她的第一个男人。他那样爱过她！

脸颊上痒痒的，是一串不知底蕴的泪水。她没来由地，开口唱了。

桃叶儿尖上尖唉，
桃叶儿遮满了天。
……
想起我那情郎哥哥有情的人唉，
情郎唉，
小妹妹一心只有你唉。
一夜唉夫妻唉，
百呀百夜思……

丹丹细细的唱着，没有一个字清晰，所以到了很久以后，她才恍然，原来所唱着的，是一首湮远而又凄迷的"窑调"。

姑娘儿们最爱唱了。窑调。

她吃了一惊。什么时候，她沦为妓女？她一直不肯给金啸风唱一个，一直不肯。到得肯了，唱的是那盘古初开，无意地烙在心底的一首窑调——切糕哥教过她的。一俟他唱完，还身在北平，胭脂胡同。怀玉正色："我们三个不管将来怎么样，大家都不要变！有福同享，有难同当！"说着把手伸出来，让三人互握着。彼此促狭地故意用尽力气，把对方的都握痛了。

要是把中间的一段岁月都抽掉了，今儿个晚上，把日子紧凑地过。卡一下，把中间剪去，电影都是这样，那剪掉的胶卷，信手一扔，情节又可以一气呵成。要是像电影……

或者她不过打了个盹，睁开惺忪的眼，呀，是个不可理喻的梦——不是噩梦，不必填命。一觉醒来，在北平、天桥、雍和宫、广和楼、东安市场、陶然亭。

然而她已经卖掉她的光阴。其实一觉醒来，被抽掉的却是北平的日子，她花般的日子。

冻月在夜空中走尽了。

空气异常的凉薄，一室都是灰青，仿佛还有尸臭，那是嗅觉上的失常。

丹丹挣扎着下地，把整瓶的"调料"，倾在自来火上刚热好的面上。她一箸一箸的，唏里呼噜，鳝糊不糊了，只是老了，老去的鱼有种很乏味的粗笨，她把面吃光把汤喝光。

……后来，史仲明来了，她已经倒在他怀中不动。

史仲明狂唤她："丹丹！丹丹！丹丹！丹丹！丹丹！丹丹！"

民国廿四年
秋
北平

"好，现在考考你。什么是'美人自古如名将，不许人间见白头'？"

志高手长脚长的蹲在小木板凳子上，一边用一个豆包布剪裁缝制而成的，漏斗形大网去捞动小金鱼儿，一边笑嘻嘻的在想。

"你别躲懒，快回答老师的问题，别动！我这是'烫尾'的！病了，别打扰它。"

小姑娘一手抢回那个扯子，便再逼问：

"快说！背都不会背，难道解也不会解？"

"哦这个我明白。美人跟英雄都是一个样儿的，就是不可以让他们有花白花白的头发，这时是给双妹墨染发油卖广告的——用了双妹墨，不许见白头。"

"你怎么乱来？"小姑娘信手一掀手中那纸本，正想再问。

志高岔开了："哪儿来的破书？"

"前年在琉璃厂书摊上买的，正月里厂甸庙会，也照样出摊，我爹见地摊子好寒伧，只有这本书还登样——"

"前年？前年我还不认得你们哪。"

"再问你：'花开堪折直须折，莫待无花空折枝'呢？"

"那是说，看到花开得好，非摘它几朵，来晚了，让人家给摘了去，只得折枝去作帚子用。"

"哎，你看你，一点学问都没有，狗改不了吃屎。爹还说要我管你念唐诗。"

"我是狗，那有什么？好，我是狗，你是水泡眼。"

"水泡眼才值钱！你看我这几个水泡眼，我还舍不得卖出去。名贵着呢。"

志高看着那副小小的担子，木盆中盛了半盆清水，用十字木片隔成四格，一格是大金鱼，一格是小金鱼，一格是黝黝泼

生死桥

469

泼的蝌蚪，一格是翠绿的水藻，边上挂了个她刚夺去的扯子。真的，崇文门外西南的"金鱼池"，就数这龙家小姑娘的最宝。

她是个圆滚滚的小个子，很爽气。有双圆滚滚的眼睛，微微地凸出，就像金鱼中的水泡眼。

小姑娘专卖的是龙睛和水泡。她本姓龙，唤龙小翘。也许爹娘没想着到底会成了卖金鱼的，要不也会改个名儿"小睛"，龙小睛，比较好听。她不喜欢"小翘"，翘是"翘辫子"的翘，十分的不吉利。

龙睛是金鱼中的代表鱼，绒球类，双球结实膨大对称挺立，是为上品。当不了龙睛，只好当水泡。

水泡也不错了，它顶上有两个柔软而半透明的漂动的泡泡，个儿圆，身长尾大。游动时尾巴摆动，像朵大开的花；静止时尾巴下垂，便如悬挂着的绫罗。有一种唤"朱砂水泡"，是通身银白，惟独两个大水泡是橙红色的。因此，她也爱穿黄花幽幽的衣裤。

远看近看，不外是尾小金鱼。

志高促狭地调侃她："喂，水泡眼，把你扔进河里，怎么个游法？"

她闪闪那圆眼睛。不答。

"像这'烫尾'的吧？一烂了就不好了，没折。"

"会好的，你别瞧不上，等它脱色了，又养在老水里，过一阵，更好看。"

"啧啧啧，可惜你不是它。"

话还未了，水泡眼劈劈啪啪的洒了志高一脸水。志高逃之夭夭。

小翘见他走了，无事可做，继续吆喝："哎——大金鱼儿——小金鱼儿来——哎——"

招来一些贪玩的小孩围着看。

正埋首捞着尾橘红的翻鳃，便听得一把亮堂的嗓子在为她助威了："哎——来看了——大金鱼儿——小金鱼儿——水泡眼——卖不出去的水泡眼——"

小翘一扔扯子就追打去。志高在警告："小摊子坍了，鱼给偷了——"吓得她又撒手往回走。

志高与一个人撞个满怀。

"志高，什么时候上得了广和楼？净跟师妹耍，还是那样没长性？"

"快了快了。唐叔叔，怀玉信来了没有？"

"信没来，钱倒是汇来了。够了，用不完。我也不图，孩子还是待在身边的好。你听说过什么？"

"没。也没听说再有什么电影了。不过也许是一两年才一部的那种大片子。红不赤的就好。钱在人在嘛。"

真的，怀玉的消息淡了，连丹丹的消息也淡了，志高只信尽管那里岔道儿多，谁进去谁迷门儿，发生了么什么事，也不过是拍电影的余韵。有声电影，有声的世界，就比他强多了，他也很放心。

不是说不必相濡以沫的鱼儿，相忘于江湖么？那是各有高就，值得称庆。

上海离得远，消息被刻意封锁了，很久很久，都不被揭发。大城市也有它的力量。

志高跟的师父姓龙，原是名旦福老板的一位琴师，他跟他操琴，算起来已是二十六年了。福老板有条宽亮嗓子，音色优美明净清纯，一度是民初顶尖旦角，谁知这条嗓子，太好了，往往不易长久，到得中年，已经"塌中"，音闷了，人也退出梨园。

龙师父流落北平市井，只仗卖金鱼儿。后来，到得广和楼重操故琴，也看上了宋志高是个"毛胚"，一意栽植，半徒半婿，宋志高仿如大局初定，心无旁骛，一切都是天意，眼看也是这个范畴了。

顶上一双翎子，即如蝙蝠蹁跹，或如蜻蜓点水、二龙戏珠，甚或蝴蝶飞翔、燕子穿梭……他都只在这儿了。

十月小阳春，秋雨结束，冬阳正炽，气温很暧昧，向阳处地头塍畔，草色返青，山桃花还偶然绽放它最后的一两个粉红色的花蕾，绰约枝头。

志高在他"良宅"前一边晒衣，一边晒人。

小翘远远的就扬声："你不怕日头火辣？穿成这个样儿？"

"不，我是穿了来晒。"

"你真懒！"

志高不响。他任由她管头管脚，骂他。"爹说，你昨儿个踩锣鼓太合拍，像木偶一样，身段跟了四击头一致，却又没心劲了。喂，你坐好一点，歪歪的。"

"你懂什么？"志高眯睐着一双晒得有点暖烘烘的眼睛望天而道："这日头，反而杀了个'回马枪'，还可以热一阵。水泡眼，给我倒碗甜水来。"

喝来好惬意。

志高明白，他自个的"回马枪"也不过如此。

龙师父跟他研究一段新腔，总是道：

"腔不要出人想象的新，大伙听戏，听得习惯了，怎么拉扯，偷、换、运、喷，都有谱儿，要新，必得在习惯里头新。"

所以他更明白了。

他开始上路，不唱天桥，唱戏院子；不唱开场，不过，顶多到了二轴。他便是稳步上场的一个小生。

也会红的，却不是平地红透半边天。即如放烟火，是个滴滴金，成不了冲天炮。不过比下有余了，有些人一生都成不了滴滴金。

廿来岁，一直这样的便到了三十岁。娶了媳妇儿，添个胖囡囡，日子也就如此的过下去，地久天长，地老天荒。

俟大地到了隆冬，一切变了样，只有命是不变的。漫天飞雪，气象混沌，街巷胡同似是用一种不太肯定的银子铺成——因为有杂质。不纯。

志高但觉一切如意，两父女一齐寄望他出人头地，很用心的夹缠调教。

夜里他躺在炕上，家中无火，不能过冬，围炉之乐，三五人固然好，一二人亦不妨。炉火渐旺，壶中的水滋滋地响着，水开了，沏上壶好香片。要钱方便了，着盒子铺把紫铜火锅和盒子菜：酱肉、小肚、白肚、薰鸡、肉丸子等，一一送了来这"良宅"，小伙计帮着燃点木炭、扇火，等锅子开了，端在桌上，说声"回见"便走了——好好的请个客，要是怀玉在……要是丹丹在。

丹丹怎么喊他的媳妇儿，唤"水泡眼"？唤"嫂子"？三年不见，十分的生疏，要是丹丹在，他亲过她的，都不知该怎么下台好。

他惶惑而悲哀地辗转一下，便又入梦了。

不知如何，梦中的自己居然穿上一套新西装了，白色的三件头，灰条子的大领带，别着个碎钻的夹子。还有袋表，还戴着钻戒——要多阔有多阔，人群簇拥，身畔美人明艳雍容，原来水泡眼擦了眼影子也可以这般的美。

是个出轨的美梦。

他在梦中叹口气。

"唉！"

只听得一声微微的长叹，响自广和楼外，戏报之前。段媸婷总是在他刚开始嗟叹之际，马上便紧紧的握住他的手，很明白的，表示她在。

日轮的光采，不因隆冬而淡薄，它犹顽强地挂在天边，利用这最后的时机迸发最后的光芒。古老的有几百年历史的红墙绿瓦黄琉璃，被镀上一层金光，像要燎原，像急召一切离群的生命，回家过夜去。

他道：

"你念给我听！"

她一看戏报，是的，大红纸，洒上碎金点。

她念道："是这么？宋志高，《小宴》、《大宴》两场。吕布：宋志高。就是你要听的把兄弟了？"

他提了提手中的一份礼物，那是他手造的一把伞。

唐怀玉后来成为杭州都锦生丝织厂的一个工人。

每当号竹的老师傅自淡竹产地余杭、奉化、安吉等县挑好了竹，便交到竹骨加工的工人手中去。擦竹、劈长骨、编挑、整形、劈青篾、铣槽、劈短骨、钻孔、穿伞盘等。西湖的第一把绸伞，在民国廿三年面世。在此之前，并没有人想到，丝绸可以用作伞面，春色也上了伞面，整个的西湖美景，都浓缩在一把绸伞上了——是那个头号工人看不见的美景。

他把它定了型，一把绸伞三十五根骨，那段竹，从来没曾劈了三十六根的，是因为他把的关。

——没有谁得知底蕴，从前，他手把上的是刀、枪、剑、戟，是双锤，一切的把子，在他手上出神入化，是他制敌的武器，是他灿若流星的好日子。

他从来不曾技痒，把任何一根淡竹盘弄抛接过。总推说是眼睛不灵光的遗憾。

要送志高的，选的是"状元竹"，画的是"翠堤春晓"。

冬天快要过去了。怀玉怎能忘却这三年之约？到底他又在一个昏黄凄艳的时分，由落日伴同践约。他熟悉的脚步携带他进了场。

进得了场，怀玉也就把他的墨镜给拿下来了。他闭上眼睛，场里头很多爱听戏的，不免也闭上眼睛在欣赏，他终于也是一分子。

他又问：

"人多不多？"

"都满了。"

段娉婷把她那深紫色的披肩一搂紧，伴他坐下。一瞥靠墙有排木板，也有小孩踮起脚尖儿在看。是"看"不是"听"，满目奇异。

果然便是《小宴》，怀玉竖耳一听，已然认出。咦，换了个娃娃腔呀，吕布来个拔尖扯远的娃娃腔，到底不同凡响：

我与桃园弟兄论短长，关云长挥大刀猛虎一样，张翼德使蛇矛勇似金刚，刘玄德使双剑浑如天神降……

怀玉听，一句一个"好！"，他很欣慰，忙不迭又问：

"穿什么戏衣？"

她听一阵，一省得是他问，便道：

"粉红色的，深深浅浅的粉红色，衬彩蓝、银，哎，看他的翎子，一边抖一边不抖，多像蟑螂的两根须！"

"好看么？"

"好看——没你好看。"

志高已经在唱：

怎敌我方天戟蛟龙出海样，
只杀得刘关张左遮右挡，
俺吕布美名儿天下传扬。

怀玉一拍大腿：

"比从前还棒！是他的了！"

《小宴》在采声中下了幕。志高回到后台；不错，一上广和楼就稳了。水泡眼递他一个小茶壶，还帮他印印汗珠儿。

他取笑："力气这么蛮，印印我就受伤了，看哪有人喜欢你？轻一点？"

一瞥他的彩匣子，在大镜子旁，原来给插上两根冰糖葫芦，大概是她特造的，竹签子又长又软，串上十来个山里红，比一般的多一倍，遍体晶莹耀目，抖呀抖，不是他的一双翎子么？

在他开怀地又因满脸油彩不能大笑时，后台忽有个陌生人在他身后擦过去，低着头。

惟志高眼中没有其他了。

饮场之后，舌端还黏了点茶叶子，一吐，是黯绿的一片——当初也曾青翠过呀。他又顺手小心一拭，怕坏了油彩，一边便把自己顶上一双翎子跟那冰糖葫芦比划着，双方都很顽皮地讨对方欢心。

虽则他常跟水泡眼吵嘴，此刻声音放至瘫软，也不喊她水泡眼了：

"小翘姑娘好巧手哩！小生这厢有礼！"她伸手一戳，指头上便染了脂粉。

骂管骂，还真是双俗世的爱侣。一切都是天定。

一时间眼中没有其他了。谁料得当初他也有过一段日子，想念一个人，昏沉痛楚，藕断丝连，还要装作笑得比平日响亮。

"志高，恭喜恭喜！"

是自上海一役，也就意兴阑珊地退出江湖的李盛天李师父。看来，他的确老了。

李师父现今只在家收徒儿，投他名下的，都是穷家孩子，学习梨园以十年为满。他不唱了，世上还是有接他班的人，舞台上的精粹，一代一代的流传下去了。正如生老病死轮回不息。

李师父身后领来两个十一二岁的师兄弟，挺神气的。都是学武，走起路来，迈八字步龙行虎状，有点造作，不过一脸精灵，细细地耳语，碍于师父在，不免收敛着，也因为有角儿在，也看傻了眼。

二人自一个黝黯的角落现身，志高回头见着，好像蓦地看到若干年前的自己，和怀玉，吃了一惊。顿时感慨万端，发了一阵呆，不能言语。

摔摔头，方晓得喊：

"李师父！"

"志高，你过了今天这一关，就成角儿啦！艺正卖到筋节儿上了。还是你踏实。"

志高只咧嘴笑：

"李师父您下面坐好，听了不对，别当场喝倒好，人后给我一顿臭骂就是。小兄弟来看蹭儿戏么？有送见面礼没有？"

招呼了李师父到场上去。真的有人给送礼物来了。

他放在手上摆布一下，是什么？

呀，是一把伞。

水泡眼呼的一下，把它撑开，伞面是轻如云衣，薄似蝉翼的丝绸呢，她大概一生也未见过这么好的伞了。

绸上染就"翠堤春晓"，碧水翠堤，是一种人世的希望。

"谁的礼物？"志高问："谁送来的？人呢？"

"不知道呀？"她瞪着一双圆眼睛。

"哎，你替我把他找来——糟，《大宴》要上了。你给我办好！"

钹与小锣已齐奏两击，鼓也急不及待地打碎撕边了，由慢转快，催逼他上场。戏如生命，没得延宕。志高先演了再说。

在上场门的一个角落，正有个低着头的人影，怔怔地瞅着他对另一个姑娘亲昵的叮嘱——不是寻常关系。

这个人影，看真点，也是个女的，穿得很厚很重，那棉袄裹着身子，如老去的胭脂敷在一张腊色的脸上。额前的刘海，像是古代新娘遮盖春色的碎帘，眼睛自缝隙之间往外探视，异常的瑟缩和卑微。是一种坚持来看人，坚持不被看的姿态。

如果再看真点，自然惊觉那原来亦是个标致女子，只是没来由地邋遢，也很局促。

没有人听她开口讲过一句话。幸亏没有，否则一定更惊诧，她的发音粗而浊，沉而老，唱戏的，管这嗓音唤"云遮月"，就像晴空朗月，忽被乌云横盖，进尽全力，还是难以逃逸，再没有谁见得它的本来面目。

不单嗓门变了，脸盘儿也变了，脸上的肉消削了，鼻儿尖尖的，烟油四布，嘴唇焦黄。青春早随逝水东流，逆流而上的，不过是一个残存的躯壳。

丹丹。

天气虽然冷，后台里人来人往，也有点蒸。不过她怀里抱着个热水袋，很受不得，紧紧的抱着来渥手取暖。

就这样，怀抱着她的诺言，来看切糕哥的风光。看他实实在在的快乐。他真是个好人，这是他的好报。

"我不是好人，这是我的报应。"丹丹看着璀璨的前台。她在暗，他在明。

当丹丹自最黑暗的境地醒过来时，史仲明在身边。

小命给捡回来，又倾尽全力的保住。

只是，不知心肠肺腑被败坏到啥程度？不停的喊痛，一痛险险要昏倒。外面还是好的，金玉其外，败絮其中。

痛得不治，史仲明惟有让她抽鸦片，这一抽，就好了，什么都给镇住了。

金先生风光大葬，已是一个月后的事。

治丧委员会，还是史仲明一手掌握，轮不到他遗言中的老臣子程仕林。生平阔天阔地，最后一次，亦甚哀荣，排场闹了三天，党国要员也都安心地来了。金先生是土葬，他没法到得黄浦江，去追寻他的故人。

上好的美国防腐针药令金先生的尸体安详地躺上一个月，待过了年，一切收抬安顿好了，史仲明才漂漂亮亮地"哭灵"。

一个大亨急病身故，一个大亨乘势崛起。他又接收了宋小姐，是为了照顾她。

——也许一切也不过是为了她。

"你是谁？我有必要回答你么？"丹丹如此势利的瞧不起他。

星星之火，可以燎原，他发誓要得到她。在全世界尚懵然不觉之际，他已处心积虑。

他让她每筒只在烟泡上半节对火吸进三五口，紧接着烟斗的下半节，不能吸，因为上半节比较纯，脸上不会泛露烟容。

待得三筒瘾过，欲仙欲死了，他灌她饮一种中药金钗石斛浸好的汁液。

然后他就要她。

因为鸦片的芳菲，她的眼神总是迷惑不解的，烟笼雾锁，不知人间何世。

史仲明痴心地吮吸着她，恨不得一口吞掉。这个惺忪而又堕落的美人。后来，一段日子之后……

她的瘾深了，他的心便淡了。因为到手，也不那么的骄矜。

史仲明看上长三堂子一个最红的先生，一节为她做上六七十个花头，那先生，十分笼络着新兴势力，看重撑头。

渐渐，牡丹也就在急景凋年了。

福寿膏没带来福寿，为了白饭黑饭，很难说得上，女人究竟干过什么。只带来一身的梅毒。

此番回来，不是走投无路：丹丹是有路要走的，特地回来"道别"。她记得三年之约，目送志高高升了，然后她便走了。否则她不甘心……"要是找不到，也有个路费回来。"她羞于见他，她彻底地辜负他。

在上场门，挑帘看着宋志高。宋，她一度借来的姓。信目而下，咦，是志高的娘来了，她胖了很多，非常的慈祥相，放下屠刀立地成佛——但总有接班的人。红莲成为面目模糊的良家妇女，不停地嗑怪味瓜子，真是，当家是个卖瓜子儿的，自己却是个嗑瓜子儿的。也许还有包炒松子，是留给志高，散戏时好送上后台，很体面地恭贺儿子出人头地。

身后有那被唤作"水泡眼"的姑娘，在乖乖遵从志高的吩咐，巴嗒巴嗒如金鱼儿永远不闲着的大嘴巴："谁送来的伞？有谁见过他？呀，有张条子——"

正想打开条子一看，忽见上场门有个排帘的，脸生，水泡眼疑问：

"咦，这婶子来找谁？"

丹丹一惊，忙乱中，只得擦过忙乱的人的肩逃去。

"婶子"？——可见太龙钟了。

不是老，不是梅毒，是完完全全的，大势去矣。

"嗳，热水袋给丢了——"

丹丹头也不回。冷，走得更坚决。

连在这般不起眼的偏僻角落，都不可以呆下去。大庙不收，小庙不留的孑然一身，她被所有人遗弃了！自己也不明白，漂泊到什么地方去好？

只得专心地找点事情干上。丹丹头也不回地走了。

志高便自下场门进来，一见那条子："平安。勿念。保重。怀玉。"

他就像一条蜈蚣弹跳而起，翻身至台前，自散戏的人潮中，目光一个扯子样，非把这小子给揪出来。

久经压抑，久未谋面的故人。他大喊：

"怀玉！怀玉！你出来！"

声音洪亮地在搜寻追赶。

如雪后的闹市，房子披上淡素妆，枯枝都未及变为臃肿不堪的银条，围墙瓦面，仿似无数未成形的白蛇在懒懒地冬眠。白茫茫之中，夹杂着一些不甘心的颜色。

幕一下怀玉就走了。只怕被人潮冲散。她依依挽手："冷么？"

"下雪不冷。雪融时才冷呢，也熬得过去了。"

足印在雪地上，竟然是笔直的。

段娉婷又问：

"后天回家去了。有一天光景，你想到哪里去逛逛？"

"你呢？"

"唔，北平最好的是什么地方？"

"——有一个喇嘛庙——"

"喇嘛庙？从没听你说过。"

"雍和宫，我没说过吗？小时候还让人给算过命。"……

志高等了半晚，妆也下了，人也散了，他把玩着那伞——那一冬都用不上的绸伞，满怀信心。兴致来了：

"好小子！衣锦荣归，搭架子来了！我就不信你不亮相，你敢躲起来耍老子一顿顿哼！死也要等到你出来不可，妈的，你出不出来？"

冷寂的后台只他一把嗓子热闹着。水泡眼气鼓鼓的也坐着等，不知所为何事，等的是谁。一切都是空白。眼也翻白了。

天桥大白天的喧嚣，像是为了堆砌夜来的冷寂。

那座砖石桥，万念俱灰，一如丹丹的肺腑，十室九空，再也榨不出什么来了。远处总有逃难的大人，紧抱着小孩，给他温暖。他们来自陷敌的东北，无家可归了，只谦卑地到来"乞春"，希望得点觊余，苟活着，好迎接春天。要真没吃食，也便把温暖来相传。到底有个明天。

也许要到明天一大早，偶尔一两个过路人，方才发觉有个笑着的姑娘的尸，死命抱着桥柱不放，若有所待。

她知道自己要死了，不仅知道，也正一点一点的觉出来，忽地有一种奇异的轻快，步步走近，那未知的东西。间中她身体惊跳，抽搐，那是因为她的血要流泻出来，中途受了险阻，然而，厚重的棉袄贪婪地自她腕上深切的刀口子，骨碌地吸尽了血，颜色因而加深，更红了，无法看出本来面目。

渐渐地非常的渴，非常的冷，伸出颤抖的薰染烟黄的手，抓住身边任何东西，就紧抱着，以为这就可以暖和暖和。

渴死和水冷死的人脸，是"笑脸"，肌肉僵化了，上唇往上一缩，笑得很天真，很骄傲。在这憔悴浮生，依旧乐孜孜地听着：

"呜——呀——噢——"

夜阑人静，更柝声来自遥远莫测的古代，几乎听不清楚了。

忽然，

天地间有头迷路的猫儿，黑的，半根杂毛也没有。凄惶地碰上她。它满目奇异地瞪着她，不辨生死，不知底蕴。情急之下，一跳而过，朝北疾奔。

就像被个顽皮的小姑娘追逐着。

朝北，

直指

雍和宫……